SŒUR SOURIRE

FLORENCE DELAPORTE

SŒUR SOURIRE

Brûlée aux feux de la rampe

PLON

A Jean-Claude Pirotte.

Aux âmes vivantes et pétillantes d'Albert Zech
et d'Henry Everaert.

« Mais ce qui m'émeut là jusqu'aux entrailles, c'est de
voir que les forts n'ont pas réussi à protéger les faibles,
et les faibles, les croyants, livrés à eux-mêmes, rendent
possible l'association de ce qui est idiot d'avec ce qui est
sublime, le puéril d'avec ce qui est éminemment tragique. Cela est affreux. »

Armen Lubin
Lettres à Jean et Madeleine Follain
(à paraître aux éditions Le temps qu'il fait).

INTRODUCTION

Sœur Sourire s'appelait Jeannine Deckers. Elle est devenue religieuse dominicaine après avoir enseigné le dessin. Alors qu'elle était au couvent dans la province du Brabant wallon en Belgique, elle a enregistré un disque dont la mélodie entraînante a fait le tour du monde. Puis un jour de printemps, écrasée par le fisc, n'ayant plus de quoi vivre, elle s'est tuée.

C'est tout ce que nous savions d'elle quand nous avons appris sa mort début avril 1985. J'ai ressorti mes disques de première communiante, et je me suis demandé pendant longtemps ce que c'est que la vie de quelqu'un. Puis je suis partie dans ma voiture, et j'ai cueilli du lilas au bord des chemins du couvent de Fichermont. Je voulais raconter l'histoire de quelqu'un qui ne compte pas. Les petites gens épris de grand, c'est comme s'ils étaient trop petits pour être vrais. A moins qu'ils ne laissent une œuvre impérissable ou deviennent des saints. Alors on a l'impression qu'ils ont servi à quelque chose, et que leur vie vaut d'être lue. S'ils échouent, à eux le néant.

Marie et moi, nous voulions devenir religieuses quand on nous a offert ces disques. Quelle vigueur joyeuse dans la voix ! Je me disais qu'au couvent, on a pour soi une petite cellule blanche avec un lit et une table, rien d'autre à faire que de se baigner dans la lumière divine des vitraux pendant la messe, et d'écrire pendant des heures sans être dérangée par personne. Marie avait encore plus de frères que moi. Nous nous levions à six heures pour assister toutes les deux à l'office des bigotes dans la petite chapelle latérale glacée de l'église saint Joseph, derrière la veuve du clown Footit qui sentait mauvais. Nous sautions en l'air dans les graviers de la cour de l'école après les confessions, remises à neuf par le pardon, étincelantes. Puis nous jouions gravement au football dans les rues pleines de brume, en attendant d'apprendre à jouer de la guitare. Une vraie religieuse, ça n'avait rien à voir avec nos institutrices catholiques qui ne comprenaient rien à Dieu. Sœur Sourire, c'était pour nous un modèle de femme libre : elle avait tout. L'énergie, la joie, le temps et le succès. La jeunesse éternelle, comme nous. Et pas de famille. Elle parlait notre langue. Ses chansons nous laissaient entrevoir, en ces années soixante, une vie d'adulte dans le prolongement de notre état présent, par ses rêves de gaieté, de pureté stylisée et de désintéressement, qui mêlaient les beaux symboles de nos leçons de cathé avec le désir d'élévation propre à nos huit ans.

A Bruxelles, j'ai mis plusieurs semaines à admettre que Sœur Sourire avait contribué à creuser sa tombe à cause de ces rêves-là. Je cherchais le centre, une timidité compacte comme un bouton, une sensibilité pleine d'espoir ; le désir de totalité, désir de Dieu. J'ai dû comprendre que le bouton n'avait pas éclos mais séché sur la branche. La personne Sœur Sourire a été inventée par l'extérieur. Comme à la marâtre du conte, on lui a donné des souliers chauffés au rouge pour danser. La jeune femme s'est laissé définir, puis a voulu devenir quelqu'un qui n'existait pas. Folie d'éclatement. Toute une vie centrifuge. Et la mort sans avoir réussi à se fixer dans le flot des images de soi, quand on est aussi miroir du monde.

Heureusement que je pouvais me plonger de temps en temps dans l'oasis de tendresse de l'abbé Zech ; grâce à son rire malicieux, la noirceur du destin des naïfs perdait sa charge contagieuse de désespoir. Quinze jours après mon retour en France, l'abbé Zech mourait dans un accident de voiture. Il me laissait sa confiance dans un livre à venir qui jetterait de la lumière dans le puits d'inconscience et de douleur que Jeannine Deckers a laissé derrière elle. Un peu orpheline, j'ai mis au jour l'embrouillamini des contradictions sincères de Sœur Sourire, sans espoir de les démêler. Parce qu'une personne c'est surtout ça, un paquet de fils dans tous les sens, et nul ne sait où on commence et où on finit. Le biographe est un chat qui joue avec la pelote.

1

JEANNINE DECKERS CONTRE LES DECKERS

Sœur Sourire a écrit des milliers de pages sur elle-même : en 1968, à trente-cinq ans, elle a publié une version expurgée de son premier journal, construit pour avoir l'air de raconter son cheminement spirituel depuis le guidisme jusqu'au couvent. Plusieurs classeurs de feuilles dactylographiées constituent en outre un journal qu'elle a eu l'intention de faire paraître, et qui forme la source principale de son histoire.

Une seule page existe sur sa vie avant douze ans. Quelques détails de peu de secours, des vues photographiques figées par la mémoire, l'intérieur de la maison, et quelques scènes anodines. On ne sait pas, elle ne savait pas ce qui a fermé la porte de l'enfance. Elle ne pouvait approcher de la vérité de cette porte, elle ignorait jusqu'à son existence. Terriblement tournée vers elle-même, elle a dû développer des stratégies considérables pour garder cette cloison étanche, et l'orgueil n'était pas la moindre. Ces détours l'éloignaient d'autant plus de la confrontation avec l'enfance et le fond de soi, qu'un grand besoin de vérité, parallèle, mais rendu à l'impuissance, la poussait à chercher les réponses en elle-même.

Les femmes de sa famille écrasaient leur petit monde sous une autorité sans beaucoup d'amour, apanage d'un type d'éducation plus bourgeois que leur quotidien, qui reflétait peut-être leurs aspirations. L'arrière-grand-mère de Jeannine possédait une belle maison à Wezembeck où oncles et tantes se retrouvaient le dimanche avec quelques amis, et goûtaient ensemble sur la pelouse dans une gaieté apparente. Presque tous tenaient des commerces, majoritairement alimentaires, la tante Maria une parfumerie. Ils impressionnaient la petite Jeannine, elle les enviait, elle les trouvait libres et épanouis. A la maison, elle s'enfonçait d'autant plus dans la gaucherie et le mutisme.

Sa grand-mère Denis, qu'on appelait tante Sophie, avait reçu jusqu'à vingt et un ans une éducation anglaise, c'est-à-dire très stricte, dans le respect de l'autorité et des conventions. Mais elle n'a jamais pu l'imposer à sa fille Gabrielle, née en 1911. Avec l'âge, tante Sophie deviendra une femme majestueuse, de belle allure, pilier de la famille, toute de sérénité et de bienveillance, quelque peu résignée sans doute mais prête au dialogue et aux concessions. Le grand-père de Jeannine, cuisinier-traiteur, est devenu « le mari-de-tante-Sophie » laquelle, après la première guerre mondiale, a pris la tête d'une équipe d'une vingtaine de personnes : sucré, salé, mijoté, cuit et doré, tout ce qui se mange doit être vendu vite. Tante Sophie règne, sa fille Gabrielle rue, se débat entre ses frères Hubert et Edgard dans une atmosphère de plats fumants et de prospérité gagnée grâce à la vigilance et de la souplesse où il en faut. Pas de temps gaspillé avec les enfants. On ne peut venir à bout de Gabrielle. Que fera-t-on de cette petite, qui nous en délivrera ?

Un livreur. On marie Gabrielle Marie Ernestine Léonie Denis avec Lucien Deckers en 1932 dès sa majorité, non parce que l'on pourrait jaser, ces choses-là n'existent pas, mais parce que le malheureux n'a pas dit non, et de Gabrielle on n'écoute pas les avis. Et puis on connaît les Deckers, ce sont de braves gens qui ne peuvent pas vraiment refuser ce parti, des fournisseurs fiables en tous cas. Lucien Deckers et son frère Albert travaillent depuis leur jeune âge à l'atelier de pâtisserie de leur père, l'un comme garçon de courses, l'autre comme ouvrier. L'été, ils font la saison sur la côte belge. Albert prend la suite de son père. Si l'on ne peut mater Gabrielle, il faudra la supporter. « Infernale et déchaînée », ainsi la décrit son neveu. Mais non dénuée d'intelligence et de culture. La gentillesse et la docilité de Lucien Deckers se transforment grâce à la vie de couple en passivité et indifférence, le travail et l'alcool aidant. L'amour, on ne sait pas trop bien ce que c'est, personne n'a vraiment forcé Lucien, et même s'il n'avait guère le choix, il a pu avoir un pincement pour cette grande môme avant qu'elle s'énerve et s'épuise en frustrations et en colères.

La rue de Laeken s'est beaucoup dégradée depuis l'enfance de Jeannine. C'est maintenant une artère bruyante et plutôt sale qui file dans une animation nerveuse vers le nord de Bruxelles, mais qui a été florissante, grouillante et gaie. Lucien et Gabrielle Deckers y ont vécu la naissance de Jeanne-Paule Marie, dite Jeannine, le 17 octobre 1933. Deux ans plus tard, celle de Madeleine, que l'on place dans le lit de l'aînée.

(Pauvre-Madeleine est le nom que lui donne sa sœur. Ne comprend apparemment rien de ce qu'on lui explique. Elle doit rester où son âge l'a placée : en arrière. Madeleine si brave, désireuse de rendre service, si contente quand sa sœur s'occupe un peu d'elle, quand elle lui apprend quelque chose, marcher, écrire, quand elle en prend le temps. Il est impensable de traîner à ses basques les grands désirs de la petite sœur, ses grandes admirations, et l'exaspérante curiosité qu'elle a de tous les gestes de l'aînée. Pauvre-Madeleine viendra à la prise de voile avec leur grand-mère, mais demandera qu'on lui paie le déplacement pour se rendre à l'enterrement de Jeannine. La rudesse de leur mère Gabrielle parvient démultipliée par Jeannine à Pauvre-Madeleine, qui, repoussée, tirée à soi comme une couverture en cas de besoin par l'une ou l'autre, sans défense contre ces murs-là s'abattant sur elle, s'enfonce et coule sous le poids, décroche de l'école, erre et erre encore dans l'amertume, toute à l'idée que sa sœur a fait fortune et qu'elle a manqué sa part du gâteau.)

Rue de Laeken, il y a la guerre du dehors : les alertes dans la cave, on attend les bombes, celles qui volent et celles qui tombent. Il y a l'école paroissiale, les grands murs de la cour, les frises au pied des exercices d'écriture, Lucien qui attend à la sortie de l'école. C'est peut-être la guerre du dehors, la terreur, l'écroulement du monde qui creusent en Jeannine la faille dans laquelle elle se jettera, mais tous les enfants d'Europe qui ont eu trente-cinq ans en 1968 n'ont pas grandi avec au centre d'eux-mêmes un tison de peine, même si le désenchantement les habite.

Car rue de Laeken, il y a aussi la guerre du dedans. Un couple bancal, l'orage latent, les éclats dont on oublie en grandissant comme ils explosent dans un cœur. Pour sa mère, Jeannine n'a pas plus d'amour qu'elle n'en reçoit. Trop semblable, butée aussi, entière dans le refus et le repli. Elles s'affrontent, se détestent bientôt. Gabrielle n'accorde à son aînée que défiance et hargne. Elle répète souvent son horreur des bébés, horreur de les faire aussi, ces « choses sales » qu'elle accepte avec résignation et dont elle parle avec dégoût. Les filles sont témoins de la vie conjugale de leurs parents de l'autre côté du rideau. On n'oublie pas les paroles de douleur.

Les années d'occupation nazie défilent dans le faubourg. Petit logement exigu, petit commerce de pâtisserie, petit trafic de fausses cartes d'identité pour la Résistance, paraît-il, qui leur aurait valu quelques perquisitions de l'armée allemande. Le lit des parents dans la chambre commune n'est séparé de celui des filles que par un rideau qui sert de tente pour jouer au cow-boy. L'atelier du père se situe au bout d'un escalier dont la rampe de fer enserre un jour la tête de la petite aînée. Dans la cour ne fleurit que le persil dans un pot d'eau, sur le rebord d'une fenêtre.

Tante Sophie a décidé que Gabrielle et Lucien Deckers prendraient la direction des opérations sucrées de l'entreprise familiale. La famille Deckers quitte alors la rue de Laeken en 1945 et rejoint le clan, au parvis Saint-Henri, une place dans le faubourg de Woluwé-Saint-Lambert, près de Bruxelles. L'appartement est au rez-de-chaussée, derrière le magasin. Les ouvriers habitent dans l'autre partie de la maison. Ils sont dix-sept à l'atelier pour les deux commerces, sucré, salé. Les oncles Hubert et Edgard Denis tiennent la charcuterie-traiteur avec leurs femmes. Edgard a trois garçons qui vivent juste à côté de leur cousine Jeannine, laquelle est nommée marraine du cousin Pierre Denis. Elle s'entend bien avec sa tante. Curieusement, Gabrielle Deckers fera bien davantage pour son jeune neveu Pierre que pour ses propres filles, gâtant le fils qu'elle n'a pas eu. « Tu es un garçon manqué », disait-elle à Jeannine. Le garçon qu'elle a manqué, qui lui manquait ? Gabrielle est née à Woluwé et y mourra ; son séjour en ville ne fut que de courte durée.

Les grands-parents Deckers habitent l'autre Woluwé, Woluwé-Saint-Pierre, à un jet de pierre de là. Il y a eu un arrière-grand-père Deckers, à la mort duquel Lucien a pleuré, ce qui a beaucoup impressionné Jeannine. Gabrielle insinue devant ses filles qu'elles ne sont pas du même monde que leurs cousines, les deux filles de l'oncle Albert Deckers. Jeannine raconte quelques péripéties de la vie de l'une, un voyage sur la côte d'Azur en compagnie de l'autre, avec une ironie dénuée de tendresse.

Les souvenirs de Jeannine commencent réellement après la seconde guerre mondiale à Woluwé-Saint-Lambert, non tellement plus beau mais plus propre, calme et prospère que la rue de Laeken. La pâtisserie se tient au creux d'une place en demi-lune, traversée par une artère qui longe une immense bâtisse de briques rouges. En ouvrant les rideaux de leur chambre le matin, Jeannine observe, de l'autre côté de la place et de l'artère, une statue de métal en pied surplombant la grille de cet énorme bâtiment. Un Christ, raide, triste et menaçant, écarte les bras, une sorte de casque à pointe en guise d'auréole fixé sur la tête. Tous les jours elle peut lire pour se distraire l'inscription qui court le long du mur d'enceinte interminable et rouge :

INSTITUT POUR SOURDS, MUETS ET AVEUGLES

Depuis le balcon au-dessus de la pâtisserie d'où elle saluera la foule quand elle sera star, on voit dans la cour de l'Institut les gestes hésitants des pensionnaires et les robes noires et raides des religieuses. On peut imaginer que ce leitmotiv effrayant a pu attiser sa rage de chanter et de peindre, et colorer le fond d'une chanson inspirée par les Évangiles, composée en 1974, *Renaissance*, dans laquelle l'Esprit éveille à la conscience le sourd-muet et l'aveugle tapis dans les cœurs.

Jeannine a grandi, mais leur nouvelle maison offre à peine plus de place. Cette fois-ci, chaque fille a son propre lit. Le salon : « une petite pièce, une table au milieu, à gauche un meuble à disques avec une radio par-dessus, à côté une armoire à vaisselle, à côté un fauteuil vert en skaï, puis la porte vitrée donnant sur le magasin, à droite un porte-manteau accroché au mur, à côté une porte donnant sur le corridor, puis une sorte d'armoire-bahut basse, et à droite enfin la porte de la cuisine. Très petite aussi. » L'étroitesse domine à l'intérieur et à l'extérieur. Jeannine (comme Gabrielle) recèle une énergie constante que le dessin n'absorbe pas toute. Après un court séjour chez des sœurs qui n'en voulurent plus, elle entre en sixième à douze ans, dans la section Arts Décoratifs d'une école catholique, l'Institut des Dames de Marie, à Saint-Gilles, un quartier de Bruxelles.

Les écoles religieuses ont longtemps ressemblé à autant de couvents, en France comme en Belgique. On y croise des

sœurs en habit sous les préaux qui imitent les cloîtres, méto-
nymie des couvents. Les élèves portent une blouse ou un uniforme. La prière commence la journée, les cloches battent les
heures, la directrice se déplace pour les cas graves. Le matin,
les pensionnaires sont réveillées par un péremptoire « Vive
Jésus ! » auquel, au brusque sortir du sommeil, les filles
doivent répondre aussitôt par « Vive Marie ! ». La vie en
communauté est la seule qu'on connaisse alors, avec sa foule
de robes autour de soi. Dans le réfectoire, quatre-vingt voix.
Le *benedicite* en latin. Certaines cachent leur ennui, d'autres
leur ferveur. Des couloirs parquetés, des plafonds à quatre
mètres bordés de moulures, roulant et répétant le passage de
seize classes. La sévérité élevée au rang de vertu, l'hypocrisie
aussi, par conséquent. Les critiques naissent derrière les
pupitres pendant les cours de religion. On se prend à aimer
les messes obligatoires, il y fait bon et calme et il y est question d'amour. Le luxe est dans l'espace énorme des couloirs,
règne de la froideur, mais se déployant généreusement
devant soi. Il est dans le cuir des chaussures des autres, dans
la beauté du parc alentour, mais surtout dans le volume des
pièces à peine meublées qui se succèdent de palier en anti-
chambre. La véritable douceur filtre parfois de la voix d'un
professeur, d'une jeune religieuse, d'une petite des classes
dont on vient. Si peu, cependant, bien rarement.

Les quelques souvenirs conservés de son père refont surface en janvier 1978 dans un contexte affligeant. Jeannine
souffre de sa boulimie. Elle se plaint d'une constante envie de
manger, principalement des sucreries. C'est alors qu'elle
évoque ses automatismes de l'enfance, au retour de l'école.
L'indifférence ou l'absence des parents la jetait sur les dou-
ceurs de la pâtisserie. Les dimanches matins resurgissent,
envahis de clients affamés par les longues messes de l'église
d'en face. Les deux filles avalent quantité de « couques »,
viennoiseries du petit déjeuner, que leurs parents produisent
et vendent. Le repas de midi, désordre sans fin, s'achève sans
les parents, remplacés par un gâteau réservé pour les petites
dans la boutique. Soudain et pour la dernière fois, Jeannine
parle de Lucien dans son journal. Quelques lignes élogieuses,
un peu de tendresse et peut-être la racine d'un désir de beau,
le goût du sucre et celui du père liés éternellement à une
grande et récurrente douceur de l'enfance, celle de la bouche,

aux seules complicités de l'atelier. « Papa a été un pâtissier émérite, presque un artiste en son genre, je le vois encore modeler avec amour des roses en sucre pour décorer une glace de communion solennelle, ou des fruits en massepain... » La nourriture occupe le centre des dimanches familiaux de Woluwé. Après le goûter, Gabrielle prépare des plats qu'ils mangent ensemble le soir dans la morosité, et qui s'opposent bien vite pour Jeannine aux repas de saucisses enfilées sur une brindille et grillées au-dessus d'un feu de fortune dans la fraternité des mouvements de jeunes dont elle sera toujours nostalgique. L'ennui profond des dîners dominicaux provient surtout de Lucien, qui, épuisé de sa journée, de sa semaine aussi, de sa femme sans doute, se saoule dans l'après-midi. Il s'endort habituellement avant le dessert. Gabrielle peste contre lui, Jeannine s'attriste de son état et des réprimandes dont il est l'objet.

« Enfant, c'est comme si je n'existais pas ; ma vie intérieure semble s'être éveillée, devenue consciente que vers mes treize-quatorze ans, au milieu de questionnements philosophiques et religieux qui entravaient mon travail scolaire », écrit-elle à quarante-trois ans. Sous les fenêtres en ogive miecclésiales de l'Institut des Dames de Marie, dans les halls boisés à l'odeur catholique de cire et d'économie, passe une enfant dont on renfonce la vie dans la gorge. Toute une partie d'un être se pétrifie définitivement, si brutalement qu'un mur se construit autour de son cœur. Un mur orbe mais non étanche, si peu étanche que le souvenir constant d'un ancien havre de paix, lancinant, épuisant, comme suintant en silence, a motivé ensuite tous ses choix. Un souvenir comme une odeur perdue, qu'un peu de pluie dans le désert évoque, mais indissociable de la douleur. La douleur qu'elle a enfouie fut facile à reproduire, elle était signe de vie. L'apaisement aussi s'est reformé aisément, et le formidable soulagement de la porte qu'elle a refermée sur sa souffrance. La distance, l'oubli, les mensonges et toutes les haines sont de douces et funestes barricades contre la douleur. Il s'ensuit presque la même paix que celle que l'on scelle. Ataraxie, sœur atrophiée de la joie ; bien-être, souvenir de la joie ; absence du monde, signe de l'ancienne absence à soi-même.

C'est un barrage, un cratère plein d'eau à la merci d'une éruption, un chaudron au bord de l'ébullition que Jeannine porte en elle à partir de douze ans. Pour atteindre à la douceur perdue, à la paix du cœur, elle s'expose à un déferlement catastrophique de peine, amassée et bouillonnante, potentiellement bien trop dangereuse pour être appréhendée. Jeannine a barricadé son enfance.

L'aversion de Jeannine pour sa mère grandira au fil des psychothérapies. Elle assimilera toute autorité à la figure écrasante de Gabrielle Deckers, dont elle portera pourtant le prénom masculinisé en religion. Parfois elle lui reconnaîtra quelque qualité secondaire, comme celle de s'entendre merveilleusement bien à faire la cuisine, ce dont elle s'est par réaction bien gardée. Jeannine a rendu sa mère responsable, à tort ou à raison, d'une grande partie de ses impuissances, inhibitions, manquements et autres incapacités, mais rarement de sa difficulté à aimer et à se faire aimer. Gabrielle s'est imposée à Jeannine, lui dictant ses goûts, ne lui prodiguant pas de tendresse, s'ingérant dans ses affaires sentimentales tout comme tante Sophie s'était mêlée des siennes avant de la caser avec Lucien pour toujours. La figure écrasante de sa mère, Jeannine va la fuir et la chercher tout ensemble, la retrouver pour la rejeter : au couvent, la Sainte Mère l'Église fait la loi, la Maîtresse des novices règne sur les nouvelles venues et la Mère supérieure sur tout le monde. Dans ce giron-là, pas de père, sinon au ciel, magnifié par l'absence. Elles aussi ont réduit Jeannine inconsciemment à l'impuissance. Toutes les mères conjuguées réussiront à l'empêcher d'apprendre à se battre.

Gabrielle inscrit sa fille aux guides à quinze ans vers 1948, et l'univers s'ouvre. Les week-ends au grand air dans une campagne brabançonne foisonnante de beauté, la douceur des contacts, la simplicité de l'environnement, tout la séduit, ainsi que la ferveur réelle de la foi de ces groupes. Leur messe à elles ne sert pas à mériter les gâteaux de la sortie, les chants élèvent son cœur, l'élan quelque peu déréalisé de la vie de guide l'enflamme. Elle reçoit le nom (on disait « totem ») d'« ourson concentré », en raison de son air renfrogné et de ses difficultés de contact. Mais ses amies apprécient son humour ironique, sa vivacité, sa sensibilité toujours en éveil. Malheureusement, l'amour du guidisme alimente un sentiment de supériorité et d'isolement envers sa famille, qui restera le même jusqu'à sa mort. Sauf envers un cousin, son filleul, lui aussi marginalisé par les siens. Elle n'aura de cesse que de quitter la pâtisserie par le haut. Son milieu, son nom de famille même ne lui inspirent que dépit, honte et mépris : elle aurait voulu un nom français, des parents de profession libérale : « Jeannine, lui rappelle incessamment sa mère, n'oublie jamais que tu es une fille de commerçants. » Comment l'oublier ?! La majorité des filles qu'elle côtoie chez les guides ou à l'école proviennent d'un milieu plus bourgeois que le sien. Davantage que de la discrimination sociale subtile dont elle est l'objet, elle souffre de leur donner raison. Elle commence des études de dessin motivées par le prestige social dont elle pare l'enseignement de l'art. De même que son père falsifiait des cartes d'identité pendant la guerre, Jeannine voudrait que ses origines populaires soient sujettes à palimpseste. Dans son journal, elle orne les gens de prénoms plus « convenables » : sa sœur Madeleine devient Catherine. Elle n'adopte pas pour autant le matérialisme bourgeois, qui l'indiffère. Le confort, l'élégance, la respectabilité n'effleurent que peu son vocabulaire, en dépit ou à cause du goût de sa mère « pour le snobisme et les choses de dernier cri ». Gabrielle est très élégante. Jeannine finira par prendre en grippe les gens comme il faut, la bonne société, les convenances. Seule la notoriété lui deviendra chère, et un goût immodéré pour les vacances à l'hôtel, qu'elle devra parfois payer en disques, ou en chansons. La légèreté et l'insouciance, privilèges de classe, lui sont déjà interdites.

Jusqu'en 1953, à vingt ans, Jeannine partage sa vie entre l'École des Sœurs de Sainte-Marie, où elle est formée à son métier d'enseignante après ses humanités, et le guidisme. Les fêtes religieuses mobilisent ses parents plus encore que les dimanches, c'est pourquoi elle prend goût aux retraites dans les abbayes du Brabant wallon où elle se rend avec des amies, et aux voyages à l'étranger avec les groupes de jeunes qu'elle encadre. Les abbayes sont des lieux privilégiés : on y saisit mieux le sens des célébrations religieuses, pour peu qu'elles soient animées par plus de spiritualité que de tradition. Le contraste avec la pâtisserie est drastique.

Dans le journal publié en 1968 sous le nom de *Luc Dominique*, elle ment beaucoup, surtout lorsqu'elle prétend que la bonne entente régnait sous son toit. Mais nous la croyons lorsqu'elle évoque une crise longue et pénible qui marqua sa foi entre quatorze et dix-sept ans. Ce qui reste de cette épuration-là suffit parfois pour l'existence. Elle en gardera une grande tendresse pour les ados. « Tout faisait problème, tout faisait souffrir, j'avais les nerfs à fleur de peau, l'anti-conformisme croissait et j'étais pleine de pitié pour les gens sans questions ni problèmes. » C'est l'âge où l'on pèse dans la balance de la sincérité de sa propre foi le poids des dogmes et des conventions. De nombreuses formes de piété tradi-tionnelles lui apparurent comme à d'autres à jamais irrece-vables, et toute autorité une menace de mort pour son inté-grité. La foi constitue une interrogation constante de son adolescence. A tel point qu'un jour, à quinze ans, pendant un cour de gymnastique, en plein mouvement comme il convient à sa nature débordante et à celle des prémonitions, elle se dit : « Toi, tu seras religieuse. »

Elle quitte ce tunnel en 1950 à dix-sept ans, au moment où elle entre chez les guides aînées, dans ce mouvement qu'on appelle la Route, ou le Clan. En Belgique, les mouvements de jeunes sont très nombreux et divers, mais la Route est la suite logique du guidisme. Pendant onze ans elle chérira les marches, les week-ends, la spiritualité de la Route, le petit comité de filles peu soucieuses de plaire et peu fragiles, la suite des années de guide et la continuation d'une certaine évasion. La Route permet également de rencontrer des gar-çons : Christian et Marc D., deux frères ou cousins, sont scouts Routiers, et deviennent ses amis. De guide aînée, elle devient cheftaine, puis monitrice et directrice brevetée de centre de vacances d'été. Pour animer les veillées, elle achète sa première guitare. Elle gratouille toute seule, on l'aide à placer ses doigts, jusqu'à ce que ses accords accompagnent les chants de circonstance. Elle prend goût à l'instrument et s'applique, chante pour elle-même et avec les autres, mais elle ne cherche pas de professeur, n'apprend jamais le sol-fège. Grâce au seul scoutisme elle a pu approcher un peu de bonheur, trouver une identité dans un groupe, et la paix loin de la pâtisserie. C'est à cette époque qu'elle prend au sérieux l'idée de rentrer au couvent.

Des lectures qui forment les caractères exaltés comme celui de Jeannine Deckers, elle ne nous a fait part que du livre de Raïssa Maritain, *Les Grandes Amitiés*. Dans le Quartier latin, à Paris au début du siècle, une jeune femme cultivée d'origine juive s'éprend d'un étudiant en philosophie plein de fougue, de cœur, d'intégrité et d'intelligence. Ce jeune couple, élève du philosophe Bergson, s'attache au poète Charles Péguy, et de fil en aiguille, à une foule de gens connus, dont des peintres maintenant immortels, et les plus amoureux des poètes dans cette période de christianisation des intellectuels. Dieu s'éprend de leurs cœurs. L'écrivain Léon Bloy leur apparaît comme un des catholiques les plus passionnés et les plus sincères. Ils se convertissent tous les deux. On peut lire dans le *Journal* de Léon Bloy : « Jacques et Raïssa. On ne sait comment dire ce qu'on éprouve les uns pour les autres. Ce temps est pour nous au point de vue amitié ce que les *Actes des Apôtre*s sont pour le christianisme. » Maritain, devenu philosophe, professeur et éditeur, œuvre pour la grâce et gagne à sa cause nombre de créateurs. Les liens se serrent et se desserrent autour de l'amour du Christ.

Jeannine mentionne plusieurs fois dans son journal combien elle a voulu instaurer à Woluwé-Saint-Lambert avec Marc, Christian et sa petite sœur Madeleine ce même climat d'intelligence pénétrée de soif d'absolu. Mais ils ne l'ont pas suivie. On doute que Bergson et Bloy aient fait beaucoup d'émules dans son entourage, malgré les efforts de Jeannine pour exposer à son petit groupe les idées qu'elle découvrait. Au contraire de Raïssa, et bien qu'élève en arts décoratifs, elle n'a pas pris l'habitude de fréquenter les musées ou les expositions. Les garçons avaient une vingtaine d'années, Christian surtout lui était attaché, c'était plus ou moins réciproque. (Jeannine aimait aussi regarder les muscles de Marc.) Christian plaisait trop à Gabrielle, qui aurait bien voulu sans doute lui donner sa fille. Après les pièces de théâtre et les concerts ils discutaient longuement, mais vraisemblablement rien de plus tendre ne les unissait. Ils avaient une grand-mère qui les recevait parfois et chez qui ils dansaient. En réfléchissant sur le ménage qui aurait pu se créer, Jeannine mûrie ironise sur les pantoufles du mari et ses chemises à repasser. Elle lui a annoncé dramatiquement sur le quai d'une gare son intention d'entrer au couvent, qui lui paraissait déjà supérieur au mariage, entaché d'un « amour courant » et générateur d'une amertume dont elle pensait se préserver en entrant dans les ordres. Elle voulait « vivre au-delà et en mieux ce mariage, sur un mode abstrait voire esthétique ». Aucune idée de bonheur amoureux ou de solitude n'a effleuré son esprit. Le couple et l'amour ne lui font aucune envie. Pourtant, il y a eu des gestes de tendresse et de désir dans une voiture avec Serge, un étudiant en sciences religieuses, en permission pendant son service militaire. Serge s'est marié, et aurait conservé la première guitare de Sœur Sourire. Est-ce l'exemple pitoyable de ses parents, ou bien un attrait pour les jeunes filles dont elle refuse de prendre conscience qui l'éloigne tant des préoccupations de ses contemporaines ? Le sentiment seul de l'amour lui inspire de la terreur, et le mariage un dégoût profond, mais pas la tendresse protectrice qu'elle ressent pour les adolescentes. Ce célibat envisagé comme un mariage sur le mode esthétique laisse rêveur. Dans le passé et l'introspection elle accepte de discerner un peu de sens, mais cela ne l'aide pas à vivre. Par la présence divine, sensible et non abstraite, débute une consolation qui doit s'ouvrir sur le réel pour aboutir à une véritable spiritualité. Mais la nature même du réel lui est trop pénible pour qu'elle commence seulement à lui faire face. D'autre part, si nous en croyons Teilhard de Chardin, le mystique ne connaît pas le réel, il l'acquiert. Pour ne rien arranger, la découverte de la psychanalyse la brusque, induite par un professeur de l'école normale qui, selon elle, passe ses élèves au crible, et « n'avait pas bien compris Freud ». Les vérités toutes crues soudain dévoilées l'auront choquée, ses parents ne lui ont rien appris sinon la faillite du bonheur familial. Elle a voulu qu'un prêtre la rassure, lui affirme que Freud n'avait pas découvert l'inexistence de l'âme mais bien de nouveaux gouffres dans les seuls abîmes de l'homme.

A vingt ans, en 1953, elle s'inscrit en auditeur libre au cours de peinture monumentale de Paul Delvaux, le grand peintre surréaliste belge, à l'École Nationale Supérieure d'Architecture et des Arts décoratifs, cette école au bout de l'avenue Louise à Bruxelles que l'on appelle La Cambre, nom du magnifique bois de hêtres qui la jouxte. Elle dessine six heures par semaine des corps nus, ce qui la réconcilie avec la nature humaine que les cours de psycho lui avaient fait prendre en horreur. Elle découvre la plasticité de l'anatomie, et se persuade tant bien que mal que son émotion esthétique n'est pas nécessairement d'origine sexuelle. A l'Académie des Beaux-Arts d'Etterbeek, près du centre, elle est inscrite en cursus régulier. Elle aurait aimé obtenir le diplôme d'études artistiques supérieures à la Cambre, mais ses parents s'y opposent, et l'enjoignent à préparer plutôt un « régendat » en art décoratif aux Beaux-Arts, ce qui lui permettrait d'enseigner plus tôt, donc de gagner sa vie dans de plus brefs délais. Un diplôme utilitaire, en quelque sorte, qui lui laisse un goût amer. Elle l'obtient avec la mention « honorable ». Ses camarades de classe se souviennent d'une jeune femme raide, cassante même, malgré les blagues salées qui cherchaient à nuancer son image de catho, mais l'amie fervente de ces années-là connaît la douleur et la tendresse, l'élan vital dont elle était capable en privé.

En même temps, elle débute dans l'enseignement du dessin, de 1954 à 1956, à l'Institut Sainte-Anne à Gosselies, non loin de Bruxelles. Il semble qu'elle n'ait jamais habité qu'avec ses parents à l'époque, et, malgré tout, ces années-là se drapent dans son souvenir de tout le charme de la vie de bohème, « côtoyant la rêverie, l'irréel, monde de l'invisible où nous puisions nos sujets de peinture murale ». Pourtant, l'atmosphère familiale se dégrade, les tensions avec sa mère se cristallisent autour de la personne de Christian, et l'enseignement lui est tout de suite très pénible. Trop murée, elle ne parvient pas à se faire respecter des élèves qui mendient l'autorité, et se fait chahuter terriblement. On la perçoit en porte-à-faux un peu partout.

Pendant les vacances, lorsqu'elle ne campe pas avec la Route, elle encadre des colonies de vacances dans toute l'Europe. Les délices du voyage ne s'altéreront jamais pour elle, et malgré ses moyens réduits, chaque année après sa sortie du couvent elle partira au soleil.

2

SŒUR LUC-GABRIEL
CONTRE JEANNINE DECKERS

La plaine de Waterloo n'est ni plate ni morne, évidemment. Elle ondule, vaste et presque vide, au sud de Bruxelles, traversée par la grand'route de Charleroi qui émerge des derniers faubourgs. Dans les champs la terre luit, grasse et fertile. Deux édifices considérables ont été construits sur ce haut lieu de carnage : d'un côté de la route un tertre pyramidal sur lequel trône, à belle hauteur, un lion moulé dans le bronze des canons de la bataille, symbole des vainqueurs. A ras de terre grouillent les baraques à frites, les cafés-souvenirs, les musées de la guerre. De tout là-haut, si l'on regarde vers l'est, on distingue l'autre bâtiment qui ponctue la plaine : le couvent de Fichermont. Lui aussi repose sur un monticule, qui semble plus naturel, en plein vent. Un rideau d'arbres brouille ses contours, des lilas bordent les chemins creux qui mènent aux villages du Brabant.

La congrégation des dominicaines de Fichermont date de 1920, époque à laquelle les Pères Dominicains du Congo demandèrent l'assistance de religieuses de leur ordre. Le château, alors délabré, servit d'asile aux premières dominicaines qui en restaurèrent une grande partie. Elles y vécurent jusqu'en 1928. Entre-temps, la communauté prit beaucoup d'ampleur. La nécessité de construire se fit jour. Or, après la défaite de Napoléon, le duc de Wellington, soucieux de conserver à la postérité le théâtre de ses exploits militaires, avait acquis sur la région le droit d'exiger qu'elle garde l'aspect qu'elle avait en 1815. Il fallut donc une décision du Parlement Belge pour que les terrains nécessaires à la construction du monastère autour de la vieille demeure

puissent être acquis par la communauté. Les travaux purent
enfin commencer en 1928 et s'achevèrent doucement en 1959
avec la réfection des communs, date à laquelle Jeannine Deckers en franchit le seuil à vingt six ans avec ses valises et sa
guitare.

« Quand un établissement a les siècles pour soi, il sort de
ses pierres un parfum de stabilité qui rassure l'homme contre
les doutes de son cœur. Il y dort comme l'enfant sur les vieux
genoux de son aïeul, il y est bercé comme le mousse sur un
vaisseau qui a cent fois traversé l'océan [1]. » Pendant l'été
1959, lorsque Jeannine effectue un test comparatif (« Avec un
esprit de touriste critique, je me mis à faire la tournée des
couvents » écrit-elle), elle cherche à saisir la matière spirituelle que les diverses institutions de la région lui proposent.
Dans la Belgique catholique, les couvents sont pléthore. On
ne sait pas bien pourquoi elle délimite sa recherche à la seule
région du Brabant wallon, les raisons linguistiques évidentes
écartées. Toujours est-il qu'on peut, sans lui faire de tort, la
soupçonner d'avoir été sensible à ce théâtre de lutte épique
de la plaine de Waterloo pour mener la sienne propre. Chez
les Dominicaines cependant, des qualités qui la séduisent sans
hésitation, profondément, et pour toujours, cherchent à être
cultivées : la simplicité, la joie, le goût de la vérité, que l'on
retrouve dans nombre de congrégations mais dont Dominique au 13e siècle voulut faire l'apanage de son ordre. Elle
sait encore ce qui lui manque, et non sans courage, veut
s'investir de ces vertus pour se rendre le monde supportable.

« L'Ordre des Frères prêcheurs, ou Dominicains, fut fondé
à l'image de l'Église universelle, afin de pouvoir s'adapter
aux temps et aux lieux [2]. » Ce qui caractérise cet ordre, c'est
sa vocation d'*aggiornamento*, d'ajustement à son temps, qui
fait sa gloire et son suc, mais qui a peut-être déstabilisé une
jeune Belge par ce tour de force toujours recommencé, cette
schizze, d'être du monde et de n'en être pas. Les Dominicaines furent fondées avant leurs frères par Saint Dominique,
dont les derniers mots furent : « Mes frères bien aimés, voici
l'héritage que je vous laisse comme à mes enfants : ayez la
charité, gardez l'humilité, possédez la pauvreté volontaire. »
On sait qu'en d'autres temps, les Dominicaines n'ont brûlé
personne. Elles soignent, étudient, enseignent. Elles prient.

---

1. Lacordaire, *Vie de saint Dominique*, Cerf, 1989.
2. Lacordaire, cité par M.-M. Davy, *Les Dominicaines*, Grasset, 1934.

Les missionnaires partent un peu partout dans le monde. Selon M.-M. Davy : « La mystique dominicaine, par l'appel même de la charité, est donc doctrinale, éprise de théologie. Avant la vision face à face, elle cherche à voir, à comprendre, elle poursuit tous les reflets de Dieu sur le monde. Elle est ouverte, sans limite, sans barrière, à tout savoir de la foi et de la raison qui lui révèlera l'absolue vérité. »

Les « reflets de Dieu sur le monde », les sens de la jeune femme les traquent malgré elle avant son cœur. Elle apprendra par exemple à avoir honte d'aimer la beauté, le plaisir des yeux étant doublement coupable d'attacher aux apparences et de dispenser une émotion issue des sens. Avant d'entrer en ces murs, elle se décide à jouir de toutes les expériences de la vie. Ce qu'une telle ambition recouvre s'est réduit à si peu de choses, qu'on se demande à quoi se résume la vie pour une telle jeune femme, et comment elle ne lui serait pas apparue pauvre au bout de quelques années, insupportablement pauvre et non épurée. L'esquisse de ses désirs futurs se forme déjà, de rattraper une vie qui, au fond, lui échappe.

La voie dominicaine offre à Jeannine d'assouvir ses soifs d'absolu et de vérité. Dieu lui-même propose à ses servantes l'approche, voire la possession de la vérité. La consécration religieuse répond aussi à une envie d'aimer qui s'ouvre vers des modes inusités, abstraits et sans limites. De quoi séduire Jeannine immensément. Aimer Dieu, c'est aimer tout le monde et personne en particulier. C'est aimer l'amour. Il semble que l'envie d'aimer n'ait pas déserté la jeune femme, à condition qu'il ne s'agisse pas d'aimer un autre être humain. (« J'ai peur de l'amour », affirmera-t-elle plus tard.)

Les couvents sont pleins de femmes pour qui l'idéal a un jour dominé sur tout autre projet de vie. Comme cette Bénédictine, qui raconte : « Jusqu'à trente ans, on peut dire que j'ai joui de la vie. J'avais un appartement qui faisait mon bonheur, beaucoup d'amis, un travail social que j'aimais. J'ai voyagé beaucoup. J'ai été deux ou trois fois un petit peu amoureuse. Tout à coup, à trente ans, j'ai senti combien tout cela était dérisoire. Pour la première fois, j'ai réalisé que la capacité de mon cœur était plus grande que tout ce qui s'offrait pour le combler. De là, cette idée de rechercher un Absolu jamais atteint tout au long de ma vie, mais toujours mieux perçu et connu. A trente-deux ans, ce désir d'Absolu est devenu tel qu'en six mois, j'ai décidé de tout abandon-

ner [1].» Et cette Sacramentine de vingt-six ans : « J'ai choisi
non pas une vie inhumaine mais une vie surhumaine, possible
grâce à Dieu. C'est comme si je relevais un défi [2].»

Jeannine Deckers a choisi une communauté de dominicaines missionnaires. Non un monastère fermé sur lui-même,
mais un lieu qui veut former les femmes à servir et à faire
connaître les Évangiles. Elle se résume ainsi dans l'introduction à son journal *Vivre sa Vérité* :

« Je voulais être missionnaire, dans le sens exotique du
mot, et l'Afrique était à la mode ; mais malgré tout, je crai-
gnais de me jeter à l'eau. On convint donc d'un essai de trois
mois et, sur le conseil de mon aide spirituel, je partis en septembre 1959 pour Waterloo, de fort méchante humeur, réso-
lue à éprouver celles que j'appelais " les nonnettes ", à les
faire enrager pour savoir si elles résisteraient. Car si le Seigneur m'avait choisie, cela restait à prouver, et Il n'avait qu'à
se débrouiller, car j'étais peu disposée à faire preuve de
bonne volonté. Pourtant, après trois semaines d'aspirante à la
vie dominicaine, je dus m'avouer vaincue. " Tu m'as séduit,
Seigneur, Tu as été le plus fort. " (Jérémie.) »

Touriste critique, missionnaire exotique, la future Sœur
Sourire est-elle entrée au couvent pour chasser le cliché, faire
enrager les nonnettes et provoquer Dieu ? C'est engager bien
loin la responsabilité de l'Église que de croire qu'elle admet
en ses lieux réservés de jeunes fantasques aux motifs aussi
légers ! Mais il n'est pas rare que des femmes entrent à
contre-cœur dans les ordres, poussées par un appel immense
mais rétives à la forme qu'il revêt. Jeannine tait encore les
mouvements les plus graves de son âme, cet appel à sublimer
non seulement son dépit social mais aussi d'autres limites qui
mordent au cœur. Pour le moment (comme elle s'en réjoui-
rait !), elle nous évoque *Le Père Serge* de Tolstoï : « Le jour
de l'intercession de la Sainte Vierge, K. entra au couvent afin
de s'élever plus haut que ceux qui avaient voulu lui montrer
qu'ils étaient plus hauts que lui. (...) Mais ce n'était pas ce
sentiment seul, comme le pensait sa sœur Varvara, qui le gui-
dait. En lui était encore un autre sentiment vraiment religieux, celui-là, qu'elle ne soupçonnait point, et qui s'ajoutait
au sentiment d'orgueil [3]. »

1. Catherine Baker, *Les Contemplatives, des femmes entre elles*, Stock, 1979, p. 62.
2. *Ibid.*, p. 63.
3. Léon Tolstoï, *Le Père Serge*, Le temps qu'il fait, 1991.

Ses moments de bonheur restent liés à un ensemble d'éléments : la nature, les femmes, la foi, les chants, le feu de camp, la gaieté, la musique... des pontons vers le grand, pour les jeunes, les frêles, ceux dont on rit, qui le savent et que cela chasse du petit vers le dérisoire. Le monde des gens blesse Jeannine. Mais le couvent n'est pas le lieu où fuir la promiscuité. Bien au contraire, il la porte vers des dimensions extrêmes, même si les cellules sont individuelles. Le guidisme l'avait habituée au foisonnement des femmes et aux tâches communes. C'est de la bataille extérieure qu'elle ne veut plus. Gagner sa vie, affronter les professeurs, les élèves, leurs parents ! Elle sent que ses forces n'y suffiraient pas. Quelles sont les alternatives ? Le mariage, le couvent, et quoi ? La solitude ?

De l'extérieur, on projette parfois sur le couvent une image inversée des rapports de force et de séduction qui règnent de ce côté-ci des murs. On voudrait y voir un havre dépouillé de l'écrasante multiplicité des choix, des gens et des choses. Paix et simplicité, dépôt des tourments, apurement de l'âme. « Plus que personne, le mystique souffre de la pulvérulence des êtres. Instinctivement, obstinément, il cherche le stable, l'inaltérable, l'absolu... » écrit Teilhard de Chardin. « Il faut avoir profondément senti la peine d'être plongé dans le multiple, qui tourbillonne et fuit sous les doigts, pour mériter de goûter l'enthousiasme dont l'âme est soulevée, quand, sous l'action de la Présence Universelle, elle voit que le Réel est devenu, non seulement transparent, mais solide. (...) Le monde est plein, et il est plein de l'Absolu. Quelle Libération [1] ! »

La foi (ou malheureusement pour beaucoup la religion seulement) comme l'opium donne le goût puis le besoin de l'inaltérable, de l'enthousiasme solide, de l'absolue libération. L'insatisfaction pousse en Jeannine proportionnellement au malaise qui la repousse de ses semblables, de son propre épanouissement au milieu d'eux. La perspective du couvent l'avait effleurée pendant l'adolescence, en même temps que le désir d'Afrique, comme un même ailleurs. Depuis lors, ses ambitions diffuses, ses désirs imprécis, tout ce qui bouillonne en elle maltraitent son désir d'unité. La sainteté est déjà passée de mode. Maintenant dans les couvents, on n'ose plus en parler. Et puis elle vit encore chez Gabrielle, à vingt-six ans.

---

1. *L'Hymne de l'Univers*, Pensées choisies, XXV, Éditions du Seuil, 1961.

Jeannine écrit que ce qui l'a réellement décidée à entrer au couvent, c'est la rage de se démarquer en tous points de sa mère et de son milieu matérialiste :

« ... Je sais maintenant que mon entrée à Fichermont en septembre 1959 contenait la volonté implicite de me valoriser, de mettre fin à l'autoritarisme de ma mère, de vivre mieux qu'elle, dans un idéal où elle ne pouvait m'atteindre ni surtout me dépasser, prendre les distances avec tout ce qui la concernait, la fuir en réalité. Comme professeur de dessin en herbe je me sentais inférieure et à part. » Son entrée dans les ordres est curieusement un geste de rébellion. Pourtant, elle se place sous la tutelle de l'autorité de plusieurs mères non moins redoutables : la supérieure du couvent, la maîtresse des novices et l'Église.

Cette sincérité, qui date de 1986, dénote un changement profond par rapport au texte du journal publié vingt ans avant, dont l'espace entre les lignes pèse lourd. Elle a confirmé avoir expurgé son journal pour la publication, mais l'original est perdu ainsi que de sincères contradictions. La foi est le premier tabou des gens d'Église. Ils ne parlent pas plus de sa nature qu'un amoureux n'explique son amour. Ces pages introuvables nous éclaireraient sûrement sur les mouvements de l'âme d'une femme qui ne veut plus du monde. Le seul orgueil, la fuite uniquement, on ne peut s'en satisfaire. La vie au couvent est faite de prière : on y entre aussi pour cela. Bien plus tard elle partagera avec son journal les bonheurs et les bienfaits du dialogue avec le divin, quand d'autres tabous tomberont aussi.

Les premiers contacts de Jeannine avec la vie conventuelle à l'automne 1959 ressemblent à nos fantasmes de l'enfance, submergés par le pittoresque. Immense bâtisse de briques rouges comme l'école, avec deux ailes, un réfectoire, un petit cloître intérieur autour d'un jardinet bordé de colonnades, ce décor selon ses termes « fait très monastique », ce qui se conçoit aisément. Au coucher du soleil, l'irisation des vitraux de la chapelle l'émerveille chaque soir pendant l'office. Elle découvre le silence obligatoire, le chuchotement dans les allées du cloître. « Ma cellule est située au premier étage ; elle possède une grande fenêtre d'où je vois les champs et les prairies à l'infini. Elle est très simple ; un plancher de bois blanc, une table, un lit fait d'une planche et d'une paillasse, un porte-manteau, une cuvette et un broc pour la toilette. Je

suis très libre. Je joue de la guitare, je dessine. Mais je sais
que c'est un horaire de faveur et qu'il ne durera pas toujours.» Quelques meubles bon marché, un broc, du silence et
des villages tapis dans les plis des collines : les hôtelleries de
nombreux couvents offrent ce luxe, et ne désemplissent plus.
Peu après son arrivée, les novices du couvent de Fichermont s'en vont prendre l'air sur la côte belge, dans la maison
de récollection des sœurs à Wenduine. (Une récollection est
une retraite, un séminaire de calme, un retour sur soi-même
et sur sa foi que l'on propose aussi aux jeunes catholiques des
écoles.) Cette maison n'existe plus. Elle fut conçue pour le
repos de celles qui rentrent de mission, pour l'isolement de
celles qui préparent un examen, pour des retraites, pour
toutes sortes de paix. Cet automne-là, une joyeuse petite
bande de postulantes et novices se promène, prie et chante.
Une photo les montre sur la plage, Jeannine assise au milieu
d'elles, en lunettes noires, habit et voile blancs, la guitare
dans les bras. La vie à Wenduine n'est plus rythmée par les
horaires stricts des prières du couvent. La maison est pré-
gnante de grâce : Jeannine se détend, s'épanouit, s'y abandonne complètement à Dieu et à sa lutte, moissonne de la
douceur et de la vie, alors que les vagues noires battent la
côte froide. Même si cela tend à changer, le noviciat est
souvent un temps de grande ferveur, la lune de miel. Voici ce
qu'en dit Mireille Nègre, qui, de danseuse étoile deviendra
carmélite, puis obtiendra le statut si convoité par Sœur Sourire de vierge consacrée dans le monde :
   « J'étais comblée. Mes deux premières années au Carmel,
je les ai ainsi vécues dans un bonheur fécond sans nuage. Ces
deux années ont correspondu avec le temps de mon noviciat,
centré essentiellement sur l'étude de la parole de Dieu. J'en
raffolais de cette parole ! Enfin, j'avais tout le temps d'appro-
fondir ma connaissance du message qui m'avait tant bouleversée. Je passais des heures à étudier la Bible et l'Évangile,
avec la passion d'un chercheur d'or. Je voulais aller plus loin
dans la connaissance des textes sacrés. Moi qui aimais tant
faire de la plongée sous-marine, j'étais là aussi tentée de toucher le fond de la parole de Dieu [1]. »
   Jeannine Deckers se retrouve au cœur d'un petit groupe de
jeunes femmes enthousiastes, curieuses, volontaires, mystiques, qui n'ont pas choisi la clôture des contemplatives mais

---

1. Mireille Nègre, *Je danserai pour toi*, Desclée de Brouwer, 1984.

une communauté tournée vers l'extérieur, où elles veulent se préparer à donner aux autres ce qu'elles sont en train de recevoir. En même temps, elles se conforment naturellement à l'image que cette communauté souhaite donner d'elles : de grandes filles saines, simples et joyeuses, toujours gaies et actives, toujours humbles et entières. « L'air sauvées » comme dirait Sartre.

Entrée en septembre 1959, Jeannine Deckers reçoit l'habit de l'Ordre de Saint-Dominique, et le 11 mai 1960 le nom de sœur Luc-Gabriel (le prénom de son père, et celui de sa mère masculinisé, transformé en archange, celui qui apporte la parole). Le confort du costume ne fait aucun doute : « Dieu qu'on y est à l'aise », commente-t-elle. Seule la coiffure la gêne un peu. Ce voile lourd, posé sur une guimpe, sorte de cagoule, donne aux sœurs un port de tête très particulier, surtout dans les mouvements de côté et vers le haut : est-ce qu'inconsciemment elles essayent de ne pas créer trop de plis qui alourdiraient le voile ? Dans les interviews filmées, sœur Luc le remet en place constamment. Longtemps après que les voiles aient disparu, on distingue encore une nonne à son cou dégagé, à son port de tête musclé et princier.

Sœur Luc prétend que personne de sa famille n'a assisté à la cérémonie, puis elle cite la présence de sa sœur Madeleine et de sa grand-mère Sophie. Ses parents, remerciés dans les textes pour le « sacrifice » qu'ils font de leur enfant à l'Ordre, ne se sont pas déplacés. On peut lire dans le bulletin *Fichermont-missionnaire* :

« Chronique – avril-mai :
Sœur Luc-Gabriel a reçu avec la robe blanche les noms si chers de ses Parents qui, en ce 11 mai, participent à un réel sacrifice pour que la Sainte Église soit plus belle en ce monde. L'allocution du TRP Grandjean, o.p., Prieur de Bruxelles, donna la clé de ce mystère de la vocation, devant un auditoire en majorité de jeunes, suspendu par l'attente. »
Août-septembre : La congrégation de Fichermont a quarante ans. »

Tante Sophie n'est pas venue les mains vides : elle apporte la dot traditionnelle de 50 000 francs belges (environ 9 000 FF) qui seront restitués à sœur Luc à sa sortie comme une caution (sans intérêts). Elle ne rencontre que très rarement le

reste de sa famille : une tante charitable lui apporte des petits
plats lors du deuxième hiver au couvent, apprenant que le
moral de sa nièce souffre, et optant pour le réflexe familial.
Elle amène les enfants, le mari la rejoignant après la fermeture du magasin. Ce doux témoignage ne figure pas dans le
journal, car il devrait être porté à l'actif d'une tribu à laquelle
elle ne veut plus appartenir. Ils la reverront plusieurs années
plus tard, à l'enterrement de tante Sophie, tout de rouge
vêtue, couverte de colliers, traînant son amie derrière elle, et
se lamentant de la lourdeur et de la bêtise des siens.

A Fichermont, elle est l'objet d'un traitement de faveur en
raison de ses aptitudes graphiques et musicales. Sœur Luc-
Gabriel décore et met en page le bulletin de liaison que distribue Fichermont, *Fichermont-missionnaire*, qui deviendra
rapidement *Envoi*. Elle réalise les affiches qui décorent le
couvent, anime des veillées et des messes avec sa guitare
(également entrée en religion sous le nom de sœur Adèle).
Vatican II fait bientôt triompher la guitare comme instrument de la Parole : Rome propose aux supérieures d'enrichir
les communautés religieuses des talents qui s'y trouvent.
Sœur Luc-Gabriel, au nom de l'épanouissement personnel
dont il est question pour la première fois dans l'Église catholique, compose et chante. Une condisciple dira sans animosité
que les autres sœurs ne jouissaient pas d'une telle liberté.
Ainsi, la vie délicieuse du noviciat se prolonge, alors que
sœur Luc s'intègre lentement à cette grande communauté,
sème, récolte et épluche les légumes du potager comme tout
le monde. La vie quotidienne de Fichermont lui offre beaucoup de variété : travail communautaire, accueil des retraitantes et des missionnaires, conférences, offices, prières, préparation à la mission, fêtes avec la paroisse, etc.

A sœur Luc aussi on demande chaque jour plus d'introspection, d'humilité, d'obéissance, de lucidité, de pardon, de
courage en somme. Et chaque jour c'est moins facile. Il est
certain que les frictions avec la mère supérieure et avec la
première maîtresse des novices, sœur Marie-Pierre, apparaissent assez vite, ternissant le tableau rêvé de sa nouvelle
famille et rétablissant au-dessus d'elle l'autorité maternelle
qu'elle fuyait. Avec la seconde maîtresse des novices, sœur
Marie-Michèle, les tensions seront encore plus vives. D'autre
part, sœur Luc doit se départir d'elle-même pour faire la
place au Dieu qui vit en elle, dont elle sent l'amour. Elle s'y

essaye avec la douleur que l'on peut imaginer. Elle dira qu'il lui fallait vivre « sur la pointe des pieds ».

Malgré tout, la paix s'installe, la violente paix mystique. « Ça n'est pas rien d'être aimée par un Dieu », écrit-elle. Il la pêche à la ligne, elle se débat, veut être aimée, ne veut pas être prise. Elle croule sous la tendresse spirituelle, souffre d'absence, sèche d'impuissance, aperçoit quelques-unes de ses limites qui, pas à pas, l'effrayent un peu moins. Ses sœurs reprennent en chœur ses chansons, louent (pas trop) ses talents et son humour dépoussiérant. Malgré l'interdiction, les affinités de cœur s'expriment un peu, sans remplacer la grande amie perdue, restée seule derrière le portail. Elle vit au plus proche du bonheur ces deux années-là, à cause d'elles aucune véritable haine ne pourra la soulever contre Fichermont. Aucune autre douceur ne sera comparable ensuite au sentiment d'avoir sa place dans une troupe aimée de Dieu. Sans doute aurait-elle tôt ou tard empoigné le joug, peut-être sans en mourir.

Malheureusement, le 24 octobre 1961, les supérieures du couvent de Fichermont encadrent la novice Luc-Gabriel pour la conduire 37, rue d'Anderlecht, aux studios Philips de Bruxelles.

3

SŒUR SOURIRE TUE SŒUR LUC-GABRIEL

La fraîcheur et l'entrain des chansons de sœur Luc-Gabriel séduit nombre de consœurs. Celles qui partent pour l'Afrique expriment le désir d'emporter quelques bandes magnétiques avec elles. Plusieurs musiciennes composent déjà un petit orchestre le soir, devant la grande cheminée à la veillée : violon, flûte, piano, banjo et guitare, et pour en être moins pur, le rythme swingue plus que celui des psaumes. Les nouveaux refrains de la novice tranchent grâce à leur humour, on les fredonne dans le couvent, avec les jeunes retraitantes des écoles catholiques de la région, qu'on accueille depuis peu dans l'annexe rénovée. Les bandes magnétiques sont donc bricolées, expédiées, les refrains repris en chœur au Congo et dans les écoles, et on sollicite un petit air de sœur Luc lors des visites. Les sœurs proposent d'enregistrer un disque, comme il est naturel et moderne de le faire, comme d'autres dont elles écoutent les voix : les pères Duval, Thébaud, Rimaud, jésuites ; les Franciscains Bernard de Brienne et le père Didier ; le Dominicain père Cocagnac ; les petits frères et les petits sœurs de Jésus ; chez les laïcs Pierre Selos, Michel Franc, Guy Thomas, Marie-José Neuville, Marie-Claire Pichaud, Francine Cokenpot entre autres. Tout ce monde-là chante Dieu sur sa guitare (la calotte chantante, commente Georges Brassens). La différence entre leur carrière et celle qui attend sœur Luc-Gabriel, c'est le succès.

L'histoire de l'enregistrement du disque par une novice en voiles est reprise maintes fois en détail (parfois redoutablement brodée) par la presse de l'époque. Les versions différentes pullulent : les hésitations de mère Marie-Pierre qui trouvait les chansons « bien gentilles », que la mère Prieure a poussée à prendre contact avec Philips pour obtenir des conseils, et à envoyer sur leur demande une bande magnétique ; la surprise des techniciens, non à la vue de cette charmante troupe de nonnes curieuses et gaies dans le studio mais bien lorsque la voix de la religieuse « passe » aussi bien dans la cabine ; la bonne humeur du contrebassiste accompagnateur qui s'est fait appeler par la suite « Paul Sourire » ; la proposition des commerciaux de chez Philips d'enregistrer et de presser gratuitement mais de commercialiser seuls ; l'hésitation finale de Fichermont qui doit en référer à une instance supérieure à Paris pour la décision définitive, laquelle est prise très vite, beaucoup trop vite, et concrétisée par de l'aide technique. L'accord de l'évêque local vient ensuite avec la réserve d'anonymat, et l'ingénieur conseil de la maison Philips, M. Haim, part en mission de marketing pour tester sur des jeunes Français quelques pseudonymes, dont celui de « Sœur Sourire ».

Selon la sœur hôtelière qui reçoit le journaliste Claude Obernai : « Quand la maison d'enregistrement, que nous avions consultée suivant les conseils qu'on nous donnait, nous proposa de faire un premier disque, il nous sembla qu'il aurait déjà, pour commencer, l'avantage de faire voir la vie religieuse sous un aspect qu'on ignore. Elle n'est pas cet étouffoir de la personnalité que trop de gens supposent... Lorsque nous avons fait entendre la bande d'enregistrement aux techniciens, leur enthousiasme avait été spontané, unanime. » Et de conclure : « Ce talent que Sœur Sourire possédait en puissance ne se serait peut-être jamais révélé si elle n'était entrée ici. Dans notre Ordre, elle a trouvé la joie. Cet Ordre, voué aux missions, est basé sur le don de soi-même, et la recherche et la propagation de la vérité, sources de bonheur vrai... »

Le disque sort, les radios n'en croient pas leurs oreilles, on se l'arrache. Fichermont fait envoyer le disque à la cour. Le roi Baudoin dit : « C'est une beauté », il en commande trois exemplaires qu'il veut offrir, et il demande qu'on lui signale les prochaines chansons à venir. Le courrier afflue de toutes parts vers le couvent dont le nom figure au dos du disque. 40 000 exemplaires sont vendus le premier mois, les tirages se succèdent, le deuxième 45 tours et le premier 33 tours sont réalisés à la suite. A l'occasion du premier disque de Sœur Sourire, une vaste opération commerciale a commencé, et Philips envoie aux disquaires ce genre de texte :

Collection *Chants de Lumière.*

Réunir en collection les enregistrements de chansons inspirées par l'idéal chrétien, tel est le but que poursuit Philips en créant sa nouvelle série « Chants de Lumière ».

Permettez-nous de vous dire quelques mots du tout premier de ces enregistrements...

Quand il y a deux ans, une jeune fille de 26 ans franchit la clôture du monastère des Dominicaines Missionnaires de Fichermont, la Supérieure fut assez surprise de voir trôner parmi les bagages de la postulante, une guitare... Un an plus tard, à l'occasion de sa prise de voile, la nouvelle novice offrait aux religieuses rassemblées sa première chanson.

Puis ce furent des jeunes filles participant à des récollections données à Fichermont qui écoutèrent avec un enthousiasme grandissant les créations successives de sœur L. C'est cet enthousiasme qui détermina les retraitantes et les aumoniers à prier la Mère Supérieure de réaliser un disque, afin que se répande ce joyeux message.

Et lorsque les supérieures vinrent nous trouver, nous ne pûmes que les inciter, devant le très rare et très clair talent de sœur L., à ce que le disque, que nous étions tous décidés à réaliser, soit diffusé le plus largement possible. »

C'est la raison pour laquelle, poursuit le texte de Philips, nous avons pensé que nous nous devions de vous prévenir personnellement de la sortie des deux premiers disques de SŒUR SOURIRE. Pourquoi Sœur Sourire ? parce que, en accord complet avec ses supérieures, nous avons pensé qu'il était mieux que cette jeune novice demeurât dans l'anonymat. Le charmant patronyme, que nous avons été heureux de lui offrir, est bien la marque de la fraîcheur, de la simplicité et de la foi limpide qui éclairent chacune des chansons de SŒUR SOURIRE, etc.

Ce texte constitue une petite partie des efforts de Philips pour lancer sa nouvelle collection, à une époque où la chanson catholique a le vent en poupe. Puisque Vatican II propose à l'Église de s'ouvrir sur le monde, et que le pape même recommande aux communautés religieuses de ne pas dédaigner les moyens techniques modernes susceptibles de servir à l'apostolat, puisque les prêtres désertent leurs églises dépeuplées quand leur désir apostolique se heurte à la rigidité de leurs supérieurs, et qu'un geste peut être le bienvenu pour aller dans leur sens et remplir quelques bancs ; puisqu'elle est bien missionnaire et a donc choisi de répandre la Parole, puisque Philips dit qu'on pourrait même gagner trois sous dans cette affaire, ce qui serait le bienvenu compte tenu des besoins des missions, alors le lancement de Sœur Sourire bénéficie des deux appuis parmi les plus puissants de la Belgique : la bénédiction des autorités ecclésiastiques au grand complet et la formidable machine commerciale de Philips, multinationale, « trust », comme on disait à l'époque.

Le Révérend Père Roguet écrit dans sa présentation du disque au dos de la pochette :

« A notre époque où règnent l'angoisse et la confusion, le bruit et la fureur, il était bon que jaillisse, lumineuse, apaisante, la voix d'une contemplative. Et je suis certain que chacun sera heureux d'aider à ce que se répande le message joyeux de ces chants nés des prières claires et des silences intérieurs qui accompagnent la montée de cette jeune fille de lumière vers son futur apostolat. »

Le Révérend Père Roguet n'a sans doute pas été informé de la nature de la communauté de Fichermont : il ne s'agit pas de contemplatives, mais bien de missionnaires, ce qui est tout autre chose, et qui justifie même tous ces efforts. A gauche de son texte, la photo d'une porte qu'une religieuse tient ouverte et sur laquelle est écrit : « Aujourd'hui si vous entendez sa voix, gardez-vous d'endurcir vos cœurs. PS 94. » Sous ce texte figure une reproduction de la pochette du 33 tours avec les neuf titres : la fameuse fresque de Matisse au monastère des Dominicaines de Vence dans le Sud de la France, belle silhouette de saint Dominique en habit religieux. La croix du même monastère décore le recto du disque. De petites lettres donnent aussi l'adresse à laquelle on peut se procurer les recueils de chansons.

Jeannine Deckers a signé : Sœur Sourire reste la propriété des religieuses de Fichermont. Le contrat a d'abord été établi au nom de Fichermont, puis rectifié pour lier Philips à la seule Jeannine Deckers. Le contrôle des opérations et les royalties cependant reviennent au couvent, selon le vœu de pauvreté auquel la religieuse s'est soumise de son plein gré. Le 24 octobre, une lettre-contrat est envoyée au couvent par le chef des programmes, accompagnée d'un double à renvoyer signé en retour :

Révérende Mère,
Concerne : enregistrements réalisés en ce jour en nos studios par sœur Luc-Gabriel o.p.
Nous avons l'avantage de vous confirmer notre entretien du 23 crt. au cours duquel nous sommes convenus de vous attribuer un royalty de *3* % sur 90 % du prix de vente en gros des disques vendus réalisés des enregistrements mentionnés ci-dessus.
Ce royalty est ramené à *1,5* % sur 90 % du prix de vente en gros des disques vendus et exploités en dehors de la Belgique. (...)
Vous vous engagez également durant la durée du présent contrat (période définie ci-dessous) à ne pas permettre à toute autre Sœur de votre communauté de réaliser de mêmes enregistrements pour une marque concurrente, de même que vous vous engagez à ne pas permettre le ré-enregistrement des œuvres gravées par nous durant une période de deux ans suivant la fin de notre engagement. (...)
Nous nous permettons, pour la bonne règle, de vous rappeler que nous sommes convenus avec les personnes présentes ce jour de recevoir pour la fin de cette semaine :
un petit projet de dessin de housse
un texte d'une vingtaine de lignes pour le verso de la pochette de disque.
Il est bien entendu que nous n'entamerons pas l'impression de la housse, sans vous avoir, au préalable, soumis le projet définitif. (...)

Ce contrat sera résilié le 4 août 1966 à dater du 1er juillet de la même année, date à laquelle sœur Luc-Gabriel quittera les ordres. Il apparaît que les droits d'auteur, qui seront versés à l'avocat du couvent pendant plus de cinq ans, ne représentent qu'une infime partie des bénéfices de la firme. Il faut donc garder en mémoire ces chiffres : *3 % de 90* % du prix de vente en gros pour la Belgique, et surtout *1,5 % sur 90* % du prix de vente en gros lorsqu'on évoque son succès considérable aux USA. Ce type de contrat, dit léonin, aurait pu être dénoncé facilement par un avocat soucieux de défendre une vedette. Le véritable gagnant de l'histoire est le marchand et non pas le couvent, lequel ne fut pas à plaindre, mais n'a pas été couvert de manne dans les proportions évoquées par la presse et l'opinion publique. Si le couvent s'était acquitté normalement de toutes les taxes incombant à la personne physique de la religieuse aussi bien qu'à ses revenus, s'il avait eu la décence de remettre à Jeannine Deckers, signataire, une somme équitable provenant de ses succès et lui permettant de vivre sans difficulté à sa sortie ; et surtout, s'il avait su produire les preuves de sa bonne foi, il n'aurait sans doute pas été soupçonné de s'être indûment enrichi aux dépens d'une jeune femme naïve, et se serait épargné, à sa mort, les nombreuses manifestations d'indignation et d'hostilité de la population belge. Laquelle s'est trompée de bouc émissaire : plus de 98 % du produit des ventes revint à la firme hollandaise. Cela n'a semblé choquer personne.

Ayant testé la popularité de son nouveau produit, Philips n'a aucune raison de lésiner sur les moyens. Bien sûr, il n'est pas question de concerts publics, puisque la novice ne peut montrer son visage. Mais le public conservateur et l'institution à laquelle ils ont affaire forment des gages suffisants de perennité. Les textes du recueil sont traduits en flamand. La presse internationale se précipite à Fichermont.

Théoriquement, Sœur Sourire n'a pas le droit de proposer en pâture aux journalistes son visage cerclé de coton. Mais de nombreuses photos passent la clôture, y compris des clichés effectués lors des enregistrements de studio. On ne peut officiellement la photographier que de dos, au milieu d'un groupe. Cette règle n'a été instituée qu'après une première vague d'interviews ; la télévision a été la bienvenue à Fichermont, il existe quelques photos dans la presse. Sœur Luc-Gabriel, le regard précis, s'amuse, répond vivement, d'une voix compacte, mate, rapide et très différente de sa voix de chanteuse. Elle a du charme, ses yeux brillent, une impression de grande sûreté se dégage d'elle sauf lors de quelques regards glissés vers les supérieures dans un coin opposé de la pièce. Elle lance à ses interlocuteurs des réponses courtes, au bord de la provocation. Contrairement à son habitude, le voile qui enserre son visage n'en accuse pas les traits les moins gracieux. Le groupe autour d'elle rit, bouge, joyeux et intimidé. La maîtresse des novices est toujours présente. Ces images enchantent l'Amérique.

Sœur Luc se plaindra d'avoir été contrainte de donner d'elle un aspect conforme aux vœux du couvent : épanouie, volontaire, sérieuse, mais animée d'une gaieté profonde et personnelle. On lui répétait qu'elle n'était qu'une religieuse comme les autres, et que l'humilité devait rester sa règle. Malheureusement, ça n'était plus possible. Un film en noir et blanc de grande qualité a été réalisé par l'abbé Albert Zech qui prenait alors avec dynamisme les rênes de la diffusion radiophonique et télévisuelle débutante pour l'Église catholique francophone de Belgique. On y voit les sœurs retourner et empiler les foins sur des carrioles, la vie de Fichermont apparaît sans mièvrerie, sans cliché, dans un éclairage naturel somptueux : travaux, prières, cours, promenades, sport, chants, courses à l'extérieur, l'activité domine. Au pied d'une meule, un groupe de novices au voile blanc chante : on reconnaît sœur Luc assise au centre, grattant sœur Adèle bien calée contre son ventre, sérieuse. Elle sent le regard de la caméra se centrer sur elle, et le sourire mutin qui naissait sur ses lèvres prend soudain conscience de lui-même : il tourne, faiblit, se pince, s'effraie, disparaît et l'inquiétude le remplace, en l'espace d'une seconde. Voilà un des effets de ce surnom calamiteux : renfoncer l'expression spontanée de joie loin à l'intérieur de cette fille qui en manquait tant.

Sur les ondes, l'abbé Zech faisait la promotion de la petite sœur Luc qu'il connaissait un peu pour avoir prêché des retraites à Fichermont, et par une visite qu'elle lui avait faite avec une amie lors de leurs premières années d'études, car les doctrines de Freud dont elle prenait connaissance jetaient le trouble dans son esprit. Avec son bon sens chaleureux, son amour des réalités, sa grande tolérance, l'abbé Zech avait consolé les deux jeunes filles, les assurant qu'aucun monstre libidineux ne se tenait derrière chacun de leurs élans vers le beau. Créateur de l'émission « Le Jour du Seigneur » en Belgique, sous l'émulation du Père Pichard qui venait de la créer en France, l'abbé Zech a été un des rouages principaux du lancement inouï de Sœur Sourire. En toute bonne foi, sans un instant envisager que la responsabilité de l'Église pourrait se trouver engagée pour la vie entière de cette sœur du fait de sa promotion énorme. Radio Catholique était très écoutée, très respectée et très suivie. Les disques ont été soutenus également par le fort influent réseau des libraires catholiques belges.

Ce qu'en dit sœur Luc dans son journal a de quoi surprendre, tant elle reste en marge du tapage médiatique dont elle est l'objet :

« Fichermont, Pâques 1962.
Les gens sont timbrés. Parce que quelques retraitantes ont demandé à avoir sur disque quelques-unes de mes chansons, qu'on les a enregistrées et que je suis religieuse, c'est le gros succès. (...) Encore plus stupide le surnom de " Sœur Sourire " qui a été choisi par de jeunes Français pour qualifier la religieuse inconnue qui chante " Fleur de cactus " et " Plume de radis ". Cela me va comme un bouton de col à un veau, et on voit bien que l'on ne me connaît pas ; d'ailleurs les novices ont vite fait de modifier le pseudonyme en " sœur fou-rire " ce qui est plus juste et correspond mieux à la réalité. Quand on parle de Sœur Sourire, il me semble qu'il est question de quelqu'un d'autre. Ce succès m'étonne ; vraiment, faire tant de bruit pour quelques chansonnettes ! Parfois il me réjouit, par le message que cet événement peut donner au monde : non, les religieuses ne sont pas retardataires, elles éditent même des disques. D'ailleurs le bénéfice de toute cette activité ira aux missions, qui en ont bien besoin ; à ma communauté, ce qui est normal puisque je suis membre de cette communauté comme de ma nouvelle famille. Je ne chanterai pas en public pour les mêmes raisons d'humilité : " Pour une religieuse, ça ne se fait pas " (ou pas encore !). »

Ainsi, elle n'exclut pas la perspective de se produire, de continuer la vie d'artiste sur la scène, toujours sans conscience des opérations financières qui se déroulent pendant qu'elle se plaint de la stupidité de son public. Elle ne tente pas apparemment d'analyser le succès dont elle est l'objet et qui l'intrigue. Le dépoussiérage de l'image de la religieuse la préoccupe comme à la Cambre celle de la jeune catho. Elle accusera ses supérieures de ne l'avoir pas tenue au courant de l'ampleur de son succès, mais les lettres arrivent par brassées entières au couvent, la remerciant, la louant. Puisque la sœur hôtelière en a connaissance et en informe les journalistes à qui elle fait visiter les lieux, il semble peu probable que sœur Luc-Gabriel soit tenue à l'écart de son cour-

rier de star, de son statut de star qui éclate dans les journaux.
En fait, elle ne pose pas beaucoup de questions. L'organisa-
tion juridique autour de son nom, la distribution des revenus,
les impôts, sa place dans le système hiérarchique dominicain
très démocratique et les recours éventuels, il ne semble pas
qu'elle s'y soit jamais intéressée, toute à sa vie intérieure et
au développement de sa créativité. Cette malheureuse naïveté la livrera pieds et poings liés à ceux qui, à cette époque
et par la suite, furent ou sont encore arrosés des mannes de
Dominique-nique-nique. (Voir le texte de la chanson en
annexe.)

L'avocat du couvent, maître X, gère ses affaires, la Mère
supérieure gère sa carrière, Philips s'occupe du reste et le
public mondial est ravi. La presse lui propose une vedette
dont on ne connaît ni le nom ni le visage, c'est un alléchant
mystère. Bien sûr, cela tient d'un érotisme bien classique, ce
voile un peu soulevé pour qu'une jeune voix s'en échappe,
laissant tout deviner. Les religieuses, malgré elles ou à cause
d'elles, convoient bien des fantasmes. Leur retrait accuse le
monde, le désigne en tout cas, fait exister un en dehors.
Échapper à l'emprise du monde par le refus, par le repli, dans
un intérieur de soi dont beaucoup ne soupçonnent même pas
qu'il ne s'agit pas d'un calcul ou d'un mensonge intellectuel
mais bien d'un espace de liberté – cela agresse ou cela séduit.
Sœur Sourire propose un lieu fantasmatique inconnu dans le
monde retors du show-business, car elle établit un lien de
l'ordre de la gageure : depuis un lieu de silence fermé et voué
à l'intériorité, devenir une vedette internationale de la chanson (pas de la sainteté) sans montrer son visage. Rester à
l'intérieur et gagner tout l'extérieur. Apporter par les canaux
salis des ondes un peu de l'irrationnel et de l'intouché que
nous projetons en celles qui le cherchent. Confusément, c'est
ce qu'ont dû deviner les autorités religieuses. Les supérieures
affirment que Sœur Sourire n'existe pas, qu'il faut que sœur
Luc reste pure et mortifie son orgueil. Elles se trompent : en
dehors du couvent, Sœur Sourire existe bel et bien, l'argent
ne tombe pas du ciel. Mais les supérieures ne stoppent pas la
machine pour préserver une de leurs sœurs. Elles l'enjoignent
de le faire toute seule.

Des années plus tard, pour se convaincre de l'existence de
cette star qui lui a échappé, la malheureuse a voulu insi-
dieusement devenir ce fantôme, s'identifier aux fantasmes

dont elle a été un temps l'ignorant objet. Sœur Luc a ensuite engagé le combat contre Sœur Sourire, laquelle a triomphé sans gloire, offrant à Jeannine Deckers une revanche radicale, planétaire et sanctifiée contre son enfance.

En 1962, la presse reçoit les enregistrements et témoigne de ce qu'elle entend. En France, l'ironie, souvent prise pour de la profondeur, prend le pas. Le double sens de niquenique gondole les journalistes facilement portés à la dérision, alors que les marraines en nombre offrent le disque pour la communion de leurs filleuls. Dans ce pays, l'Église et l'État se sont séparés au début du siècle après un combat qui résonne encore. Si l'on ne bouffe plus trop du curé, l'esprit libéral reste prompt au persiflage, et la pudeur est contondante. En Belgique, l'Église et l'État ne sont pas encore séparés aujourd'hui. Il y a davantage de prêtres qui ont quitté l'Église qu'il n'en reste à l'intérieur, mais il semble que la critique ne s'y exerce pas de la même façon. Moins de gouaille mordante, moins d'automatisme contre les religieux dans les médias qui s'autocensurent, émoussant leurs pointes à l'encontre d'une vedette nationale. Et plus de haine rampante ou offensive contre l'Église et son pouvoir.

Dans la presse pour la jeunesse bienveillante envers le message apostolique, comme *Chansons pour tous* en Belgique, les réactions ne manquent pas d'intérêt. Ce magazine avait demandé à ses lecteurs d'exprimer leur opinion sur Sœur Sourire. Dans les nombreuses réponses, les évocations de la fraîcheur, de la dimension populaire des textes et des mélodies, par comparaison avec les autres auteurs de chansons engagées, reviennent souvent. Optimisme, charme, naïveté, touchent le cœur du public de 1962. Cependant, deux critiques retiennent l'attention ; elles évoquent la fuite des réalités dont témoignerait la religieuse : « Pour moi, » écrit un homme qui fait un curieux rapprochement avec Dalida, vedette égypto-française qui se tuera deux ans après Sœur Sourire, « ce sont deux manières de fuir l'amertume quotidienne aussi pernicieuses l'une que l'autre... je me méfie d'une voix trop assurée et qui ne tremble pas. » Et une lectrice évoque la « Fleur de Cactus qui, tout au long des couplets semble passer sa vie à rêver de s'échapper ».

La peine que colmate sa voix atteint tout de même certaines oreilles. Le désir de fuite généré par l'impuissance aussi, on le perçoit. Dans ces courriers de lecteurs, on relève également des allusions au battage publicitaire orchestré par Philips et relayé par Radio-Catholique, et à la superficialité générale du phénomène : une voix non travaillée, une guitare d'amatrice, des textes de scoutisme. Mais les jeunes apprécient d'évidence que sa simplicité frôle la naïveté. Ils s'y retrouvent, ils savent que le show-business ne lui laisse pas souvent la place, et les refrains s'apprennent tout seuls.

« Ramener l'infini aux dimensions populaires de la chanson », comme on peut lire dans *Le Guide* de Mai 1962, semble bien représenter le tour de force de Sœur Sourire. Les autres chanteurs engagés n'ont pas réussi à sortir du ghetto catholique. Pour les jeunes, plus que la clôture et le voile, c'est la jeunesse des chansons qui est la bienvenue. Le choix de Dieu, ils n'en pensaient ni bien ni mal. Seule la presse scoute signale la sortie simultanée de deux disques des Petites Sœurs des Pauvres : *Petits et Pauvres*, et *Amour et Joie*. Elles aussi ont envahi les studios, voilées, curieuses et gaies. Mais bien que l'on ne puisse douter de leur simplicité et de leur fraîcheur, ces disques n'ont pas été entendus par le public, et s'ils l'ont été, n'ont pas reçu d'accueil.

Sœur Sourire n'a donc pas inventé de genre, mais elle a réuni en elle divers éléments dispersés dans tous ces chanteurs chrétiens et dont la convergence a correspondu, sa voix claire aidant, aux besoins du public du moment. « Humour espiègle, poème discret et ingénu, refrain jeune et docile propre à toutes les lèvres, thèmes sans bigoterie ni grande théologie, humour et surnaturel » : la composition du cocktail n'est pas mystérieuse pour tous. En d'autres termes, Sœur Sourire ne se prend pas au sérieux, et traite aussi légèrement certains des thèmes qu'elle aborde : la parousie, la mission, la prière. Lorsque le public évoque cette absence de profondeur, il ne questionne pas la nature de la foi des jeunes filles voilées. Angélisme ? Bêtise ? Les rieurs de l'époque sont souvent du côté de Sœur Sourire, et c'est peut-être là le miracle.

En 1980, cinq ans avant sa mort, elle a recensé 140 textes de chansons publiés ou enregistrés. Le choix était effectué par les maisons de disques, différentes selon les périodes. Elles n'ont pas jugé bon de porter à la connaissance du public nombre de textes du petit classeur noir, bien que l'image de Sœur Sourire ait subi de profondes modifications dans le temps. Ce texte-ci a notamment été omis, produit d'une retraite à la maison du bord de mer de Wenduine en 1963 :

Refrain :
Tu es venu cette nuit Seigneur, m'as réveillée pour me parler d'amour
Et ton désir couché à mes côtés m'a révélé ta faim d'aimer
Dieu dévorant tu me séduis, force et douceur tu me possèdes,
O nuit d'amour.

Ton cœur sur mon cœur ébranle tout mon être,
Ton cœur sur mon cœur, invasion de joie
Tes yeux dans mes yeux me redisent je t'aime,
Tes yeux dans mes yeux, joie trop lourde pour moi
Présence qui m'étreint, douce emprise et souffrance
Présence qui m'étreint, je m'abandonne à toi
Mes mains dans tes mains vibrent de ta vie
Mes mains dans tes mains partageront l'amour.

Ce texte ouvre des perspectives tristes et saisissantes que les disques évacuent proprement. La superficialité qu'autorisent les années de noviciat constitue un piège qui se refermera sur la jeune chanteuse lorsqu'elle quittera le voile. La fragilité, la sincérité, la tendresse pour son Dieu se figeront dans les phrases. Ici, nous épions son cœur ouvert, comme dans certains passages du journal qu'elle nous destinait : « Et je te rends grâce, mon Seigneur, De me rendre si heureuse avec Toi, Et de m'aider tellement, Moi dont tu dois te méfier chaque jour parce que je dis oui et puis non. » (Avril 1963). L'amour qui vient vers elle et la saisit vraiment l'effraie ; pourtant, il faut accepter d'être dévorée si l'on veut s'abandonner, elle le sait. Elle ne peut pas lâcher, elle souffre de ne pas tout donner, c'est le pas qu'elle ne pourra jamais franchir. Ceux qui ont joui de la perte de soi connaissent ces brassées de douceur qui reviennent et nourrissent, balaient toute frayeur. Abandon sans danger puisque l'amour, dit le poète Luc Bérimont, nous restitue à nous-mêmes. De tels thèmes parviennent difficilement sur le marché de la variété. Leur élimination du répertoire de Sœur Sourire constitue une condition de son succès. Pour la presse, cela ne fait aucun doute :

« Pour suivre et comprendre le Père Duval ou le Père Cocagnac, c'est tout juste s'il ne faut pas avoir spécialement fait des études bibliques et théologiques... Cela ne se comprend pas sans explications aussi longues que savantes. Par contre je supporte très allègrement la novice dominicaine de Fichermont dénommée Sœur Sourire. Remarquez que pour elle non plus je ne voudrais pas une multiplication du genre dont on attraperait vite une indigestion; mais pour l'heure c'est frais, simple, supportable, agréable [1].» On ne saurait mieux décrire les raisons d'un succès médiatique.

Pourtant, dans les mots de Sœur Sourire aussi se cachent des pointes qui pénètrent malgré l'auteur loin dans les oreilles de ses très jeunes auditeurs : il suffit d'une homophonie pour que le couvent devienne un lieu de mort au lieu du banquet promis : « Plume de radis, dis, tu as grandi, et le bon Dieu en traits de feu Dans tes yeux bleus un jour a mis, La faim (fin) de la vraie vie Qui rend les hommes heureux.... »

En quelques mois, les journalistes se font l'instrument de la gloire de Sœur Sourire, mais aussi, Radio-Catholique ne s'était pas trompée, les propagateurs de l'image impeccable (puisque invisible) de la joie pure qui attend la jeune fille dans les ordres. Les postulantes frappent de plus en plus souvent à la porte du couvent de Fichermont, qu'elles abordent comme un haut lieu d'épanouissement personnel et culturel. Lorsqu'elle aura besoin des journalistes, la sœur oubliera tout cela, ne leur témoignera aucune reconnaissance, mais plutôt mépris et distance. Les textes des chansons publiées après sa sortie changeront radicalement, et des chansons venimeuses malgré leur humour grinçant accompagneront une femme blessée, durcie. Début 1962, les chansons de Sœur Sourire sont traduites en anglais et traversent l'Atlantique, mais c'est en français que *Dominique* fait sa carrière américaine. Philips produit un 33 tours inattendu, distribué par Mercury Record Corp., orné de nombreuses pages d'un texte gonflé et édulcoré de K. Stanton, une sorte de version mirifique de la saga d'une jeune fille charmante dans un pays merveilleux ayant pour nom Belgique, construit exclusivement de couvents très anciens aux facades très sculptées. Les illustrations de F. Strobel présentent des sœurs enveloppées de voiles et de robes de communiantes, presque nuptiales,

---

1. *Chansons pour tous,* mai 1962.

sautant à la corde près d'un ruisseau, par exemple, ou seules et droites écoutant un bambin noir en uniforme réciter une leçon. Tous les textes des chansons sont traduits dans un style biblique relativement éloigné de l'original mais bien rythmé. Dans la pochette se trouve aussi un portfolio comprenant quatre reproductions d'aquarelles signées SLG (sœur Luc Gabriel) présentées dans une chemise faite d'un beau papier granuleux portant ce texte en anglais : « Portfolio – Un cadeau de Fichermont – Aquarelles de la vie du couvent peintes par Sœur Sourire. »

A leur décharge, les promoteurs américains jugent si ridicule ce surnom de Sœur Sourire qu'ils ne le traduisent pas, mais le transforment en « The Singing Nun », la religieuse chantante. Au moment des débuts d'Elvis Presley, les disques de la nonne chantante se vendent dans des proportions difficilement imaginables : les chiffres oscillent autour d'un million d'exemplaires, beaucoup plus que le King. Mais comme les archives du mystérieux avocat de Landsheere, (ce qui signifie en flamand : le seigneur du pays), mandaté en 1977 par Fichermont pour gérer les affaires du couvent, ont complètement disparu après sa mort, nous n'en connaissons pas les chiffres exacts, Philips ne communiquant pas plus que le couvent d'information sur ce sujet, et l'État belge ne se décidant pas à avancer la procédure prévue à l'encontre de la succession de l'avocat pour la restitution de ces archives. Il se serait vendu 850 000 disques en 45 tours à 99 cents la pièce et 50 000 super 33 tours au double du prix. Le chiffre de 575 000 45 tours est publié par la firme distributrice elle-même pendant le succès. Ces disques, en anglais et en français, disputent effectivement la première place au hit parade à Elvis Presley et aux Beatles pendant plusieurs semaines. L'information sur la répartition des ventes des titres en français par comparaison avec leur traduction enregistrée en anglais n'est pas disponible. La version anglaise aussi fait le tour du monde, en Australie, en Nouvelle-Zélande, en Israël, en Hongrie, en Argentine, en Afrique du Sud, sous d'autres jaquettes sans doute. On recense une quinzaine de versions étrangères de *Dominique,* en allemand, grec, japonais, coréen, russe, des versions jazz...

Petit calcul : si l'on compte grossièrement un million de disques pour l'année 1962-63, le chiffre d'affaires brut parvient aux alentours d'un million de dollars, pour simplifier.

Un million de disques en 1962 équivaudrait au moins à cinquante millions de francs français actuels. Un et demi pour cent de cette somme, qui revient à la chanteuse en droits d'auteur, se monte à sept cent cinquante mille francs français actuels, Philips empochant plus de quarante neuf millions de francs. Les droits parviennent à la Sabam, la Sacem belge, de tous les horizons, pour être versés au couvent du plein gré de la religieuse. Ils arrivent encore aujourd'hui...

Si elle avait pu bénéficier de ses droits d'auteur, Sœur Sourire serait peut-être encore en vie.

En 1962, le rêve s'installe dans le quotidien. Sœur Luc enregistre, établit des textes, illustre des pochettes de disques, donne quelques interviews triées sur le volet, et prie dans le silence. Elle illustre le calendrier 1963 du couvent, prépare des décorations pour la fête du rosaire, banderoles, bouquets de roses. Ses consœurs ne la jalousent pas excessivement, car elle les fait profiter de son humour en s'amusant aux dépens de toutes, comme dans cette chanson décrivant la coupe des cheveux au couvent : « Les enrhumées les asthmatiques et toutes celles qui souffraient du cœur, Bénéficiaient c'est authentique d'un petit régime de faveur, Car sur leurs têtes dégarnies, on taillait des damiers coquets Comme aux chevaux de gendarmerie le jour du 14 juillet. »

Elle publie un premier recueil de quinze chansons aux éditions Primavera pour la Belgique et Pares-Tutti pour la France, préfacé par le père Luc-Henri Gihoul, o.p. (c'est-à-dire Ordo Fratrum Praedicatorum, l'Ordre des Frères Prêcheurs, les Dominicains), et muni de l'autorisation ecclésiastique « cum licentia Ordinarii ». Sous les titres elle dessine quelques petites vignettes dans le style naïf des chansons, qui témoignent d'un certain talent pour la bande dessinée dont elle n'a pas fait d'autre usage. En juin 1963, on lui fait part d'un projet de film que des producteurs américains voudraient réaliser à partir des huit premières chanson publiées, sans rapport avec la vie de la religieuse. Déjà on avance le nom de Debbie Reynolds dans le rôle titre.

La fièvre de 62-63 sera à l'origine d'un autre 33 tours avec huit titres, toujours chez Philips : « Chants de Lumière », distribué par Polygram, suivi d'un second recueil de textes portant curieusement le même titre que le premier « Seigneur,

mon Soleil ». La postface est due au théologien Yves-Marie Congar. Il fait référence à Saint Jean Baptiste, qui disait de lui-même qu'il n'était qu'une voix, et apporte un éclairage délicat et détaillé sur la religieuse :
« Elle chante dans le style syncopé, à la fois un peu brutal et sentimental que semble aimer notre époque. Elle chante ce qu'elle a dans le cœur, tantôt grave tantôt joyeuse, jusqu'à trouver des accents de danse enfantine. Il n'y a rien en elle de ce que Huysmans redoutait dans le chant des religieuses : « une certaine complaisance à s'entendre quand on n'ignore pas qu'on l'écoute.» Elle ne le pourrait, le voulût-elle, puisque les éditions succèdent aux éditions, les témoignages s'ajoutent aux témoignages. Son message reste simple, sans artifices ni professionnalisme. Il est entendu par des milliers de femmes et d'hommes qui, à l'époque de la technique, de la concurrence haletante et de l'angoisse, ont retrouvé le goût du chant. (...) « Dieu aime les bons chanteurs », continue le Père Congar après avoir cité Tristan et Yseult, « leur voix et la voix de la harpe pénètrent le cœur des hommes, réveillent leurs souvenirs chers et leur font oublier maint deuil et maint méfait.»
En moins de deux ans, la fille du pâtissier a conquis les ondes, les écrans, les cœurs, et même les théologiens.

Au cœur de l'été 1963, les premières fissures apparaissent dans la façade idyllique de sa vie de recluse mondialement enviée. Il aurait fallu qu'elle meure alors, ou qu'elle se taise, pour que son image reste celle que les médias en donnèrent, et que, le temps aidant, la sainteté gagne son souvenir. Au lieu de quoi son cœur sèche et son corps se rebelle.
Elle qui aimait tant la vie au grand air, le panorama de Fichermont et l'indépendance, elle se plaint de l'arrosage des poireaux dans le magnifique potager qui occupe une grande partie du terrain derrière le couvent, et domine le nord de la plaine. Elle dit lui préférer une bonne séance de gymnastique, de celles que filma l'abbé Zech, en uniforme, les cheveux pris dans un court voile blanc, en pantalon, en rang d'oignon, en mouvements d'ensemble. L'angoisse gagne sœur Luc, tourmentée de l'absence des tendresses de son Dieu. La chaleur de l'amitié des hommes et des femmes lui manque, ingérable pour les autorités conventuelles, stigmatisée par le nom lourdement connoté d' « amitiés particulières ». Les supérieures

vivent dans la crainte que les inclinations naturelles des jeunes femmes les unes pour les autres ne tournent au jeu sexuel, malgré une discipline et une vie communautaire très strictes et une foi profonde. On ne doit pas avoir d'amie au couvent, la loi impose de ne discuter qu'en groupe, jamais à deux. A aucune oreille exclusive ne peut-on confier le froid de son cœur, excepté celle de la maîtresse des novices. D'aucune main ne parvient un peu de chaleur. A moins de transgresser les règles, on finirait par ne plus savoir si les autres mains en sont ou non dépourvues, par ignorer si les autres femmes ont renoncé sans douleur à la complicité, ou bien si elles charrient également un tonneau des Danaïdes que la tendresse divine ne remplit pas toujours, malgré l'apparence qu'on en donne.

28 juillet 1963 :

« Comment aimer le Christ dans le don total sans avoir au préalable vécu l'amour humain ? Quelle référence ? Comment vivre la réalité de l'union sans en avoir vécu le signe ? Comment atteindre le Christ dans la personne des autres ? (...) Dans quelle mesure la jouissance esthétique de la ligne de l'humain ou de toute autre chose créée est-elle recherche sensuelle ? Ce que je voudrais ? Être saisie par le Christ et, dans cette foi en l'amour du Christ pour moi et la foi en l'amour trinitaire premier et fidèle, vivre transportée d'une joie dilatante et continuelle ; (...) Fais que le zèle de Ta maison me dévore. »

Sœur Luc voudrait demeurer sans heurt dans la sensation amoureuse avec la source du seul Amour qui ait bercé son cœur. Sœur Luc a soif de l'extase, cet état d'unité radieuse, présente dans la chair à l'état de miette. Et puis vient cette phrase affreuse qui éclaire la chute à venir, donne raison à Platon en scellant une opposition inopportune : « Ne vaut-il pas mieux se perdre que se connaître ? » Sœur Luc n'a sans doute pas eu accès aux textes des mystiques, qui inquiètent souvent les institutions. Ces femmes savent se perdre dans l'amour afin de se trouver, et à travers soi, connaître l'humain. Pour sœur Luc, « se perdre » est un danger mortel aussi effrayant que « se connaître ». L'un et l'autre la menacent, elle n'en saisit pas vraiment le gain. Cette phrase sera son antienne. En ces jours préservés elle est suivie par une caresse : « Ou bien se connaître, et dans une foi humble, éclairée et renforcée, mieux se laisser aimer et mieux aimer.

Christ apprends-moi à donner plus qu'à penser...» Le tourment la tient étroitement : « Je chante ce que je veux croire. Seigneur, faites que je croie à ce que je chante ! C'est nuit, pleine nuit...»

Ainsi les millions de gens qui aiment ses disques en cet instant, les enfants qui espèrent du couvent plus de réponses à l'amour qu'ils n'en ont chez eux, écoutent la voix « qui ne tremble pas » de quelqu'un qui cherche à se convaincre. Les auditeurs ne demandent eux aussi qu'à être convaincus ; beaucoup sont déjà persuadés de l'irréalité de toute sa démarche.

Fidèles au projet dominicain d'éducation des sœurs, et désireuses d'asseoir sa foi sur des bases théologiques dans cette marée de sentiments, les supérieures inscrivent sœur Luc pour la rentrée 1963-1964 à l'Université Catholique de Louvain.

4

LOUVAIN

Le ciel pénètre Louvain à travers la dentelle de pierre. Autour de la cathédrale, joyau gothique effilé, les maisons massives abritent tout au long des venelles des Instituts, des séminaires, des lieux d'accueil et de cours de l'Université qui est la chair et le cœur battant de la ville, sa raison millénaire de subsister. Les étudiants partagent des appartements appelés « kots », ou bien des maisons entières comme c'est le cas pour les sœurs de la communauté dominicaine de Fichermont. L'université de Louvain est catholique. En Belgique, le lieu d'études répond à deux critères : la langue, le français ou le flamand, et le statut, laïc ou catholique. En 1963, l'Université Catholique de Louvain est francophone puisqu'on n'y parle plus latin. Les francophones qui désirent une éducation non religieuse fréquentent l'ULB, l'Université Libre de Bruxelles. A Louvain la catholique à cette époque, les haines linguistiques sont exacerbées. Au gouvernement, toujours ces deux factions : les francophones (ou Wallons) et les néerlandophones (ou Flamands). Toute la vie belge doit être duale. Ceux qui ne choisissent pas leur camp encourent le risque d'être rejetés par tous. Dans un si petit pays, c'est le règne de la sottise et de la violence. Les Flamands réclament dans les années soixante un territoire qui soit entièrement sous leur juridiction. Le principe est accepté – celui de l'apartheid, mot d'origine néerlandaise. La sécession menace sans cesse. Mais Louvain, siège de la plus vieille université européenne, reste francophone en territoire devenu flamand. Les discussions font rage, les batailles éclatent rapidement, les affrontements dégénèrent, parfois jusqu'à la mort, dans les cafés et les rues de la ville. Il faudra expulser les Wallons, et construire quelques années plus tard une autre université, Louvain-la-Neuve, pour qu'ils puissent recevoir un enseignement chrétien en français. Le statut de Louvain, très incertain en 1963, constitue une toile de fond dramatique pour la nouvelle vie de Sœur Sourire, qui n'en évoque rien dans son journal. On n'y lit rien non plus de la vie bouillonnante des jeunes autour d'elle, des autres révoltés, révolutionnaires, créateurs de tous poils et poètes extirpant l'idéal des carcans religieux où ils l'avaient d'abord cherché, comme William Cliff et Conrad Detrez, qui ont pu tous les deux croiser Sœur Sourire :

Louvain Alma Mater Sein Séculaire
où tant d'enfants ont sucé leur laitance
puant dortoir ô foutoir circulaire
où l'amour tourne à morne pénitence
combien n'as-tu pas broyé d'existences
à trop vouloir les serrer contre toi ?
et d'en avoir tant broyé n'as-tu pas
le torse maigre et la mamelle flasque ?
Louvain ! Louvain ! réponds donc à ma voix !
(tu te détournes et rajustes ton masque) [1].

Traditionnellement, les Dominicains chérissent l'étude. Tout y est consacré dans la petite maison : le silence, la rigueur du décor, l'insignifiance des chambres. Au cinquième automne de la vie religieuse de sœur Luc, elle fait sa rentrée universitaire. Elle s'entend bien avec sa consœur. Les deux femmes se mijotent à dîner dans la petite cuisine, mais préfèrent le restaurant universitaire, les fourneaux ayant toujours sur sœur Luc un effet centrifuge. Elles reviennent au couvent le week-end, sœur Luc en auto-stop par impatience envers la lenteur et la complexité des transports en commun – par agoraphobie également. Dans le meilleur des cas, en trois quarts d'heure elle rejoint sa cellule, le rythme des prières, sa place.
    A Louvain elles s'intègrent dans des équipes spirituelles de la Faculté des Sciences Religieuses et tentent d'apporter le témoignage de leurs vies engagées à travers les prières et les

---

1. William Cliff, *Conrad Detrez*, Le Dilettante, 1990.

discussions en commun. Sœur Luc se réjouit de son changement de vie, du partage enfin permis avec une seule personne, des nouvelles formes que prend sa vie sociale. Des
espaces de liberté inconnus s'offrent à elle. Vivre au milieu
des gens lui apparaît doucement comme la seule existence
acceptable. Il est fort possible qu'elle rencontre à Louvain de
plus en plus souvent quelqu'un qui lui ouvre des perspectives
inouïes sur son cœur. On ne sait pas où elle se promène
quand elle ne va pas en cours. On sait qu'on l'y voit peu. La
vie estudiantine à Louvain en 1964 offre d'immenses possibilités de contacts avec des groupes d'intérêts de toutes sortes.
Outre les problèmes linguistiques, les étudiants s'opposent de
plus en plus à la structure sociale dans laquelle ils vont devoir
s'intégrer. Même si sœur Luc redoute les contacts, sa révolte
à elle trouve des échos nombreux dans son entourage. Nous
sommes en plein concile Vatican II, et les évêques du monde
entier réunis à Rome mettent en cause l'action de l'Église
face au monde qui change. Dans une université catholique,
les commentaires vont bon train.

L'ombre au tableau, ce sont les cours, justement. La théologie rebute sœur Luc, elle accuse sa formation artistique de
l'avoir rendue rebelle à l'effort intellectuel abstrait, son âge
(elle a trente et un ans), la puérilité des jeunes étudiants
qu'elle taxe de dilettantisme. Elle se heurte à l'aridité de ces
matières souvent dispensées par des hommes secs ou peu
amènes. « Théologie morale fondamentale » : le dogme se
déroule avec son parterre de querelles portant sur des points
de détail au plus loin de la vie, et sœur Luc se débat. Elle
sèche les cours (elle dit « brosser »), abandonne facilement,
reprend le joug chaque fois moins aisément, ses propres
limites lui font horreur. « Je ne me comprends pas. Tournure
d'esprit irrémédiable ; de l'esprit j'en ai, mais justement pas
celui qui convient. « Sciences » religieuses : artistes et poètes
non admis. »

Sœur Luc ne dévoile à personne son identité de chanteuse.
La mèche est parfois vendue par des professeurs, et soulève
une réelle surprise. L'effarement saisit les étudiants de découvrir Sœur Sourire dans sœur Luc-bougon, toujours en retrait,
l'air sombre au fond de la classe, silencieuse dans les discussions animées sur la foi et la vie religieuse, toujours sur ses
gardes envers l'intérêt bienveillant que son costume éveille.
Le contraste est trop grand avec l'image que tout le monde

s'est fabriquée de la jeune femme qui chante la joie d'être ensemble et l'amour radieux du Christ. A Fichermont, l'une de ses anciennes élèves des cours de dessin s'est inscrite comme postulante et fait part de sa stupéfaction. Sœur Luc n'en est pas complètement inconsciente : « Nous avons peur les uns des autres, peur de nous livrer au dialogue avec Toi devant les autres, peur de leur livrer en confiance ce meilleur de nous-même qui est notre vie avec Toi », écrit-elle au Seigneur pendant les vacances de Pâques au bercail.

Dieu lui-même lui donne des preuves d'amour ; elle est une star internationale ; elle vit sans frais dans une des plus belles villes de son pays, un trésor d'architecture gothique à laquelle ses yeux de graphiste ne peuvent être insensibles ; elle jouit de sa liberté entière ; des matières nouvelles mettent son intelligence au défi ; l'amitié entre dans sa vie... rien de tout cela ne suffit à l'épanouir. « C'est sympathique et amical » écrit-elle seulement. « Seigneur, j'ai peur des études. Le seul mot de « transcendance » évoque pour moi, tu le sais, images et couleurs ; mais pour le professeur de philosophie, c'est bien autre chose ! Et je m'en fous ! »

Ce qui lui manque, c'est le Tout. On lui demande de se dépasser, de se confronter à ses limites : c'est toucher à l'impossibilité fondatrice. La crainte de se voir, à plus forte raison de se faire face, tombe sur elle comme un couvercle quelle que soit la situation. Ce malaise ne s'évacue pas, il doit toujours parler le plus fort, il est l'horreur de disparaître, il a tous les droits et bloque les entrées. Pourtant, pendant les vacances d'été, elle finit par acquérir un peu de distance envers son attachement au visuel, son amour de l'esthétisme un peu béat, et prend conscience qu'une lourdeur pèse sur elle, cette inconstance qui la jette d'un état dans un autre pour des broutilles. Pour la première fois, en août 1964, sa mauvaise humeur n'est pas censurée dans le Journal :

« Seigneur, la vie commune, j'en ai marre et plus que marre, et sœur Anselme me casse les pieds. L'horizon du noviciat me paraît étroit et gêne aux entournures, c'est un bocal hermétique clos sur le train-train journalier. »

La voilà qui rêve d'ailleurs, accoudée à la balustrade qui surplombe le terrain d'envol de la plaine d'aviation, assistant au départ en Afrique d'une de ses consœurs. Elle est grisée par l'odeur du kérosène, par les lumières multicolores de la piste, par les ventres de métal ouverts, et par cette magie bon marché, l'absence soudaine de quelqu'un ravi par les cieux après une ascension motorisée, comme si le Ciel avait sa trouée sur la piste. Pour peu que quelques costumes bigarrés se mêlent aux uniformes impeccables des cols-blancs de tous pays, elle s'émeut de pressentir la multitude du monde. Saisie par la force de sa propre émotion, sœur Luc sacrifie à l'idole de l'aéroport.

Comme elle a échoué à deux examens aux sessions de juin, elle s'isole dans la maison de Wenduine pour réviser au calme, se détendre dans la mer, s'ouvrir à la grâce particulière de cet endroit, qui n'est malheureusement pas exportable. Elle lutte avec des matières qui l'ont déja envoyée au tapis ; elle qui a horreur de perdre, elle perd totalement confiance, questionne à l'aveuglette avec le voussoiement des mauvais jours : « Mon Dieu pourquoi m'avez-vous choisie, mon Dieu que voulez-vous que je fasse ? » La réponse arrive, considérable, mais elle ne peut s'y soumettre. « Mon Dieu j'ai peur, j'ai affreusement peur d'être saisie, d'être sauvée, prise en charge par l'Amour. » La dévoration qu'elle appelait de tout son cœur six mois auparavant s'est présentée, mais le réflexe de conservation l'empêche de se donner entière. Puis, lors d'une prière, la douceur immense la console, et elle pleure de soulagement et de joie, comme souvent les cœurs deshabitués de la tendresse.

Malgré le succès aux deux examens de la session de septembre et son plaisir de retrouver Louvain, le découragement et la solitude forment l'horizon de sa deuxième rentrée. Son intelligence ne lui avait valu jusqu'à ce jour que des succès. Maintenant les progrès sont lents, elle doit se violenter et ne surnage qu'à grand-peine.

Fin octobre 1964, sœur Luc pour la première fois loue l'amitié en des termes peu équivoques : malgré l'interdit, elle partage son cœur. « Merveille que deux êtres en dialogue consenti, rejoignant spirituellement l'Autre dans l'autre, l'Être dans l'être, en filigrane. Tous ces moments où j'étreins furtivement l'Infini, l'Invisible dans le visible, pourquoi ne sont-ils pas « pour toujours », éternels ? Pourquoi ne forment-ils pas la trame du quotidien ? Tristesse de ma finitude. » Quelle grande soif brûle sœur Luc, quelle soif de brûler ! Enfin dans la rencontre aussi elle a touché à l'idéal, et, merveilleusement, cette rencontre sera l'unique.

A partir de ce jour-là, elle se met à écrire plusieurs fois par semaine et en détail dans son journal, au contraire de ses habitudes antérieures. Les remises en question se succèdent. A propos de sa mission, elle avoue parfois que l'action lui semble éparpiller l'effet de la prière au lieu de la mettre en œuvre : « Comment oserais-je diffuser Ta Bonne Nouvelle quand j'y crois si mal et que j'en vis si peu ? (...) Pourquoi religieuse plutôt qu'épouse ou honnête célibataire ? » L'angoisse du choix de vie ne la lâche plus, ni, comme pour faire exister la souffrance dans son corps, de terribles migraines dont on ne pourra jamais la soulager, et qui sont à l'origine d'une calamiteuse dépendance aux médicaments. Tout son être cherche des réponses partout en ce début d'hiver grisailleux, esquisse des directions, des orientations, se heurte au désarroi le plus profond. « Je comprends combien il est scandaleux que je continue cette petite vie tiède et branlante avec quelques sursauts de bonne volonté vite éteints. Heureusement pour les autres, un certain dynamisme extérieur donne le change, me sert de façade ; une assez jolie façade. Derrière, un caillou. » Le plus désolant est qu'elle s'illusionne sur sa capacité à donner le change. Son entourage n'est pas dupe. Pour tous, son malaise est perceptible, ses incertitudes transparentes. « Mon Dieu je n'en puis plus. Quand donc viendras-Tu ? Mon Dieu pourquoi m'as-tu abandonnée... je ne suis même pas digne de cela... m'étourdir... et si tout cela n'était qu'une vaste illusion ??? » La confusion est maître de sœur Luc. Impossibilité de s'assouvir ; impossibilité de se soumettre ; impuissance. C'est la scie de la passion. Le couvent attire celles qui bouillonnent pour leur promettre l'apaisement quand elles auront déposé leur manque sur les dalles. Celles qui se l'arrachent gagnent une joie inouïe. Les autres...

Certaines, comme Renée, dont sœur Luc reçoit le *Carnet Spirituel*, prennent leur amour au sérieux et sont conscientes de leurs « fiançailles mystiques », au nom desquelles elles travaillent en usine pour soutenir les détresses et faire rejaillir leur amour. Sœur Luc utilise les mots de ses confrères pour nommer ce qui l'élève, et cela devient « amitié, dialogue, présence ». Elle donne toujours l'avantage à la parole d'un homme sur celle d'une femme. Pourtant, elle redoute le regard que jettent les hommes sur ce vieil irrationnel mystique sans fondement théologique si vivace chez les femmes, et qui recueille dans le milieu, au mieux un sourire attendri, au pire la plus cruelle des moqueries. Mais elle intègre leur langage par crainte de sembler naïve. Elle donne raison à ce regard, et s'écartèle encore un peu plus, mouvement qu'elle apprécie particulièrement dans la piscine où son médecin l'envoie pour défouler son tempérament émotif. Si la nature du lien de sœur Renée avec son Dieu la laisse perplexe, elle n'en est pas moins fortement attirée par la présence de l'Évangile dans le monde. La communauté de « La Poudrière » la séduit. Des prêtres oblats y sont au service du quartier pauvre de Bruxelles dans lequel ils vivent. Ce sont des consacrés liés à une communauté religieuse, à laquelle ils ont donné tous leurs biens, mais ils gardent le costume civil et ne sont pas dévolus à une paroisse. Comme elle le souhaitait, elle passe avec eux quelques jours après Noël. La rencontre est douce, et les pères lui proposent de mettre sa foi missionnaire à l'épreuve de la mission ouvrière. « Ici, ma sœur, Teilhard de Chardin est vécu, le « milieu divin » est une réalité, non une idée. » Sœur Luc ne peut donner suite qu'aux idées pour le moment, trop de réalité l'effraie. Elle décline.

Le succès des disques continue. Selon ses consœurs et son journal, elle commence après deux ans à le prendre au sérieux. « Je suis ravie de mon nouveau petit disque en 45 tours sorti aujourd'hui ; 4 chansons : « Les pieds des missionnaires » « Complainte pour Marie-Jacques », « J'ai trouvé le Seigneur » et « Midi ». Jolie présentation et bon équilibre des chansons : poésie, humour, adaptation à l'adolescence cafardeuse. » Partie et juge, elle se trouve très bien. La presse lui donne raison. Mais aucun titre n'aura plus le retentissement de « Dominique ». Le 12 Décembre elle participe à une émission pour la télévision flamande avec le père Didier. Il semble que l'interdiction de se montrer en public s'assouplisse. Elle s'en réjouit, bien qu'elle s'aperçoive que la publicité « met indistinctement en vedette les chanteurs, les dentifrices et les boutons de col ». A la fin de l'année 1964, sa vie religieuse subit de profondes mutations. Les creux de vagues la secouent chaque fois un peu plus. Elle voudrait baisser les bras, être libérée du joug le plus doux et le moins sûr.

Dimanche 29 novembre 1964.
« Cette fois Seigneur j'en ai assez. Fichez-moi la paix. J'en ai assez de ces bagarres, de ces trêves, de ces luttes et de ces échecs. Laissez-moi dans ma crasse et mon fumier. Vous

voyez bien que tout rate toujours, que tout est inutile. Que je suis incapable. (...) Mon Dieu, laissez-moi couler, laissez-moi tranquille », crie-t-elle. Ce cri même est un acte de foi. Elle ne peut pas tout abandonner, même écrasée d'exigences. Deux jours plus tard elle est vidée, communie sans ferveur, se traîne sans désir. « Ni abandonnée ni résignée. Je prierai quand même l'office de complies, le cœur sec, mais pour avoir bonne conscience, et parce que maintenant, j'ai peur de la mort. C'est affreux. »

Au bout de cinq ans, elle étouffe au couvent. Sa vie à Louvain lui fait redécouvrir les valeurs d'amitié et de partage au sein des petites équipes qu'elle anime, valeurs qui lui manquaient à Fichermont (« La loi du silence et autres prescriptions font souvent qu'il est possible pour chacune de vivre apparemment en communauté mais véritablement en parfaite solitaire individualiste... suis-je faite ou non pour la vie régulière ? ») La réponse se cristallise doucement, puisqu'il ne lui reste plus que dix-huit mois à appartenir à la communauté. L'année se termine sur une adoration retrouvée de la Présence, et sur cette phrase : « Le tout de notre vie est de rencontrer le Christ vivant. »

5

EXCLAUSTRATION

Ce qui fait exister Sœur Sourire pour le monde des médias, c'est un regard qui se pose sur l'intérieur, sans grand désir d'y voir quelque chose d'inconnu. Un regard sur l'intérieur de l'être, et sur l'intérieur d'un lieu clos par excellence, le couvent, dérobé aux regards. Sa foi n'est pas l'objet de l'intérêt des journalistes, mais les signes qu'elle en donne, son habit, sa vie conventuelle. Cela dans la fêlure seulement, parce qu'elle transgresse la règle de silence en chantant sur les ondes, domaine réservé aux idoles. « Quelle alliance entre le temple de Dieu et les idoles? » questionne la Bible. Sœur Sourire refuse de se prêter au jeu, de devenir le singe savant. Le Nègre qu'on montre. La bonne conscience des nonnes. Elle vit chaque moment dans un paroxysme intérieur, qui l'entraîne dans la souffrance et dans l'émerveillement à égale mesure.

Recollections, voyages à Paris avec le couvent, réunions d'équipe, fêtes diverses, elle est constamment occupée. Elle sort beaucoup, ou bien choisit de commenter surtout ses visites d'expositions de peinture, les films qu'elle va voir (« Pasolini a amidonné le Christ ») et ses sorties à la piscine : « Une demi-douzaine de religieuses m'ont accueillie avec cet intérêt particulier dont je reconnais l'odeur... ô prestige de Sœur Sourire en maillot... les gens sont-ils idiots, Seigneur! » Alors elle fuit et elle ronchonne. A ces moments de confrontation triangulaire, quand les gens veulent voir Sœur Sourire et que sœur Luc ne voit que leur curiosité, elle passe à côté de la réalisation de ses désirs de mission. Elle refuse de chanter sur commande. On peut imaginer combien les jeunes qui passent voudraient l'entendre, lorsqu'ils apprennent que Sœur Sourire est là, s'ils ne le savent pas déjà. La maison de recollection, ancienne porcherie ou étable, ne désemplit pas. « Le principe du refus est toujours le même : je ne chante pas en public ni hors de Fichermont, sauf pour certains groupes d'amis, très restreints. » Mais elle a conscience de blesser lorsqu'elle refuse. Elle se demande si elle ne fait pas une erreur – si elle ne sacrifie pas l'esprit à la lettre. Bien sûr elle se soumet sans le savoir à des intérêts autant commerciaux qu'ecclésiaux.

A la fin de juin, elle termine deux années de sciences religieuses. Elle se réserve les examens pour septembre, sauf un travail qu'elle rend pour un séminaire sur Fra Angelico et l'art sacré. Pleine de nostalgie, elle regrette déjà les locaux hiératiques de l'université de Louvain et elle enjolive ces deux années d'études qui lui ont fait horreur, parce que le Centre des Techniques de Diffusion auquel on la destine à la rentrée prochaine est neuf et clair. Elle peut toujours fréquenter la bibliothèque de l'université, qui, toute récente qu'elle soit, n'en est pas moins un exemple sur notre continent de la générosité américaine et de son désir de bien faire, par son mélange de kitsch moyenâgeux, de stylisation catholique des années cinquante, et de matières nobles, bois massifs, pierres de taille sculptées à la gothique, dallages sonores dans des halls bien chauffés. Tout l'été s'amenuise dans les révisions. Elle se plaint amèrement du mal que cela lui donne. Ses professeurs le disent, elle n'est pas faite pour les études. Son journal se complait dans les descriptions des tableaux qu'elle dessine mentalement pour échapper à la pression aride de la théologie. Pas faite pour les études, ni pour l'enseignement, ni pour la mission, ni pour le mariage, dit-elle. « Le mariage ne me comblerait pas en plénitude, je ne m'y sentirais pas totalement « libre », c'est-à-dire, pas entièrement écartelée aux dimensions universelles de ton Royaume, de sainteté en extension. »

Sœur Luc ne peut se passer de l'amitié des hommes, du repos qu'elle trouve à les côtoyer. Elle s'est tournée vers les Bénédictins, qui cultivent la grâce de l'accueil. Comme des frères, ils mesureront ce qu'elle est et ne la jugeront jamais. Chez eux, elle trouvera même celui qui est poète, et dont la beauté, l'intelligence et l'indépendance ne laisseront pas de l'émouvoir. « Combien nos psychologies féminines, peut-être parce qu'elles ont renoncé à la vie conjugale, sont sensibles au centuple à la beauté et à la puissance des voix masculines ; elles y trouvent un sentiment de bien-être, de paix. Nous avons choisi d'être frustrées, à cause de la transcendance de Dieu et de son amour. Et je crois encore que cela vaut la peine, et que c'est une chance d'avoir le cœur plus grand pour y héberger plus de monde. »

Le renouvellement de ses vœux approche. Elle passe par des moments d'amour et des moments de doute qui alternent d'un jour à l'autre : « Mon Dieu j'ai faim de Toi, je Te désire passionnément, mais je ne peux rien et ne suis rien sans Toi. Combien Dieu est l'Amour, je le sais maintenant autrement que par des mots usés. (...) Consécration religieuse du 20 juin : mes vœux, c'est une réflexion qui n'aboutit à rien. Je sais seulement que Dieu me veut consacrée à Lui et plus priante, de cela je suis sûre et je me tiens disponible, c'est tout. »

Comment ces lignes ont-elles pu recevoir l'imprimatur ? Les vœux sont censés contenir la force, la grâce de tous les serments. Il faut croire que c'est là leur raison d'être. « J'ai discuté de mes vœux avec Sœur Gertrude. L'ennui, c'est ce relent d'investiture et de chevalerie. » Les rites étayent les intentions. Ce que sœur Luc ne mesure pas, c'est l'endroit où elle aboutit, les progrès qu'elle fait vers le Christ, c'est l'instant gagné sur le passé. Elle souffre éperdument de ce qu'elle n'a pas, ne peut soupeser ce qui pourrait lui donner du poids, alors elle dérape et erre dans l'absence, ou dans l'excitation d'un moment de confiance. Finalement, le 20 juin 1965, elle renouvelle ses vœux pour trois ans : « Je ne songe pas au juridisme des formules et des années. (...) C'est don, c'est « oui », quel que soit l'emballage, Seigneur... Que Tu es l'Amour, Seigneur ! Tu me prends par mon point faible – ma sensibilité – et c'est ton droit... mon cœur est à Toi, Seigneur. Tu es ma respiration, mon souffle... Rends-moi forte de ta force. »

Elle aurait dû rester au couvent jusqu'en juin 1968 et elle est sortie en juin 1966, un an après sa promesse. Elle a donc rompu des vœux temporaires. Il aurait fallu qu'elle songe au juridisme des formules, à toutes sortes de juridismes. Mais à ce moment-là, elle vit très profondément des situations affectives, si fort et si mal, que les autres aspects de ses actes ne lui semblent pas relever de la même réalité. Elle est toujours une star dans un lointain extérieur dont elle laisse à peine l'écho affaibli laper les bords de sa conscience, même quand l'assistant du Maître Général de l'Ordre, un Américain, débarque sans crier gare à dix heures du soir pour entendre Sœur Sourire, « à l'heure où chacune rêve de sa paillasse ». A sa suite, une foule quelque peu détonnante dans l'atmosphère compassée du couvent : éclairagistes, preneurs de son, maquilleuse, cameramen, accessoiristes, l'équipe de tournage qui s'installe à grand bruit pendant quelques jours n'est autre que celle d'Ed Sullivan, le très célèbre présentateur américain.

Quelle effervescence dans les vénérables murs ! Comment accommoder tout ce monde dont on ne parle pas la langue ? Fichermont, tourneboulé, ne prend pas la mesure de ce témoignage inouï du succès : l'homme de média s'est déplacé lui-même pour interviewer la religieuse chantante. Pour un artiste, un personnage politique ou quiconque tend à la célébrité aux U.S.A., être invité au Ed Sullivan Show, en direct d'un théâtre de variétés à New York qui porte maintenant son nom, représente pendant plus de vingt ans le faîte de la gloire. Ce que le « monde entier » compte de vedettes doit se rendre le dimanche soir devant les caméras de CBS, et chanter, danser, parler ou faire ce qu'ils étaient venus faire, les uns après les autres, dans un mélange de styles imprévisible. Les épaules voûtées, la lèvre épaisse, Ed Sullivan accueille chacun avec une cordialité maladroite qui va droit au cœur des téléspectateurs, quand ils ne se délectent pas des impropriétés et des gaffes naïves de l'ancien chroniqueur de potins du *New York Graphic*. Aucune image pré-enregistrée n'est montrée. Des ballets russes aux dresseurs de chiens, des débuts d'Elvis Presley (que les caméras ne filment que jusqu'à la taille, pour ne pas exposer aux foyers les sursauts provocants de son pelvis) et des Beatles, qui font sur cette scène leur première apparition en public aux U.S.A., aux Rolling Stones ou aux Doors sulfureux, la loi du genre est la variété en direct. A cette époque, l'émission atteint le sommet de sa popularité : un énorme phénomène médiatique national, incontournable, inégalé à ce jour, Ed Sullivan une super-star inattendue, faisant rapidement école [1]. La mère supérieure du couvent de Fichermont, selon les dires de Sœur Sourire quelques années plus tard, s'est d'abord opposée à la venue au couvent d'une quarantaine de techniciens. Mais le cardinal Spellman est

---

1. Rick Marschall, *History of Television*, Bison Books, London, 1986.

intervenu par l'entremise de Monseigneur Flynn, chargé des médias aux États-Unis, pour la convaincre d'ouvrir les grilles à ce parangon du monde médiatique d'outre-Atlantique. Il a seulement imposé au présentateur vedette de tourner uniquement la partie de son émission consacrée à la religieuse, et non d'amener avec lui les autres artistes invités à réaliser The Ed Sullivan Show en direct de Waterloo, Belgique. Sœur Sourire chante sous son voile, entourée de ses sœurs formant rampart pour son humilité, devant la moitié de l'Amérique. Cette insigne faveur sert de référence à la popularité de Sœur Sourire aux U.S.A. autant que le million de disques vendus. La gloire vient la chercher jusque dans sa cellule, et la petite sœur n'en dit que : « Ils sont impayables, ces Américains ! » Puis elle retourne à sa guitare, et à sa prière.

Une nuit d'août à Wenduine où elle est partie réviser au calme, le vent marin souffle en rafales, la pluie fouette les volets. A quatre heures du matin elle se réveille, seule dans la chambre et dans la maison. Dieu est en train de la pêcher à la ligne. Il la saisit dans un long et vivant dialogue d'amour. Elle se sent envahie et oppressée comme sous le poids d'un désir trop lourd. Séduite mais dévorée, elle tente de se soustraire à ce désir terrible et doux, elle ne peut pas s'y refuser, elle veut se laisser faire par le Christ, mais avoue « J'étais vaincue ; ce n'est pas rien d'être aimée par un Dieu. » L'impériosité de Son désir effraye la jeune femme ; l'abandon qu'Il réclame lui intime de se départir d'elle-même. Une grande force cherche à faire éclater ses limites, une surabondance d'amour, tournoyant dans le néant vers le plus secret de la personne, force empreinte de sérieux et au bord de l'explosion de joie totale, cherchant l'assentiment et le partage. Une puissance terrible fait sentir sa paume ouverte, toute de tendresse, qui pourrait broyer le monde d'un mouvement. Dieu est amoureux de Jeannine. Il trouve la voie vers son cœur. Il la réveille la nuit pour lui faire des câlins. Il voudrait tant qu'elle s'abandonne à ses caresses et qu'elle se livre à la ferveur de la fusion.

« Donne à mes paupières un sommeil léger pour que ma voix pour te louer ne soit pas longtemps muette », écrit le psalmiste, qui connaît la douceur immense gagnée sur la peur, et s'élance dans l'étreinte. Le jour qui naît ensuite se nourrit de cette tendresse. La religieuse ajoute : « Pour le reste, il vaut mieux se taire, car les mots ne peuvent exprimer l'inexprimable ». Wenduine est un voyage de noces.

Lorsqu'elle effectue un retour sur elle-même, elle ne s'épargne pas : « Je me redécouvre telle que je ne me suis plus vue depuis longtemps. Pas seulement sensibilité non acceptée, mais aussi déloyauté, égoïsme, manque de foi, manque de courage devant la vie, orgueil, refus de recevoir tel autre, manque de charité. Le tableau est complet et vraiment peu réjouissant. » Est-ce la liste qu'elle doit dresser pour la « souricière hebdomadaire », comme elle appelle le confessionnal ? Quelles sont les qualités données par Dieu et qui rejaillissent aussi sur le monde pour faire contrepoids ? Inavouables. A quelles grâces conduisent ces défauts ? Imperceptibles. Intolérable pour elle, la médiocrité de sa personne. Magnifique pour le Christ, sa personne et le vouloir-changer. Épouvantable pour elle, les limites auxquelles on se heurte. Indispensable au Christ, pour qu'elle les repousse. Les murs qui la cernent la surplombent de plus en plus et l'enferment inexorablement. Elle dit chercher en vain quelque chose qui puisse être le véhicule de son impression intérieure. « Rien. » Elle souffre d'un désir fou de tout exprimer en même temps, le fond de soi et les traces changeantes qu'y laisse le monde, et devant l'impuissance, devant la nécessité de se plier à un outil, c'est l'outil qu'elle accuse et non pas ce désir vorace de s'écarteler dans les mots.

Elle ne perd pas le désir de modeler son entourage à ses désirs enfouis : « Il faut continuer à œuvrer pour l'évolution des sœurs puisque je dispose de la lumière », écrit-elle en toute humilité ! « Il y a pour moi une mission intérieure à réaliser dans ma communauté. » On sait qu'au couvent une sœur lui est particulièrement proche. Elle traduit en flamand les textes de ses chansons, elles partagent leur foi et leurs rires, leurs interrogations. Cette sœur évoluera différemment du reste du couvent elle aussi, sans quitter les ordres, optant pour de tout nouveaux modes de vie. Nombreuses sont celles qui quitteront Fichermont à la suite du départ de sœur Luc, mais les raisons ne tiennent sans doute pas seulement à ses efforts. Elle est moins seule au couvent que son journal ne voudrait en donner l'impression, mais elle continue à se demander si elle y est bien à sa place, tant elle juge le système de dépendance infantile. « Mes amitiés, Seigneur, me font toucher du doigt combien et comment Tu m'aimes, avec cette douceur paisible, cette confiance, ce respect. » Elle pleure. Sur l'enfant qu'elle est toujours, qui comprend par lueurs ce

qui lui manque. Sur l'absence d'Annie peut-être, sur la
beauté de l'amour qu'elle perçoit, mais elle ne sait pas tendre
les mains, partager les élans qu'on lui offre, partager la chaleur des autres sans mourir. « Fais que je leur dise « oui » tout
simplement. Seigneur, j'ai sans doute avalé une bombe lacry-
mogène ? »

L'autorité lui pèse. Ainsi que le décalage entre la préparation à la mission qu'on lui donne et le terrain auquel on la
destine, décalage qu'elle perçoit au fur et à mesure des signes
de prospérité que la société de 1965 affiche dans les vitrines
de plus en plus attrayantes des magasins.

« Dans le bus, un trio de vendeuses rentrant du travail ;
comment les atteindre, elles ? Il semble y avoir incompatibi-
lité entre leurs soucis quotidiens et la mentalité retardataire
que nous véhiculons avec nous. En rentrant à Fichermont,
tous ces points d'interrogation me harcèlent. (...) La vie religieuse, et la religieuse, sont des concepts statiques dépassés ;
je pense qu'il n'y a que des personnes consacrées à Dieu, mais
le tout est de trouver le mode qui convient à notre époque.
(...) Missionnaire n'est plus nécessairement apparenté à
l'exil. » Dans ces derniers mots on peut sentir en filigrane
combien il devient impensable de quitter le voisinage de son
amie Annie, dont les lettres la plongent en actions de grâce,
dont l'amitié de plus en plus présente lui apprend celle de
Dieu pour elle, la force du partage. « L'ours antique
s'effondre et révèle une personne sensible, tendre ; je dois me
rendre à l'évidence et accepter ce nouveau visage de moi-
même... et m'y habituer ! »

Son attachement profond et sincère à l'orientation spirituelle dominicaine est la seule constante de la vie de sa foi,
même si les motifs différeront avec le temps. Il est encore
question en cette année 1965 de son amour de la Vérité, grandement prisée par tous les Dominicains. Elle voudrait se renseigner sur le Tiers Ordre dominicain, ce mode de vie si particulier. (Le premier ordre dominicain est celui des hommes, le
second celui des femmes, le troisième est mixte, destiné à des
laïcs qui consacrent leur vie au Christ, mais vivent et travaillent autour de nous, anonymes, s'efforçant seulement de
montrer l'exemple. On les appelle les Tertiaires. Ce sont
majoritairement des femmes.) Elle questionne principalement leurs rapports à l'autorité, à la dépendance et à l'obéissance, parce qu'ils vivent de leur propre travail, et surtout

parce que le joug des supérieures la blesse de plus en plus, joug dont ils sont exempts. « Ça serait tellement plus commode d'aller planter sa tente ailleurs, dit cette ancienne cheftaine, de vivre religieuse d'une autre manière. » Un autre leurre, malheureusement, c'est beaucoup moins commode au contraire.

La rentrée de 1965 arrive avec l'automne. Il est décidé qu'elle suivra les cours de techniques de diffusion, au Centre des Techniques de Diffusion de Louvain, le Cetedi. L'origine de ce projet est incertaine. Sœur Sourire affirme qu'il s'agit d'un rêve qu'elle caressait depuis longtemps et dont elle s'était ouvert à ses supérieures. Mais la Mère Générale du couvent a participé à une semaine de missiologie, en plein Concile Vatican II, qui souligne le rôle que doivent jouer les médias dans l'annonce de la Bonne Nouvelle. Les supérieures de Sœur Sourire ont peut-être senti qu'elle pourrait jouer un rôle en apprenant à chanter mieux, à parler en public, et à utiliser les médias. Ce qui est certain, c'est que l'amitié d'Annie lui est devenue indispensable. Sœur Luc prétend qu'elle est inscrite au Cetedi en élève libre, c'est jouer avec les mots. Elle est inscrite dans un cursus régulier, dont elle use avec une grande liberté. Il importe de rester à Louvain, de disposer de son temps, de ne plus devoir se briser la cervelle avec la théologie morale spéciale, la constitution conciliaire (qui l'aiderait pourtant terriblement à se faire une idée de ce qui lui arrive), le dogme et l'épistémologie. Elle s'imagine qu'elle prendra des cours de guitare et des cours de diction. « Il me semble que toute missionnaire doit être le plus « diffusive » possible, par tous les moyens », dit-elle. « Bref, cet avenir me ravit. »

Quel avenir ? Celui de diffuser ? Elle adore ce mot. Or, ça n'est pas elle qui diffuse, ce sont les médias. Elle sera seulement « diffuse », éclatée en gouttelettes de ceci et de cela, un peu de peinture, beaucoup de guitare, des chansons. Écoutons le témoignage d'un de ses anciens professeurs au Cetedi :

« Elle était en cursus régulier. On l'a inscrite à l'université dans le département politique, sous-département de la communication sociale – où j'enseignais tout ce qui touchait au droit ou aux relations publiques. Ce qui veut dire que je l'ai eue deux fois comme étudiante, ce n'était pas accablant parce qu'elle « brossait » de manière constante – on ne sait pas pourquoi, ni ce qu'elle faisait en dehors de ça.

« Elle ne travaillait pas bien. Je suis resté lié avec elle jusque longtemps après, parce que je trouvais qu'il fallait aider cette fille. Dans mon souvenir, ne prenez pas ça pour parole d'Évangile, c'était une espèce de première communiante perpétuelle, fraîche, attendrissante. On avait envie de la prendre dans ses bras et de lui taper dans le dos, et de lui dire, allez, la vie c'est autre chose. Mais, ayant connu les avatars qu'elle a subis avec son ordre, je dirais qu'elle provoquait l'abus. On avait envie de dire : ça sera comme ça et vous le ferez pour demain matin. J'ai eu deux-trois fois la tentation de lui dire : ma fille, après-demain vous arrivez avec votre travail pratique – je leur faisais faire des travaux pratiques, elle n'en a jamais fait un, jamais achevé un. C'était tentant de la soumettre à des pressions, j'ai dû me prendre par la main et me dire, ne la bouscule pas. Cette fille-là, quand tu l'auras bousculée tu n'auras rien gagné. Il faut qu'elle arrive à l'âge adulte petit à petit. Je ne suis pas sûr qu'elle y soit jamais arrivée. Mais c'était candide, on se disait, le royaume des cieux appartient probablement à ce genre d'enfant. Disons en plus qu'elle ne frayait pas avec les autres élèves du cours. C'était une fille qui baissait les volets.

« Petite étudiante à Louvain, en robe blanche, ce qui lui donnait beaucoup d'allure dans ce cours où il n'y avait que des laïcs et des Chinois, quand elle était en robe blanche au premier rang de ce cours, elle avait l'air d'être le pape au milieu de sa cour. Mais elle n'en était pas consciente du tout, elle était mal à l'aise. Visiblement, si on lui avait permis d'aller se vêtir de jeans dans un coin et de laisser sa robe là, elle aurait été très contente. A ce moment-là c'était pas encore très bien vu, pas encore très bien toléré. Elle n'était pas bête. Elle a présenté un demi-examen. Il fallait lui arracher les réponses, oralement. Or, il y avait une partie de la note qui était fonction des travaux écrits, parce que ça permettait de mettre un deuxième professeur au contrôle et d'empêcher qu'un monsieur soit trop généreux ou pas assez. Par conséquent, elle n'a jamais eu de note pour ses travaux pratiques, mais pour l'examen oral, elle ne savait absolument rien de ce que j'avais raconté au cours, elle répondait avec bon sens et candeur aux questions précises. Elle était faite pour tout sauf pour faire des études universitaires.

« Mais elle était malheureuse. Est-ce qu'elle a été heureuse à un moment de sa vie ? J'ai un jour demandé à une nonne importante, pas de son ordre : qu'est-ce qu'on fait d'une fille comme ça ? Et qui m'a répondu : c'est perdu. Il n'y a pas de supérieure dans un couvent qui n'ait pas une certaine soif d'autorité et qui trouve que ça vaille la peine de se donner beaucoup de mal pour la brebis perdue. Brebis attendrissante, cependant. C'est moi qui lui ai dit un jour : ne vous occupez pas de la nomenclatura ecclésiastique. Ils ont essayé pendant deux mille ans de foutre le bazar par terre, ils n'ont pas réussi, donc c'est qu'il y a quelque chose de sérieux. Ça mérite pour vous que vous partiez un peu plus loin de ce que vous croyez ou de ce que vous ne croyez pas. Elle disait oui oui, elle disait facilement oui oui.

« En plus elle était têtue comme une mule. Je l'ai entendue porter des jugements sur ses camarades et sur ses autres professeurs, qu'elle fréquentait exactement comme elle me fréquentait moi, c'est-à-dire quand ça lui passait par la tête, et je me suis rendu compte qu'il n'y avait personne sur qui elle portait un jugement qui correspondait à peu près à celui qu'un prof, qui enseigne depuis vingt ans, pouvait porter sur des gens qu'il connaissait bien. Elle fantasmait autour du personnage alors, elle créait un personnage de bandes dessinées, ça n'était pas la vérité. Il était impossible de lui dire : non non, ça n'est pas du tout comme ça qu'il est. Elle s'était brouillée avec toutes les étudiantes du cours. Or elles s'étaient jetées sur cette nonne – elle apparaissait pour être le caïd – c'était l'époque où il y avait moins de filles que de garçons à l'université. »

On pourrait s'attendre à ce qu'un témoignage contradictoire, présentant une étudiante gaie et généreuse, sommeille dans l'indignation de quelqu'un, une camarade des groupes de prières par exemple, à qui elle aurait « ouvert les volets ». Mais nombreux sont les échos qui corroborent le point de vue du professeur, la naïveté touchante de la religieuse, sa crainte farouche des autres, notamment, et sa cruelle incapacité à les évaluer. Elle a véritablement très peur des autres. Sauf d'Annie, et elle s'en émerveille sans cesse : les portes ne se ferment pas, la joie perdure, l'espoir grandit. Au point que parfois elle surmonte sa terreur et parle avec quelques étudiants, sans mourir. Elle rend tout de suite grâce à Dieu des bienfaits de cette amitié (qu'elle s'oublie déjà à nommer amour) tant elle lui rend la vie plus facile, tant elle la comble.

En septembre 1965, elle échoue à ses examens de seconde session au second graduat en sciences religieuses, malgré les conseils amicaux d'un professeur de théologie morale, qui lui recommande de lire les écrits patristiques « plus imagés et moins conceptuels » que les travaux de théologie dogmatique et scholastique !

Le lundi, cours de diction à Bruxelles, le mardi, psycho-sociologie de la radio-TV, le mercredi soir et le vendredi soir : jiu-jitsu avec sœur Charles, qui devient une amie. Le week-end : travail de maquette de la revue de Fichermont. Sœur Luc songe de plus en plus sérieusement à quitter le couvent. Le Tiers Ordre lui apparaît restrictif, elle veut rester « à mi-chemin », prolonger la vie d'étudiante entre jeunes religieuses dans une petite maison commune. Jusqu'à la visite d'Isabelle au couvent. Isabelle est Tertiaire, vit indépendante de toute communauté de type constitué, mais reste liée à l'Ordre de Saint-Dominique. Sœur Luc a cette phrase étrange : « ...une vie dominicaine de forme inédite séculière, celle que je choi-sirais si j'avais à choisir. » Elle revient sur sa position de « mi-chemin » prise quinze jours avant. Elle joue avec l'idée de partir au Mexique, où Fichermont envoie encore des mission-naires. Le Christ s'accroche à elle : « De nouveau cette brû-lure intérieure, ce feu inexplicable et lourd à supporter. Christ présent dans la nuit ; je retrouve cela un peu partout, à l'étude, à la prière. Sorte d'absence épurante que je ne comprends pas, que je ne peux que subir en me doutant que c'est un appel à une vie relationnelle plus profonde avec Dieu. » Ce sont des jours de fuite et de lucidité, dans lesquels elle découvre que la qualité de ses premières chansons a tenu au silence du noviciat, que le silence envers soi-même rend l'expression sincère et dense, alors que le flux de paroles inhibe l'expression vraie. « Mais il est plus facile d'en parler que d'en vivre », conclut-elle non sans humour.

La presse nationale évoque discrètement la sortie du film « The Singing Nun » avec Debbie Reynolds, imaginé par Sally Benson et John Furia Jr, mis en scène par Henry Koster et distribué par Goetz Beck pour la Metro-Goldwin-Meyer. Koster récidive après « Deux petites sœurs à la page », une comédie. Des producteurs américains ont vu l'émission d'Ed Sullivan en Belgique, et ont senti le succès potentiel d'un scé-nario sur la jeune nonne. Les supérieures de Fichermont donnent leur accord, à condition qu'il n'y ait là rien de biographique. Elles proposent également la présence sur le tournage du révérend père Lunders, chargé de veiller au découpage et « à ce que l'esprit religieux de la communauté soit préservé : à ce que les religieuses se tiennent et agissent comme telles ». On les a sélectionnées très mignonnes et on les a beaucoup maquillées, mais le père Lunders n'en fut pas marri. La légende veut que Debbie Reynolds insistât pour obtenir le rôle titre. Greer Garson et Katharina Ross jouent les seconds rôles, et Ed Sullivan interprète le sien propre dans la seule séquence en rapport avec la réalité : le tournage de son « show » à l'intérieur d'un couvent. Toutes les chansons proviennent des disques déjà enregistrés, sauf une, composée par le directeur musical Harry Sukman. Sœur Sourire avoue avoir choisi avec le couvent « le scénario le moins stupide ». On frémit en imaginant ce que devaient être les autres. Qu'on en juge : la sœur qui chante travaille dans une maison pour pauvres. Le petit Dominique sur lequel elle a composé une chanson se blesse dans un accident. Elle fait le vœu d'abandonner la guitare s'il guérit, alors qu'un producteur lui propose la fortune. Quand l'enfant est rétabli, elle s'en va en Afrique dans une mission. « Les gens croiront à une biographie, il fallait s'y attendre » écrit Sœur Sourire. Mais rien n'est moins sûr. Le film ne marche pas. Eût-il été plus proche de tous ses conflits intérieurs, il aurait peut-être eu sa chance. Elle ne le verra qu'en septembre 1966 avec ses parents, à Bruxelles, en version française, à l'affiche pour une seule semaine. « Couleurs grossières, comédie musicale, public berné », les quelques critiques de la star sont contrebalancées par un espoir de servir à quelques-uns « à cause des séquences qui expriment la générosité et le dévouement. »

A Noël 1965, l'office est célébré pour la première fois à Fichermont totalement en français. Les mélodies sont rajeunies, et la présence des prêtres en retraite ajoute à l'allégresse des sœurs. Mais sœur Luc regrette que perdure ce folklore ancien qui consiste à embrasser les pieds de cire d'un bébé Jésus, elle qui déteste tout ce qui ramène la foi à la pâtisserie.

Elle commence son journal de l'année 1966 avec un credo très fort, malgré ses allures de testament, citant la publication *Religieuse aujourd'hui* : « Oui, je sais que Dieu est intervenu dans ma vie et qu'Il me veut à son service. Je puis réaffirmer cela aujourd'hui en pleine force et en toute lucidité. (...) Mon

Dieu, je Te remercie de revitaminer mon être desséché. Je t'aime : j'ose à peine balbutier ces mots pourtant véridiques, car il semble que ma pauvreté foncière les fait mentir. » Puis, quelques jours après, elle insiste sur le fait que sa vocation n'est pas liée à Fichermont, qu'elle dépasse tous les cadres et toutes les structures. Jeannine Deckers rejette le couvent comme celui qui aime la littérature rejette l'université, pour des raisons similaires, parce que le hasard guide mieux le chercheur vers sa voie propre. Même si, au bout du compte, il n'y a pas de voie propre mais son ombre.

Mi-janvier, Annie entre d'urgence à l'hôpital, le bras droit à moitié sectionné. Sœur Luc accourt près d'elle, et découvre « l'absence du sens de la personne humaine » de la part du personnel médical, l'absence de respect dû particulièrement à ceux qui souffrent. Elles prient de longues heures ensemble. Elles découvrent *Dieu sans Dieu*, le best seller de John A. T. Robinson, évêque anglican de Woolwich, pasteur décapité par les nazis, héritier spirituel des théologiens Rudolph Bultmann, Paul Tillich et Dietrich Bonhoeffer. Sœur Luc jubile. Une toute nouvelle théologie et une morale nouvelle s'offrent à elle, accessibles, révoltées, radicales, remettant en cause la religion qui ne soutient plus la foi, et même qui y porte atteinte. Cela « démythifie » son engagement religieux, et l'apaise. Voici ce qu'elle lit à la fin de son dernier hiver sous le voile :

« Le sacré est la profondeur du commun.

« La question théologique fondamentale consiste non pas à établir « l'existence » de Dieu comme une entité séparée, mais à cheminer durement vers ce point ultime que Tillich appelle le fond de notre être, la profondeur et le fond infini, inépuisable de notre être ; Dieu est le nom de ce fond infini et inépuisable de l'Histoire.

« Dieu nous appelle en ce vingtième siècle à une forme de christianisme qui ne dépend pas des prémisses de la religion.

Le Dieu que l'homme ne peut pas fuir est le fond même de son être. Et son être – nature, âme, corps – est une œuvre de sagesse infinie, terrible et merveilleuse.

« Selon la Bible, on ne peut sonder les « choses profondes de Dieu » ni comprendre la transcendance de Dieu si on ne cherche que dans les profondeurs de l'âme individuelle. Puisque Dieu est amour, il ne se trouve dans toute sa plénitude que « d'homme à homme ». Notre argument jusqu'ici a été le suivant : On ne rencontre pas Dieu en se retirant du monde pour mener une vie « religieuse » ; au contraire on le rencontre au travers d'une sollicitude envers « l'autre » *considéré jusqu'à ses ultimes profondeurs.*

« L'essence de la perversion religieuse est atteinte quand le culte devient un domaine où l'on se retire du monde pour « être avec Dieu » – même si ce n'est que pour recevoir la force d'y retourner. Dans ce cas, tout ce qui n'est pas religieux (en d'autres termes, « la vie ») est relégué dans le domaine du profane. (...) Le but du culte n'est pas de se retirer du profane dans la zone du « religieux », encore moins de s'échapper de « ce monde » dans « l'autre monde », mais de s'ouvrir à la rencontre du Christ dans le commun.

« Je crois que les experts nous ont infligé un profond complexe d'infériorité. Ils nous disent la façon dont nous devons prier, et pourtant nous nous apercevons que nous ne pouvons nous maintenir, si peu longtemps que ce soit, même aux barreaux les plus bas de l'échelle – à condition d'y avoir grimpé. (...) Ainsi poursuivons-nous nos efforts avec un sentiment inavoué d'échec et de faute.

« La matière de la prière est fournie par le monde ; c'est pourquoi il peut être *plus dur* de prier dans une atmosphère raréfiée, comme il est plus dur d'y respirer. (...) La formule de Saint Augustin : « Aime Dieu et fais ce que tu veux », n'est pas sans danger. Mais elle constitue le cœur de la prière chrétienne comme aussi de la conduite chrétienne. »

Les chrétiens ne croient pas tous en la même chose, ni en un Dieu similaire. Le dogme est partout remis en question, aujourd'hui aussi. Sœur Luc s'émerveille en 1966 du dépoussiérage radical des vieilles notions qui l'ont tant importunée à l'université. Ses lectures se font l'écho bienvenu de son désir de rejoindre le monde et d'y vivre une relation personnelle forte. Elle y trouve cent autres raisons de quitter le couvent, où sa présence lui apparaît comme un « désengagement ». On lui dit que Dieu est absent du monde, que le couvent n'est pas une solution d'absolu pour tous, que les traditions ont perdu leur sens, lequel est au centre de la personne, chrétienne ou pas. Elle évoque le bonheur d'être libérée à la fois du poids des dogmes et de la culpabilité naissante à l'idée de faire le constat d'échec de sa vie de consacrée. Mais le ver est dans le fruit. Elle souhaite ardemment être saisie jusqu'à la moelle par l'amour de Dieu, « être dévorée du zèle même du

Christ », que le Christ illumine sa vie, et quand il le fait, l'inondant d'amour, en traversant une pelouse un soir, par exemple, elle trouve la sensation « intolérable », « insoutenable ». L'amour lui fait mal.

Elle lit *Le Développement de la personne*, de Carl Rogers, probablement pour son cours de science de la communication au Cetedi, qui traite des relations interpersonnelles. C'est son premier contact avec le monde de la psychothérapie, il la met en joie. Elle puise des forces dans ce système positif de prise de conscience de soi vers une plus grande autonomie. Rogers la soutient dans sa volonté de changement, d'affirmation d'elle-même, alors qu'elle vit encore dans des cadres traditionnels très rigides, le couvent et l'université, où la personne est un lieu de doute et sujette au nivellement. Rogers met l'accent sur une ouverture sensible au monde pour s'épanouir créativement, tout en acceptant que les choix pris en toute lucidité ne plaisent pas à tous. « Quant à moi, dit-elle, j'opte vigoureusement pour les thèses de Rogers ; pleinement humanistes, misant en toute confiance sur les potentialités naturelles aux individus, sur leur possibilité de socialisation, une fois écartés certains obstacles majeurs, et leur capacité de devenir ce qu'ils sont au fond d'eux-mêmes. L'optimisme de Dieu même. »

En février elle a « faim et soif de Dieu ». En mars elle écrit : « Ce dont j'ai faim, c'est du monde. » Les signes de son départ abondent, de la couleur du ciel à la marche de l'Histoire, tout est un appel vers le large. Enfin elle se lance : après les résultats des examens de juillet elle demandera à tenter une expérience de vie dominicaine consacrée laïque. Déjà une des novices s'en va dans cette direction. Sœur Luc affirme avoir réussi quelques examens. La Mère Générale lui offre alors de l'inscrire dans un cours d'espagnol à Strasbourg pour le mois de juillet, en préparation de sa mission en Amérique du Sud. Elle refuse, et s'ouvre quelque peu de son projet. Le bras de fer avec le couvent commence. Elle écrit un long poème ou une chanson avec le leitmotiv « Partir, partir ». Elle discute avec un prêtre qui semble trouver valable son évolution. « Sous prétexte d'être des professionnels de l'amitié avec Dieu, nous ne pouvons nous désengager des tâches du monde ; nous ne pouvons vivre en parasites dans la société » écrit-elle. En avril, elle cherche un appartement pour vivre avec Annie. Elle rend visite à l'avocat du couvent :

« Au fond, vous désirez vivre les nouvelles tendances du concile », lui dit-il. Son analyse n'est pas fausse, si l'on oublie que les femmes consacrées dans le monde ont existé jusqu'au Moyen Age, où les hommes leur ont indiqué la route du couvent pour les « protéger ». Mais nous ne savons pas ce qui fut décidé entre eux ce jour-là. Elle a encore le droit au pseudonyme de Sœur Sourire pour quelques mois. Il semble que beaucoup de ses démarches se fassent à l'insu du couvent. La Fraternité Dominicaine de Bruxelles, l'ancien Tiers Ordre, l'écoute et accepte de recevoir sa demande quand elle sera formulée.

Enfin, les autorités ecclésiastiques consentent à sa décision de partir, que le droit canonique appelle « exclaustration ». Le couvent lui fait signer le 14 septembre 1966 un document daté du 4 août, qui résilie le contrat du 24 octobre 1961, et par lequel elle renonce à enregistrer sous le pseudonyme de Sœur Sourire, à ses traductions en toutes langues (Zuster Glimlach en néerlandais, the Singing Nun, etc), ainsi qu'aux noms de « sœur Luc-Gabriel », « sœur Adèle », et à la dénomination de « Sœur » ou « Religieuse ». Sont précisées dans le même document les modalités de réception des droits d'auteur : versés par Polygram (Philips) ou toute autre personne physique ou morale (la Sabam, par exemple) à l'avocat du couvent, le mystérieux maître X, jusqu'à ce qu'elle choisisse son propre homme de loi. Il est stipulé en outre que les droits sur les bénéfices du film *The Singing Nun* produit par Goetz Beck reviennent également à l'avocat. Le couvent a affirmé n'avoir touché aucune royalty sur le film, ce qui est fort possible puisqu'il n'a pas eu de succès. Elle s'est déjà engagée dans le premier contrat signé avec Philips en 1962 à ne pas réenregistrer des titres déjà parus pendant une période de deux ans.

Ce papier met une fin définitive à sa carrière de star. Philips a engrangé des sommes phénoménales sur le seul nom de Sœur Sourire, puisqu'elle ne s'est jamais produite en public avant sa sortie. Le public ne connaît pas son visage : dépossédée de l'usage de ce nom, elle n'est plus rentable, elle n'est plus personne. De nombreuses années plus tard, elle a écrit qu'on lui aurait fait signer son arrêt de mort à cette période de sa vie, tant elle était ignorante des choses du monde et préoccupée de sa seule fuite en avant. Mais à l'époque où elle signe, sa carrière ne représente pas grand-chose à ses yeux,

elle n'est qu'une petite partie de sa vie. Elle fuit le succès tout
en voulant délivrer son message évangélique. Elle s'est battue
beaucoup trop tard pour récupérer son pseudonyme. L'eût-
elle fait à ce moment-là, eut-elle voulu jouer ce jeu pour le
bien de son idéal, et accepter les règles du métier, elle aurait
pu remplir l'Olympia en 1966, quatre ans après son « tube »,
ce qui constitue déjà une performance pour une chanteuse.
Au lieu de quoi, elle est acueillie par la maison Hébra, dont le
directeur n'est autre que Jean Darlier, ancien directeur et à
présent administrateur délégué de la Sabam, un homme
intègre et prudent. Elle choisit comme nouveau nom de scène
Luc Dominique, parce que Luc est le patron des artistes, dit-
elle, Dominique son patron spirituel, et parce qu'on ne lui a
pas interdit de garder une partie de son ancien patronyme de
religieuse, qui est non seulement un évangéliste mais contient
également les premières lettres du prénom de son père terrestre. Ce nouveau nom n'est pas fait pour plaire. Il faut être
George Sand ou Stéphane Audran pour imposer un prénom
d'homme. Mais le type de relation que Hébra lui propose lui
convient. Elle a toute latitude quant à sa production. Le marché lui reste indifférent.

Darlier connaissait madame Deckers. Au moment où Jeannine perd le droit à son nom de vedette, donc son contrat
avec Philips, qui ne fait pas de sentiment mais de l'argent, ils
sont entrés en contact l'un avec l'autre. Les droits d'auteurs
arrivent en masse, même s'il semble que maître X n'en distribue pas sa quote-part à la chanteuse. La firme Hébra
n'appartient pas encore en propre à Darlier, mais il a
conscience que cette petite structure peut plus facilement réaliser de petits bénéfices qu'une grosse machine comme Philips. Homme de conciliation, Darlier établit avec l'ex-Sœur
Sourire un mode de rapport très souple qui lui permettra
d'enregistrer jusqu'en 1982 des petites séries de disques pour
catéchèse. Conseiller Sœur Sourire n'est pas simple. Darlier
ne lutte pas pour l'empêcher de prendre ce deuxième nom
bâtard de *Luc Dominique*, ce qui serait pourtant dans son
intérêt.

Le premier disque qu'ils réalisent ensemble est puisé dans
la veine contestataire de Luc Dominique en butte avec le
monde entier : *Les Drogués*, *les Façades*, *la Pilule d'or*
figurent sur le 33 tours. Cette orientation empêche certainement le public de faire le lien entre Sœur Sourire, figure

douce, voilée et gaie, et cette nouvelle Dominicaine per-
cutante qui donne son avis sur le monde sans le connaître, et
toujours sans savoir chanter. Bien que les journalistes
s'amusent beaucoup de la *Pilule d'or*, et lui font un petit succès d'ironie sur les ondes, le disque ne marche pas. Darlier
suggère à Luc Dominique de faire autre chose. La perspective des chansons de catéchèse rebute d'abord la jeune
femme. Mais le box office a parlé : les titres catholiques
trouvent leur audience et se vendent tout de même. *Jésus le
pain de vie, Jésus est avec nous*, ces titres qu'elle trouve elle-
même plaisent en Belgique. Darlier l'incite à continuer dans
cette voie. Deux ou trois fois par an, il reçoit encore des
coups de téléphone d'Amérique pour une interview.
L'artiste vient dans son bureau, et passe directement sur les
ondes des radios américaines. Elle lui écrit, comme à tous
ceux qui s'occupent un peu de son sort, le tenant certainement au fait de sa vie matérielle. Il l'aide à sa manière, sans
pourfendre les vérités qu'il connaît, en lui faisant parvenir,
semble-t-il, des droits d'auteur sous le manteau, avant que le
fisc ne mette le grappin dessus. En lui faisant dessiner les
pochettes des disques.

Pour justifier son nouveau statut et son nouveau nom de
chanteuse, le couvent fait parvenir à Philips, qui le publie, un
communiqué qui foisonne de demi-vérités. On y prétend
qu'elle a acquis un diplôme de « Techniques de Diffusion »,
nous savons que c'est inexact ; qu'elle continue son apostolat
à titre de consacrée sous une forme laïque, mais cette consécration n'a pas encore eu lieu ; « particulièrement dans les
milieux artistiques et culturels », ajoute le texte, milieux
qu'elle n'a jamais approchés que de très loin, en les fuyant au
plus tôt. Enfin, on peut y lire que « vu l'évolution de l'auteur
et à la demande des autorités religieuses, (elle) ne portera
plus le nom un peu trop ingénu de Sœur Sourire dont fut bap-
tisée la novice chantante. » C'est faire la preuve que l'Église
ne voulait pas que le succès de la nonne lui échappe, pour éviter sans doute d'être mêlée à une « évolution de l'auteur »,
comme précise le texte, qui la mette en cause. En 1968, Jeannine affirme que le couvent a exercé sur elles « diverses pressions psychologiques » pour tenter de la retenir, principalement par peur du scandale : « A leurs yeux, c'était défigurer
l'image mythique que le monde pouvait avoir de Sœur Sourire en tant que personne incarnant la religieuse », dit-elle.
Fichermont craignait aussi que son départ en suscite d'autres,

ce qui est arrivé, mais tous les couvents commençaient à se dépeupler.

Début mai 1966, sœur Luc-Gabriel est encore sœur Luc-Gabriel, et doit effectuer nombre de démarches avant de quitter la communauté. Cela l'épuise nerveusement. Malgré sa détermination, il lui est très pénible de faire face aux supérieures, à l'évêché, qui craignent le qu'en dira-t-on. Douloureux de se justifier devant les autorités ecclésiastiques dont on se doute qu'elles ne l'ont pas soutenue affectivement, ni mesuré toutes les conséquences de ce départ. Douloureux également de laisser à Fichermont des amitiés sincères avec des femmes de qualité, comme sœur Renée, l'ancienne prieure locale, qui est allé au Congo, et que sœur Luc considère comme une des figures les plus attachantes de la communauté. De mai à juillet subsiste une zone d'ombre qui fut pour elle traversée de lumières et d'effroi. Entre le couvent, la maison dominicaine de Louvain et l'appartement, elle a trois maisons et n'est encore chez elle nulle part. Elle est persuadée de vivre quelque chose de grand, voire d'unique, qui s'inscrit pourtant dans un mouvement général de désaffection des structures. C'est le temps des prêtres-ouvriers, qui surent faire parler de leur foi dans le monde depuis 1950, et de l'explosion du mouvement Beatnik aux États-Unis, qui rejette l'ordre établi d'un bloc et au nom de la douceur.

6

LUC DOMINIQUE TUE SŒUR SOURIRE

Quatre juillet 1966, couvent de Fichermont, Waterloo. Après la messe célébrée à son intention, elle serre les dernières affaires laissées au fond du tiroir de sa table. La machine à écrire trône déjà dans le nouvel appartement, la guitare aussi.

Se pencher pour regarder sous le lit si rien ne s'y cache. Par la fenêtre, Ohain au fond des prés est noyée dans la bruine. Un regard circulaire sur la cellule, triomphal et reconnaissant. Des pas dans les longs couloirs. Des pas sur le gravier de la cour. Et le silence qui roule, qu'on emporte comme un désir, que l'on tente de jeter comme une bête dangereuse accrochée aux pentes. Sa prochaine chambre donne sur un boulevard circulaire. Des sœurs la tiennent contre leur cœur, promettant d'écrire et de se revoir, la mère supérieure se tait. On la conduit au bout du chemin. Beaucoup de tissu s'agite aux manches quand elle monte dans la voiture. Depuis la route nationale, le couvent perd toute sa superbe, tache rouge dans les arbres, presque paisible.

A Louvain, dans la maison dominicaine, mettre dans la valise les derniers livres. Enlever la grande robe blanche, avec soulagement, la poser sur le lit comme un suaire, comme une robe de mariée usée. Puis, sur les vêtements laïcs qui attendent depuis longtemps, qui gênent un peu à la taille, revêtir la petite croix dominicaine.

Annie patiente sans doute quelque part, brûlante et raide de bonheur. Le monde attend sans doute quelque part, il se glisse sous ses pieds. Annie aura sûrement acheté des fleurs. L'appartement regorge de promesses, elles tremblent de rire dans trois pièces à moitié vides, aux peintures immaculées, aux meubles neufs, tout peut commencer. Au balcon de la cuisine, Louvain à leurs pieds, affairé, minuscule, sous les arbres du boulevard. Elles se prennent en photo, Annie tient à peine au sol, Jeannine la regarde, un bras sur la rembarde, elle pose comme une star, sérieuse. Amoureuse. Maigre et grande et silencieuse, Annie au corps de garçon glisse des sourires furtifs dans un visage anguleux. Elle a grandi dans l'angoisse du dénuement : ses membres grêles d'oiseau portent toujours les traces d'absence causées par la gêne. L'infortune ancienne de son père, prisonnier pendant la guerre, avait permis, malgré leur peu de moyens, qu'elle parte en vacances à quinze ans. Grâce à l'Amicale des Enfants de Prisonniers, elle s'en était allée un peu dans la nature. Annie est timide, écorchée aussi, mais extrêmement serviable quand on ne la brusque pas ; elle sait aussi s'enflammer, claquer les portes, se murer de honte et de haine pour la violence. Elle s'épanouit hors de la ville dans le silence, la beauté et le plaisir d'aller. Cœur rétractile, elle se terre pour supporter l'averse, la difficulté qui passe ou simplement les autres, leurs gestes tranchants qui tailladent la paix autour d'eux. Elle connaît les langages du silence. Pour survivre, elle peut protester. Ses larmes, son chagrin et son impuissance mêlés elle les offre, avec l'espoir de changer un cœur. Chez elle, on ne comprenait pas comment l'amour ne va pas de soi, comment l'enfant unique n'en était pas le prolongement tacite et passif. Ses parents, désolés, ignoraient ce qui pouvait dresser leur fille contre leurs bonnes intentions. Replis et cris de peine. Graduellement, l'attention compatissante de la jeune directrice du premier camp de vacances s'était changée à la veillée en complicité. Douceur inconnue. Impossible d'être violentée jamais par cette sollicitude inouïe, qu'aucune amie, s'il y en eut de ce nom, n'avait en réserve.

C'était l'été de 1959. Annie avait seize ans. Jeannine allait entrer au couvent et croquait ses dernières semaines de liberté dans la nature avec ses groupes favoris, les adolescentes. Elle s'est approchée particulièrement d'Annie qu'elle a apprivoisée, qui est restée sauvage mais s'est reposée enfin dans une confiance, dans une émotion nouvelles. Le nom de famille d'Annie est fleur subtile, fruit parfumé et transgression ultime. Patronyme incroyable qu'on verra seul sur la sonnette auprès du pseudonyme absurde à Heverlee, à

Wavre, sur les cartes de visite et les enveloppes : Annie
Pécher. Sœur Sourire et Annie Pécher. Sur la pierre tombale.
« Ma sœur de route, te rappelles-tu l'ivresse du matin, la
prière de l'oiseau et la première brise ? Te rappelles-tu les
vastes horizons, le vent de la plaine, le sac pesant, ta main
dans la mienne et la brûlure de midi ? » écrit Jeannine dans
son journal.

Cinq ans après la colonie de vacances, leur amitié a pris ce
nom. Annie avait finalement découvert – avec quelle stupeur
elle aussi ! – qui se cachait sous ce voile discret. Après quelques échanges de lettres, Annie s'était annoncée à Fichermont. Elle avait vingt ans. Puis elle a retrouvé sœur Luc à
Louvain, dans la petite maison d'étude et sans doute dans
d'autres « kots ». Ses yeux se sont alourdis, mais elle avait
conservé ce même aspect d'adolescent, la même gentillesse
timide. Et acquis une admiration sans borne pour son aînée
que Dieu a choisie, que le monde plébiscite, qui de directrice
est devenue star. Aînée, amie, aimée : fin décembre 1964,
entre le froid de la ville et la chape du couvent, elles
deviennent inséparables. Sœur Luc bataille pour affirmer
tous les jours sa foi chancelante, elle parle de Dieu bien
entendu. Annie fait des études de kinésithérapie, elle dispose
elle aussi d'une liberté nouvelle, elle se tient toute droite et
offerte. Sa tendresse pour les petites choses muettes et les
souffrances cachées, son obstination, son affection pour
l'Autre qui l'accueille vont droit au cœur de sœur Luc qui lui
donne ce qu'elle a de mieux, la source du seul amour qu'elle
connaisse, elle lui donne Dieu. Son flambant enthousiasme
ouvre le cœur d'Annie bien mieux qu'un désir de séduire.
Sœur Luc montre la voie, guide, encadre de nouveau. Dieu
constitue sans nul doute le ferment, le ciment de leur lien.
Dès les premières rencontres elles savourent l'intimité rare
de la prière à deux, la surprise et la chaleur d'une spiritualité
commune. Jeannine s'émerveille de la puissance de leur
affection et de la place centrale qu'y occupe la foi. Dans son
journal, elle appelle son amie *Bénédicte* : la bénie, compagne,
élue.

16 août 1965

« Prié hier soir avec Bénédicte, commune action de grâce,
toute détendue, heureuse et simple ; Dieu, tu fais des mer-
veilles pour nous ! Amitié qui m'envoie vers les autres, plus
« souriante ».

Le bonheur, la simplicité, la détente et le sourire, même sans guillemets, manquent tellement au vocabulaire de sœur Luc, qu'on les observe avec surprise fleurissant dans le sillage d'Annie. La jeune fille embrasse la révolte de sœur Luc contre l'institution religieuse, la soutient dans son désir naissant de devenir le vivant symbole d'une foi brûlant au milieu de tous, libre des murs qui étayent les faiblesses, libre des lois communautaires contraignantes et débarrassée de toute critique. Annie a trouvé qui servir : Jeannine et leur Dieu. Dix-huit mois après leurs retrouvailles, Jeannine quitte Fichermont.

A peine emménagées dans le petit appartement tout neuf à Heverlee, Annie doit affronter les meutes de journalistes qui les assaillent devant la porte, se glisser derrière leur dos pour sortir faire les courses, discrète, presque invisible, vider la boîte aux lettres qui déborde, préparer à manger pour Jeannine qui ne sait pas et qui se terre. Les photos des années Heverlee racontent la joie du dialogue grandissant entre elles, la complicité dans l'enthousiasme d'un nouveau départ qu'elles vivent comme une expérience historiquement rare. « C'est Annie ma communauté », écrit Jeannine.

Sœur Sourire prétend qu'elle ne possède que cinquante mille francs belges, sa dot, cadeau de sa grand mère à son entrée au couvent, restitués à sa sortie. Environ neuf mille francs français d'aujourd'hui pour les meubles, le loyer et l'aménagement domestique. Sur le compte de l'avocat du couvent, où arrivent les droits d'auteur, elle possède probablement de quoi acheter tout le pâté de maisons et le meubler. Le sait-elle ? De même, elle ignore ou ne veut pas savoir que ses impôts ne sont plus payés du tout depuis qu'elle a quitté les ordres.

En signant son renoncement au pseudonyme de Sœur Sourire, elle a paradoxalement découvert la célébrité. La nouvelle de sa sortie s'est répandue comme un feu de broussailles. La presse s'élance pour découvrir, quatre ans après *Dominique-nique-nique*, la très célèbre nonne. Les suppositions vont bon train quant à son nouveau statut, certains articles comptent sur Philips pour la relancer avec la même stratégie promotionnelle « à l'américaine » qu'en 1962. Elle reçoit les premiers journalistes chez elle, les premiers articles paraissent : « Des yeux vifs derrière une modeste monture de lunettes, des cheveux coupés courts du même blond fauve

que la teinte de sa jupe, et un langage animé. Que Sœur Sourire ait renoncé au couvent ? C'est une supposition gratuite
de journalistes en quête de sensation, mais qui ne se réalisera
jamais effectivement. Voilà du moins ce que laisse entendre
le faible sourire de la nonnette de Fichermont : « Il s'agit tout
simplement d'une expérience. » Une expérience qui se pro-
longera jusqu'en juillet 1967. A ce moment-là, Sœur Sourire
décidera définitivement si elle échangera à nouveau ses hauts
talons noirs, son pull-over beige bordé de blanc et sa jupe qui
remonte jusqu'au-dessus du genou contre l'habit de religieuse. »

Elle accepte parfois une interview dans une chambre d'un
petit hôtel près de la gare du Nord, qui avait peut-être pour
fonction d'éloigner les journalistes de l'appartement. Des
témoignages de sympathie affluent tout l'été et en automne :
un abbé qui s'occupe des émissions religieuses (sans doute
l'abbé Zech), un chanoine des sciences religieuses, quelques
professeurs ou un compagnon de cours.

La santé de la jeune femme chancelle, elle commence à
souffrir de migraines, de crises de foie, elle dort mal et sa tension s'effondre. Elle a recours aux médicaments de toutes
sortes. Elle n'est plus sœur Luc-Gabriel, elle n'a plus le droit
d'être Sœur Sourire, elle ne peut plus porter son nom d'avant
qu'elle prend en grippe, ce Deckers Jeanne qui ne lui ressemble plus, qui sent terriblement la pâte à choux et la craie
du prof, et elle n'est pas encore Luc Dominique. Sans identité, avec comme seul projet de chanter et de réformer tous
les rapports des religieux avec le monde, elle pénètre cet
autre désert qui attend ceux qui quittent les ordres.

« Nous devînmes plus solitaires, ascétiques, studieuses,
mystiques, scrupuleuses et introspectives, de même que colé-
reuses, rebelles et révolutionnaires », témoigne Rosemary
Curb [1].

« Avec les changements inspirés par le deuxième Concile
du Vatican, qui encourageait l'indépendance personnelle et la
créativité, plusieurs d'entre nous sommes parties lorsque la
vie religieuse ne nous procura plus d'enrichissement. (...)
Alors que toute femme vivant sous l'ordre du patriarcat a du
mal à se défaire de la docilité et de la dépendance qu'on lui
inculque comme vertus féminines, il nous est particulière-

---

1. Rosemary Curb, Nancy Manahan, *Ma sœur, mon amour*, Éditions Geneviève
Pastre, 1990.

ment difficile, à nous qui avons été modelées par la vie religieuse, d'être fortes et d'assumer le pouvoir.» «Je voudrais
aussi voir se mettre en place des structures de soutien pour
les femmes afin de faciliter la réinsertion dans la société
laïque. Il y a un travail à faire pour mieux faire comprendre
les difficultés des ex-religieuses. L'ironie dirigée contre les
femmes qui ont vécu au couvent est une forme d'oppression
qui nie la valeur de la personne elle-même, ses choix et son
vécu. Et cela renforce l'oppression intériorisée que ressentent
les religieuses. J'aimerais que les catholiques cessent de
mettre les religieuses sur un piédestal. J'aimerais que s'établissent des liens plus forts entre les religieuses et les autres
femmes», ajoute Kevyn Lutton dans le même ouvrage,
publié d'abord aux États-Unis après une enquête, et très
controversé en Europe. Des structures existent en Belgique
pour aider les prêtres qui quittent le sacerdoce à surmonter
leurs difficultés, mais aucune pour les religieuses. L'amitié et
la présence d'Annie constituent sans aucun doute un
réconfort irrremplaçable pour Jeannine, même si un guide
plus ferme lui serait nécessaire pour se confronter à tous les
aspects de sa nouvelle situation. Elle surmonte son dégoût
pour l'entretien du ménage par affection pour la très jeune
femme.

Fin octobre, elles se réfugient chez des dominicaines
contemplatives pour échapper aux journalistes qui font le
siège de l'appartement. Elles font courir le bruit qu'elles sont
à Lille, elles se sentent traquées. Elles plongent dans le
silence, cet ami au cœur lourd qu'on ne quitte jamais totalement. L'accueil des sœurs leur fait beaucoup de bien. Plusieurs semaines plus tard, elles les quittent pour un autre
couvent du même ordre, à Sart-Risbart près de Wavre, où la
mère supérieure est très douce. Elles y reviendront de nombreuses fois au cours des années pour se replonger dans le
silence et la paix de la communauté. On ne leur pose pas de
question. Dans sa cellule, Jeannine tape sur sa machine les
textes des chansons du disque qu'elle prépare. Le bruit des
touches et les accords de guitare courent sur les cloisons de
béton. Elles se promènent toutes les deux sous la pluie dans
les chemins creux du Brabant. Le soir, Luc Dominique essaye
ses nouveaux titres devant la communauté des sœurs.

Le 2 novembre, elle écrit une longue lettre nerveuse regor-
geant de justifications à un couple d'amis, dont la femme est

son médecin et l'homme chargé de sa diffusion chez Philips. La corde « sol » de sa guitare Adèle vibre de façon anormale, il faudrait venir la chercher, la porter chez son réparateur exclusif, Azzato, en haut de la rue des Eperonniers à Bruxelles, et lui acheter un nouveau capodastre, cet engin qui se visse sur le manche pour changer la tonalité de la guitare. Elle joint à la lettre des factures de coiffeur, d'hôtel et de taxi, et demande à être remboursée de la main à la main, par peur d'être pistée par les journalistes en se rendant au bureau de poste pour encaisser un mandat. Elle fait suivre son courrier, les lettres en anglais lui sont traduites ailleurs, elle demande à ses amis de lui traduire la correspondance en allemand et dans les autres langues. Parmi les lettres qu'elle cite, la femme d'un des employés de Philips lui envoie du vitriol. Elle accuse Sœur Sourire à la fois de gagner trop d'argent et de se faire rouler par Philips en choisissant mal ses sympathies. Sœur Sourire se défend âprement, tout en affirmant qu'elle n'est pas perturbée par l'imbécillité de sa correspondante. Elle affirme vouloir renouveler son attachement à l'Ordre de Saint Dominique le plus tôt possible, et tient un langage agressif envers l'Église et le public qui ne sont pas à même de comprendre ses choix. Jamais dans son journal ce ton vindicatif, allègre parfois, corrosif souvent, ne s'offre pour donner au lecteur (puisqu'elle écrit pour un futur public) un aperçu de la tension intérieure mêlée d'une vivacité désordonnée qui l'habitent.

Du 7 au 14 novembre 1966, Sœur Sourire travaille avec les éditions musicales Primavera, dont le directeur est L. Vandehout, au studio Decca, 218 Chaussée de Jette à Bruxelles. En trois sessions, elle enregistre quatorze titres pour le 33 tours : *Croquis, Prière en couleurs, Luc Dominique, Alliance, Dame Beauté, Cantique à l'Amitié, Bain de Soleil, Louvain, Le Corbillard, Prière pour l'humour, Te voir, Prière, Au coin de la Dyle,* avec des orchestrations réalisées par Roland Thyssen. *Luc Dominique* est une chanson-pamphlet avec comme refrain : « Elle est morte, Sœur Sourire, elle est morte, il était temps, j'ai vu voler son âme à travers les nuages sur un tapis volant. » (Voir le texte en annexe.) Le ton est donné. La nouvelle religieuse chantante se lance dans le show biz avec deux sortes de textes. Les premiers sont des chants chrétiens, moins la vivacité de Sœur Sourire, les seconds vindicatifs.

Un mélange fait pour désarçonner. Dès la fin des enregistrements, elle fuit avec Annie chez des contemplatives, à Enghien, où la mère supérieure les séduit par sa délicatesse. S'extraire de ces îles de douceur pour une semaine de reportages dans les locaux des éditions Primavera est un supplice. Elle rencontre les actualités Pathé ; l'Amérique appelle dans le bureau de Jean Darlier, le directeur de sa maison de disques. Enfin, elle affronte les meutes. Le mardi 22 novembre, elle donne cinq interviews chez Primavera : à neuf heures et demie du matin avec Fred Gillisen, de Radio Europe N° 1, une demi-heure plus tard avec Gérard Valet, de la Radio Télévision Belge Francophone, Bruxelles ; une demi-heure après, avec Jacques Danois, de Radio Luxembourg. Ensuite elle peut se reposer et déjeuner. A quatorze heures, elle rencontre un Américain, M. Anderson, de United Press, pour un film de deux minutes pour la télévision américaine, et à seize heures, les Américains d'Associated Press. Le lendemain matin à neuf heures trente, *Paris Match*, et de quatorze heures à dix-huit heures, madame Picard-Brunel de *Lecture pour Tous*. Le samedi 26 novembre, l'ORTF la promène en ville sous les caméras, ce qu'elle vit, par comparaison, comme une agréable détente. Le lendemain matin, elle retourne avec Annie chez les contemplatives d'Enghien.

Conférence de presse le cinq décembre 1966 : « Grosse foule style corrida, journalistes de toutes tendances. Flashes, TV, photos et autographes. Bénédicte guettait, de groupe en groupe, les réflexions des uns et des autres, positives, paraît-il. Les gens étaient impressionnés par ma solidité et mon sang-froid ; et béni soit Dieu qui m'a fait la langue si bien pendue et la réplique au bord des lèvres. Pourtant, à l'issue de cette épreuve, je me suis demandé si j'avais bien témoigné du Christ. Le Christ au prétoire, cela je ne l'ai pas été ; mais il est possible que cela risquait de transformer la situation, de faire de la conférence de presse une honnête homélie. » Le lendemain matin, les deux femmes prennent le train pour Paris, où les attendent Michel Drucker et Philippe Bouvard, présentateurs très populaires, pour des émissions de grande écoute à la télévision française. Sur ces plateaux, l'ex-Sœur Sourire côtoie Brassens, qu'elle admire énormément mais dont elle ne parle pas, de nombreux autres artistes, et bien sûr, elle répond à une foule de journalistes. Voici quelques témoignages, et leur avis sur la langue bien pendue pour laquelle la nonne remercie le ciel :

Les journalistes de Philips, novembre 1966 : « On la voit plutôt comme manager, souriante mais ferme, d'une équipe de basket. L'allure sportive, les cheveux blonds coupés très courts, portant des lunettes aux verres assez épais, le geste décidé, la réplique prompte lancée par une voix gazouillante au débit accéléré : on a l'impression qu'elle pourrait être agressée dans n'importe quel face-à-face virulent sans perdre une once de sang-froid. Elle possède sur le bout des doigts l'art de mettre à l'aise l'interlocuteur du moment. (...) Elle n'a pas cette sérénité agaçante ou arrogante des gens qui croient posséder la vérité. (...) Si elle est « habitée », elle semble néanmoins vulnérable. Par ses attitudes. La fragilité de ses nerfs. Sa féminité que les cheveux coupés ne gomment pas. Une sympathie non élaborée émane de son personnage. »

Bernard Hennebert, journaliste belge, avril 1967 : « Son attitude est peu ordinaire. C'est pourquoi des dizaines de journalistes lui ont fait subir de nombreuses interviews. Ses réponses sont toujours pareilles à des coups de canon : réponses sèches, autoritaires. Après la question, aucun temps de réflexion... Aux yeux de la foule, Luc Dominique joue-t-elle le jeu ? Seul l'avenir pourra y répondre. »

Gérard Valet, de la RTBF : « Ça n'a jamais été très passionnant, les interviews de Sœur Sourire. Elle était relativement discrète. Elle avait peu de choses à dire au monde extérieur. On parlait de ses chansons, de sa musique, de la façon dont elle vivait mais on n'est jamais rentré dans les détails.

« Elle était dépassée. Il faut se mettre à la place des journalistes comme nous : on était en général prévenu par l'étranger qui nous disait que la nonne chantante était chez nous. Alors on allait voir. La première impression, c'était la déception.

« Son succès a intrigué tout le monde, et la pauvreté de cette femme en rapport avec le succès qu'elle avait. Théoriquement, elle aurait dû faire fortune, il y en a sûrement qui ont touché les droits d'auteurs, je n'ai jamais approfondi la question, mais je trouvais ça curieux. Il y a eu un nombre de versions invraisemblables de *Dominique*. On faisait des émissions complètes avec les différentes versions, jazz, en anglais, en français. Ensuite, il y a eu peut-être une certaine faiblesse d'esprit de sa part devant ce succès. C'était tout à fait compréhensible parce qu'elle en était à la fois émerveillée, et elle ne devait pas être à la hauteur pour l'assumer, comme on dirait aujourd'hui.

« Nous avons été déçus ensuite, parce que en dehors de cela, elle n'a rien fait d'autre. C'est le cas de beaucoup de chanteurs. Quand elle a fait *La Pilule d'or*, on commencait à douter un peu d'elle. En tant que journaliste ou programmateur, on se demandait si elle ne courait pas après un nouveau succès en essayant éventuellement de faire un petit peu scandale. Ce qui frappait surtout, c'était de voir une sœur en civil.

« On avait plus ou moins l'image d'une Debbie Reynolds quelconque, et on aurait bien aimé qu'elle corresponde à peu près à ce personnage-là, à son côté angélique. On se disait, chouette, je vais voir Sœur Sourire, et on tombait sur une petite bonne femme qui avait l'air de faire ses courses au marché du coin avec son sac de provisions. Cette surprise passée, on ne pouvait pas dire qu'on était emballé non plus par sa conversation. Elle n'était pas féminine, c'était un peu triste. Ensuite, il y avait un côté sympathique, une sorte de mouvement de compassion. En même temps, cela donnait surtout une impression de tragédie. On se disait qu'elle avait tout raté, la pauvre, elle est passée à côté de son succès, elle a raté sa vie privée... Ça n'était même pas un scandale, c'est ça qui est dramatique avec la Sœur Sourire. C'était une vie. »

Une vie ou plusieurs brouillons de vies mal ajustés ensemble, difficilement sécables, à l'étroit sur plusieurs colonnes et débordant de tous les tiroirs étiquetés dans lesquels on voudrait bien pousser la vie ? Même pas un scandale, assez peu, trop ensemble, juste une vie, sous les projecteurs qui cherchent autre chose.

Pour la TV belge elle participe à l'émission de variétés « Alphabétiquement vôtre », tournée dans le froid à Nivelles. Elle se plaint amèrement de ce style d'émission. Ensuite, quatre jours de tournage pour une émission intitulée « 24 heures avec Luc Dominique », dont une soirée au Cercle des Sciences Politiques et Sociales, au milieu d'étudiants dont c'est sans doute le club. C'est le chahut, mais elle ne s'en formalise pas, et n'en tire aucune conclusion. Elle accorde même une interview supplémentaire à un étudiant, qui la fera paraître dans le journal des familles nombreuses *Le Ligueur*.

Après le marathon des médias, elle fuit de nouveau avec Annie. D'abord dans un hôtel au cœur d'un petit village belge sur les bords de la Meuse, entre Namur et Liège. Puis en Autriche, où Jeannine se rend pour la quatrième fois, pour de vraies vacances dans une pension à l'orée de la forêt. Elles se laissent aller au bonheur dans ce chalet, se promènent à flanc de montagne pendant deux semaines au mois d'août. Dans la détente, Jeannine se pose la question de son orientation, des forces qu'elle possède pour la mener à bien sans appui ni structure. « Suis-je dans la bonne direction ? Je n'avais plus envie de vivre, écrit-elle, je ne le désirais plus. » Elle loue l'amitié d'Annie qui lui a rendu la force. Les regards des gens, tristesses pudiques, désenchantements, soifs inexprimées, lui donnent envie de répondre à leurs attentes. De retour à Louvain, la chaleur de plusieurs anciennes consœurs et étudiantes rencontrées lors d'une session de sociologie religieuse, où elle s'ennuie, lui met un peu de baume au cœur. Elle prépare les enregistrements du premier 33 tours de « Luc Dominique, Dominicaine », secondée par des arrangements d'orchestre. Au marché de Bruxelles, les marchandes de légumes l'interpellent : « Bonjour, Sœur Sourire ! » Elle s'émeut de leur bienveillance. Le public reconnaît maintenant son visage.

Quand elle rentre à Woluwé Saint Lambert, dans la pâtisserie familiale, tout le quartier est au courant. Le parvis de l'Église Saint-Henri est noir de monde, des disques à la main, pour la messe de onze heures où elle se rend, la messe des jeunes. Les gens réservent même leur fauteuil. Après la messe, c'est la cohue des autographes. La pâtisserie toute proche est florissante. Jeannine ne sert plus les clients au magasin. Elle traverse la maison, monte à l'étage, apparaît au balcon et salue la foule. Sa famille ne comprend pas davantage ses nouveaux choix que les précédents. Ce sont ses dernières visites.

Depuis sa sortie du couvent, le ton du journal s'est modifié : plus grave, davantage de monologues avec Dieu, de furtives apparitions de l'angoisse, peu de violence. A la fin de 1966, Jeannine semble réconciliée avec la vie, avec elle-même. A tel point qu'il manque quelque chose, et l'impression de non-dit est grande. On apprendra non sans quelque surprise dans ses écrits futurs à quel point elle a dû se débattre pendant tous ces mois contre une dépression farouche dont elle ne sortira jamais complètement. La censure du journal publié ne laisse pas de frapper. A la lire, le bonheur l'habite, quelque fatigue nécessite du repos, elle ne doute de son choix que dans de brefs moments. Plus tard, elle fera état de l'angoisse dans laquelle l'ont jetée ses démêlés

avec la nomenclatura ecclésiastique, et la curiosité des journalistes, ainsi que, sans doute, la réduction de ses grands
idéaux à de menues tâches quotidiennes. En fait, elle panique
au point de vouloir mourir. Pour la première fois de sa vie
elle est responsable d'elle-même totalement. Bien qu'elle ait
voulu la fuir, l'autorité lui manque, la sécurité du cocon, la
régularité des horaires des cours et des offices, l'approvi-
sionnement automatique. Annie attend beaucoup d'elle, la
presse et le public aussi. « N'oublie jamais, lui répétait sa
mère, n'oublie jamais que tu es une fille de commerçants. »
Dans ces moments de grand départ, elle aurait besoin d'ailes,
d'audace joyeuse, mais le poids de cette phrase la cloue aussi
dans l'indécision. Elle se bat. « A coups d'essai et de tentatives, je bâtis mon nouvel équilibre de vie. A l'expérience,
une heure de prière journalière me semble indispensable,
avec la messe et la prière de l'Office. » Jusqu'à la fin, Annie
et elle goûteront la douceur de la communion quotidienne.
Elles installeront un oratoire dans l'appartement et iront
chercher en début de semaine le nombre suffisant d'hosties
consacrées. Jusqu'à la dernière semaine de leur vie il en sera
ainsi. On trouvera près de leurs corps les hosties restantes,
inutiles, qu'un prêtre emportera.

Fin décembre 1966, contre toute attente, elles retournent à
Fichermont. Le motif de leur visite reste inconnu. Jeannine
voudrait revoir ses sœurs, et accompagner une amie qui
désire faire un essai au noviciat. Les religieuses leur offrent le
goûter. « Accueil fraternel, j'étais libre de tout complexe et
fort à l'aise », dit-elle. Puis elle y revient en recollection privée. Cette faveur concerne sans doute uniquement les religieux et religieuses, et les groupes de retraitantes des
paroisses catholiques avoisinantes, puisqu'elle est refusée aux
laïques venues seules, contrairement aux habitudes de nombreux autres couvents et monastères. Officiellement, elle
effectue une « tentative d'insertion dans le monde », elle a
demandé un an pour réfléchir. Avec Annie et leur amie
« Donatienne », elles dorment vraisemblablement dans l'aile
aménagée à côté de l'énorme couvent, entre les hêtres. On y
a la même vue que depuis son ancienne cellule, mais plus bas
sur l'horizon. Elle n'a pas coupé le cordon avec la communauté. Si peu que, d'y revivre quelques jours, la nostalgie de
ses années de noviciat l'empoigne. « Hier soir, nous assistions
toutes les trois à l'office de Vêpres. La chapelle baignait dans

la lumière, la ferveur et la sécurité religieuses. Tout à coup, durant quelques secondes, j'ai eu envie de cette vie recluse de prière, de certitude religieuse à l'abri des incommodités du dehors, et j'ai été très fortement tentée de faire marche arrière, par paresse, parce que je sais que, pour moi, la vie religieuse classique est plus facile qu'une vie de consacrée dans le monde. Ce fut un combat court et dur, puis, l'assurance intime que je dois œuvrer dans les structures du monde, tout en me ressourçant de temps à autre dans un climat de prière et de silence.» Enfin elle s'ouvre à Mère Marie-Michel, la supérieure, de son désir de rester en dehors. Elles parlent chansons, il est vrai que le 33 tours va sortir, que son visage est partout et son histoire largement connue.

Au début de 1967, elle lit encore beaucoup de textes catholiques, de témoignages, d'écrits conciliares, d'ouvrages de réflexion chrétienne, qui alimentent une réflexion importante dans son journal, et de nombreux témoignages de foi : « Seigneur, ouvre les yeux de ceux qui me lisent pour qu'ils comprennent que dans tous les événements et toutes les situations de ma vie, c'est Toi que je cherche, que c'est ta Vérité et ton Amour qui m'obsèdent, et le désir incoercible de Te révéler à tous ceux que Tu me fais côtoyer.» Le 21 mars, Jeannine Deckers et Annie Pécher s'engagent auprès de la Fraternité Dominicaine laïque mixte de Bruxelles, lors d'une célébration dans la petite chapelle des pères du couvent dominicain. Elles y ajoutent secrètement un vœu de célibat, décidant de ne jamais se marier, mais curieusement, cette cérémonie apparaît comme le mariage de Jeannine et d'Annie. Ces vœux ne sont pas très officiels, puisqu'ils ont lieu trois ans avant la parution des textes rétablissant légalement les consacrées dans le monde. Normalement, ils sont réservés aux moniales, ce que Jeannine n'est plus, ce qu'Annie n'a jamais été. Ils ont surtout pour fonction de leur donner une identité religieuse, de les unir dans la même foi. Ils apparaissent comme une tendre faveur de la part des dominicains qui leur viennent ainsi en aide. Jeannine les appelle «engagement privé de tertiaire», mais cela n'est pas tout à fait juste. Elle est plus près de la vérité lorsqu'elle se définit comme «à mi-chemin entre le tiers ordre régulier et le tiers ordre séculier». Sa propre voie, quelque part dans les limbes.

Le vœu de célibat fait partie d'un ensemble de pratiques qui remontent au troisième siècle après Jésus-Christ. La chasteté volontaire s'accompagne de la pratique de la pauvreté, de l'assistance aux défavorisés, elle n'est qu'une conséquence parmi d'autres du désir de suivre l'exemple du Christ dans le célibat.

Au début du vingtième siècle, quelques prélats ont tenté de remettre en honneur l'ancienne pratique de consacrer des vierges dans le monde, mais leur demande a été repoussée le 25 mars 1927 par la Congrégation des Religieux, exactement quarante ans à quatre jours près avant le premier engagement religieux de Jeannine Deckers en dehors du monastère. En 1950, Pie XII confirme que la consécration des vierges est réservée aux moniales. En mai 1970, suite au concile, l'ancien rite de consécration des vierges est de nouveau admis, douze siècles après son interdiction. La nouvelle place des femmes dans la société, qui leur permet de gagner à peu près leur vie, d'être enfin seules responsables de leur compte en banque, et le nouveau regard qui est porté sur elles permet à la célibataire de ne plus être entachée d'immoralité. Ce statut de vierge consacrée est réservé aux femmes n'ayant jamais été mariées, et n'ayant « jamais vécu publiquement et notoirement dans un état contraire à la chasteté ». La demande doit être agréée par l'évêque, qui s'engage ensuite à préparer la postulante, et à la guider vers l'admission. Les aptitudes et les motivations sont sérieusement évaluées. « On s'efforcera d'y détecter ce qui s'y mêlerait éventuellement de suspect, comme la phobie du mariage, l'orgueil, le désir de se singulariser, la recherche d'une compensation à l'échec d'un projet humain ou d'une vie religieuse, etc. » nous disent les textes. Les nouvelles dispositions de 1970 offrent à la consacrée un lien officiel avec l'Église locale, « sous la garantie et par le ministère de l'évêque. » Elle s'engage de manière définitive, mais elle reste pleinement laïque, appartenant à un titre nouveau à la communauté diocésaine. Elle doit rendre des comptes à l'évêque, et solliciter ses directives dans les circonstances importantes, mais dans l'ensemble son statut est basé sur la confiance réciproque. En contrepartie, l'évêque doit l'entourer d'une sollicitude particulière, et veiller à ce qu'elle soit comprise, aidée comme il convient dans le diocèse où elle doit être active.

Mais la chasteté, qu'est-ce que c'est ? Selon le Petit Dictionnaire de Théologie Catholique, de Karl Ranher et Herbert Vorgrimler, cité par Catherine Baker [1] :
« Hors du mariage, la chasteté consiste à renoncer consciemment à toute mise en œuvre volontaire de la puissance procréatrice. Contrairement à un manichéisme latent et à un dualisme ennemi du corps, qu'on rencontre souvent dans l'Église aussi, la théologie scholastique considère, avec saint Thomas d'Aquin, le plaisir sexuel comme bon par sa nature, et sa réalisation bien ordonnée, dans le mariage, comme une vertu. » Puissance procréatrice ? Les termes sont flous. Masturbation déculpabilisée, oui. Renoncement aux relations sexuelles, évidemment. Mais le désir n'est pas « volontaire ». « Vous me parlez du désir, dit une carmélite de 25 ans, et je puis vous dire que justement la rencontre du Christ m'a saisie aux racines de mon être : dans ce désir précisément, celui de vivre, de donner la vie, de communier profondément, de s'unir à l'autre. Mes plus banales expériences d'adolescente m'ont fait pressentir que ce désir était le désir de quelque chose de total. » Dans le meilleur des cas, la chasteté consiste donc dans un premier temps à désexualiser le regard qu'on porte sur les gens. Selon Jean Sulivan, également rapporté par Catherine Baker, la chasteté « donne à travers l'amitié cela, dès l'entrée, à quoi devraient conduire les relations de la chair [2] ». En d'autres termes, le « Christ désamorce la volonté de puissance qui se glisse violemment dans la sexualité. » D'autre part, la chasteté aurait pour but de détourner la libido de la seule sexualité pour en faire un instrument de rencontre avec le divin. En tout état de cause, chez les chrétiens ce sont les catholiques qui y attachent surtout de l'importance. Pour les mystiques, le désir, l'extase reviennent dans le vocabulaire sans pudeur par la relation amoureuse passionnelle avec Dieu. « Je crois que nos frères pasteurs mariés protestants détiennent la clé d'un équilibre de vie qu'il nous est souvent difficile à obtenir, nous braves catholiques », écrit Sœur Sourire, que le besoin de tendresse longtemps réprimé rattrape avec l'âge. Comme l'obéissance, la chasteté est source de tergiversations pour Sœur Sourire.

Elle a connaissance des textes dès leur sortie, mais elle perçoit le lien avec l'évêque comme une nouvelle domination.

---

1. Catherine Baker, *Les Contemplatives, des femmes entre elles, op. cit.*, p. 276.
2. Jean Sulivan, *Car je t'aime, ô éternité*, Gallimard, 1966.

Autant elle recherche l'aide et l'amitié de quelques prêtres, comme le doyen de Wavre, autant elle se méfie instinctivement de toutes les figures investies de quelque pouvoir. A détester le pouvoir, elle n'apprendra jamais à l'utiliser, même pour défendre ses intérêts. Lors de l'enterrement de l'un de ses oncles, elle s'insurge contre l'interdiction faite par l'Église aux femmes, à elle en l'occurence, de lire l'épître de la messe. « Comme l'institutionnalisme est à côté de la vie et de la souffrance ! » s'exclame-t-elle, vexée.

Depuis son départ des ordres, la maison de recollection de Wenduine ne lui est plus accessible, mais Jeannine a vécu dans cette station balnéaire des heures si fortes, qu'elle y emmène Annie, à l'hôtel Les Mouettes, en avril 1967. Un voyage de noces platoniques ? « Je suis heureuse dans tous les coins », dit-elle. Et aussi « Je sais que je suis foncièrement bonne, et aussi que je détiens une puissance inouïe de destruction. » Destruction tournée surtout contre elle-même, mais qui les emportera toutes les deux. Pour le moment, elles s'amusent comme des gamines sur la plage, roulent dans le sable, jouent au ballon. Louanges et grâces fusent pour leur bonheur, plénitude et joie : le charme de Wenduine opère toujours.

Le bonheur n'est pas sa pâte. Je suis en joie, je veux me perdre, écrit-elle. Me perdre dans le monde, enfouie comme le ferment. Son aggiornamento personnel, ce fut d'abord, après son départ des ordres, des chansons qui s'adressent à un monde qu'elle désire et craint, dont elle reste à jamais étrangère. Puis, en avril, la décision de transformer ses mélodies pour qu'elles ressemblent à celles des autres. Cette dernière décision l'éloigne définitivement des causes de son succès, « l'infini ramené aux dimensions populaires de la chanson ». Elle taxe toute sa fraîcheur de naïveté. Or, c'est cela qu'elle apportait au monde, naïveté et fraîcheur. Elle n'en veut plus. Elle souhaite sortir du carcan de religieuse au yeux des autres, mais, malgré tous ses efforts pour paraître à la page, elle reste bien naïve. Sa chanson *La Pilule d'or* n'aurait pas fait couler d'encre si elle n'avait été écrite par une ancienne religieuse. Le dernier refrain de ce titre témoigne de l'amalgame calamiteux qu'opère Luc Dominique, qui a fait vœu de célibat, et qui s'intéresse soudain à l'instar de l'Église aux problèmes de son temps :

« La pilule d'or est passée par là, la biologie a fait un nouveau pas, Seigneur je rends grâces à toi ! Science et connaissance éclairent la foi, Puisse l'humanité grandir dans la joie, Seigneur, que l'Amour soit roi ! »

Un des couplets reprend la position de nombreuses personnes à l'intérieur même de l'Église :

« Face aux problèmes de la démographie, Des nations surpeuplées, des affamés d'Asie, La pilule peut, enfin ! Lutter contre le destin, Gens comblés, gens saturés, Puisse-t-elle nous inquiéter. »

En 1967, la pilule contraceptive n'est pas encore en vente libre en France, et soulève des polémiques. On craint qu'elle autorise toute débauche. Mais les textes officiels de 1965, parus pendant le très long Concile *Vatican II*, ne s'y opposent pas formellement. L'encyclique *Gaudium et Spes* (Joie et Espoir), qui a pour fonction de préciser la position de l'Église envers les nouvelles données de l'époque, garde un flou artistique quant aux méthodes de contraception autorisées, sans toutefois fermer la porte totalement à la pilule.

L'Église est finalement parvenue à désapprouver son usage sauf cas particuliers. Selon François Charles, ancien prêtre : « Quant à prétendre que, parfois il peut être légitime de faire le mal (prendre la pilule) en vue d'un bien (l'épanouissement des ménages), seul le désarroi des évêques ou leur volonté de nous faire lire entre les lignes peut excuser une affirmation aussi extravagante. Un mal qui conduit à un bien ! Un tel propos ne fait que traduire l'incapacité actuelle de l'Église à dire une morale [1]. »

Ça n'est pas du tout en évoquant la surpopulation dans le Tiers Monde que, en septembre 1983, le pape Jean-Paul II s'adresse à un colloque d'évêques : « L'homme et la femme ne sont pas les maîtres de leur sexualité. Contraception : jamais et pour aucune raison [2]. »

Au moins, la morale de Karol Wojtyla fait-elle preuve de cohérence. En quinze ans de temps, d'un pape italien à un pape polonais, l'attitude des autorités ecclésiastiques a changé de bord, retournant à l'interdit formel. Les années soixante apparaissent comme le printemps de Prague de l'Église catholique, jusqu'à donner envie aux nonnes de chanter la gloire de la contraception douce.

Luc Dominique obtient un petit succès avec sa chanson, particulièrement aux États-Unis. Les journalistes s'amusent,

1. François Charles, *La Génération défroquée*, Cerf, 1986.
2. *Ibid.*, p. 106.

lui demandent de s'expliquer, la sollicitent pour quelques
chansons. Elle s'en agace : « Les journalistes en quête d'inédit, leur mesquinerie, l'étroitesse d'esprit de la plupart, le
public suspendu aux nouvelles... Qu'on me laisse donc vivre
ce que je veux et dire ce que je pense sans lever les bras au
ciel à la moindre de mes boutades, au moindre de mes sou-
pirs. Qu'on cesse donc de me considérer comme un animal
extraordinaire. La pilule d'or ? Vieux problème que chaque
couple affronte et doit assumer en pleine conscience de ses
responsabilités. L'agitation qui entoure ce sujet témoigne que
les gens sont loin d'être adultes ; beaucoup vivent encore de
permis et de défendus, beaucoup en sont encore à l'Ancien
Testament. » Pourtant, ce qui se rapporte au sexe intéresse
terriblement tout le monde, elle-même y compris puisqu'elle
a fait cette chanson. L'attitude envers la sexualité est la première différence que les non-chrétiens perçoivent entre eux
et les gens d'Église, la première et souvent la seule information qu'ils retiennent des allocutions du pape. François
Charles rappelle très justement : « On devrait pourtant relire
la Genèse et s'apercevoir que c'est le diable et non Dieu qui
apprend à Adam et Ève qu'ils sont nus, c'est-à-dire qui leur
inculque la honte du plaisir. Et c'est Dieu qui s'en étonne et
s'en attriste. Pourquoi ne le dit-on jamais [1] ? »

On ne sait quel impresario a proposé à Luc Dominique une
tournée au Canada, dans la province de Québec, du 23 juin
au 23 août 1967. Elle n'a jamais chanté en public, on peut
s'étonner que sa firme de disques n'ait pas choisi la Belgique
en premier lieu pour un concert. Et la voilà qui lève le bras
sur la passerelle qui monte à l'avion, pour saluer les journalistes, ronchon mais bien star.
     A son atterrissage à Montréal, elle déplore l'absence de ses
fans, et accuse le long retard de l'avion. Puis elle se produit
pour la première fois sur scène, au « Faisan bleu », un motel
dans la banlieue. La jeune chanteuse française Sylvia Clé-
ment participe au programme. Luc Dominique affirme à un
journaliste belge qu'il y a quatre cent personnes le premier
soir. La tournée est un demi-échec. L'impresario ne l'avait
pas prévenue qu'elle devrait se produire dans des cabarets,
des music-halls, des boîtes de nuits, à l'entr'acte, entre des
filles peu habillées et des comiques. On est loin du triomphe

---

1. François Charles, *op. cit.*, p. 105.

international auquel elle s'attendait sans doute. Dans la salle :
« des milieux étranges ». Une facette inconnue de la vie : les
franges douteuses du monde du spectacle, la vulgarité rampante, les antipodes du couvent belge ! Le public est surpris, il
croit sans doute à une plaisanterie. Les spectateurs viennent
pour danser, boire et flirter. Luc Dominique donne en deux
mois plus de cent représentations à raison de deux tours de
chants par soir. Chaque show comporte dix à douze chansons
de son répertoire. Elle se promène dans tout le Québec, sans
voir grand-chose de réjouissant, mis à part le pavillon belge
de l'exposition universelle de Montréal. La presse apprécie
particulièrement *La Pilule d'or*, bien sûr. Elle est sollicitée
pour de nombreuses interviews, radio et télévision. « L'expérience canadienne me fait comprendre que la chanson est un
métier sérieux, le revêtement de mon idéal missionnaire, je
dois donc faire de la chanson engagée », écrit-elle après quelque temps. Il semble que sa présence en cabaret plutôt que
dans les salles paroissiales ne soit pas bien comprise, mais elle
aura su se justifier. Heureusement, l'hospitalité canadienne
met du baume au cœur de l'ancienne nonne, la chaleur et la
gentillesse rencontrées prennent d'autant plus de relief que
son rythme de travail est écrasant et peu glorieux. Elle prend
goût à la chanson à texte québécoise, et revient, épuisée, en
Belgique. L'impresario a disparu avec ses gages des concerts,
environ cinquante mille francs belges. C'en est trop : la jeune
femme entame une dépression nerveuse profonde et durable.
    Malgré tout, elle reçoit les journalistes, « vêtue de tweed
brun comme les feuilles mortes. Quelques perles brillent timi-
dement à son cou. Un trait de rouge met un accent sur ses
lèvres. Elle a changé. Elle est plus féminine, plus accomplie.
Moins vulnérable. Elle range une pile de lettres couchées sur
l'acajou de son bureau : le courrier provoqué par la sortie de
son dernier 45 tours. Celui où elle chante *La Pilule d'or*. Puis
elle se glisse dans un fauteuil en velours », écrit Jacques François dans *Le Soir Illustré* du 16 novembre 1967. (L'acajou et
le velours sont sans aucun doute des effets de style. Ce sont
bien les « meubles les moins chers d'Europe » qu'elle a achetés en s'installant et qu'on a retrouvés dans son appartement.) « Lorsque j'étais au monastère de Fichermont, lui dit
Luc Dominique ce jour-là, la chanson n'était qu'un passe-
temps, un amusement, une façon de se récréer. Aujourd'hui
la chanson est devenue pour moi une façon de m'engager

socialement, d'apporter un peu de lumière aux autres. Chanter est un métier. C'est aussi un mode d'expression. » Luc Dominique a fait l'expérience de son amateurisme, seule en face de son public sans plus de Paul Sourire à la basse, ni d'orchestre, ni d'ingénieur du son pour soutenir sa guitare. On ne demandait à aucune des musiciennes du petit orchestre de Fichermont de pratiquer son art pour le maîtriser. Sœur Sourire n'a pas pris de cours de guitare avant sa sortie du couvent. « Pour les religieuses, l'art c'est de l'ordre de l'inspiration. La technique n'est pas nécessaire. » cite Marie-Josèphe Aubert [1]. Elle mentionne également l'étude du père Luchini, qui révèle un chiffre étonnant : « 68 % des religieuses de plus de 50 ans sont munies de diplômes artistiques. » Il s'agit des 27 % de diplômées parmi les religieuses. Ce qui n'empêche que l'art ou l'artisanat qui provient des couvents de femmes n'est pas toujours de très bonne qualité, comme si elles ne pouvaient le prendre au sérieux, et qu'on n'y employait pas les plus douées. Dans les couvents d'hommes, le travail artistique peut être considéré comme une ascèse. Pas seulement la production d'icônes, mais aussi la poterie, par exemple.

« On a reproché aux chansons de Sœur Sourire d'être parfois trop naïves », continue le journaliste Jacques François. « C'est exact, réplique Luc Dominique. Depuis, j'ai évolué. Six ans de vie au monastère, une année d'apostolat en plein monde, ont consolidé mon ossature spirituelle. Mais cette critique du public peut avoir une autre raison. Lorsque j'avais composé quelques chansons, je les soumettais à la communauté. Et c'est l'assemblée qui opérait une sélection. Une telle méthode n'est pas toujours efficace en matière de chansons... » Luc Dominique a également observé les réactions de son public, différentes selon les titres, et prend la mesure du travail qu'exige un texte pour être entendu. Le miracle de *Dominique-nique-nique* n'aura opéré qu'une fois. En réponse à une question sur ses revenus, elle affirme disposer de tous ses cachets pour subvenir à ses besoins, et verser le reste aux œuvres du père Pire et aux lépreux de Raoul Follereau. Pas de traces...

Elle travaille à la fin de 1967 et les premiers mois de 1968 à l'édition de son journal chez Desclée. A Jacques François, elle explique sans qu'il la questionne : « Ma réputation est tis-

---

1. *Les religieuses sont-elles des femmes?* Le Centurion, 1976, p. 106.

sée de malentendus, de racontars, d'incompréhensions. La vérité et la lumière doivent venir de moi. Car les journaux ont suffisament brodé sur mon compte. Enfin, je voudrais communiquer humblement mon expérience personnelle et mon expérience de Dieu.»

Son état nerveux s'aggravant, le médecin lui prescrit un long repos : Jeannine part avec Annie pour deux mois de vacances dans la petite 2 CV d'Annie, qui la conduit, puisque Jeannine n'a pas encore passé son permis. Elles se rendent d'abord dans les montagnes suisses puis dans le sud de la France. Elles se ressourcent pour la première fois à Fanjeaux et à Prouille, pays de saint Dominique, prient dans sa maison, dans ses collines. «Ici la simplicité règne sans l'envahissement des cierges et des médailles», apprécie Jeannine. Les moniales dominicaines leur font bon accueil partout, ce qui leur permet de voyager à moindres frais. De retour en Belgique, elles continuent leur cure de repos sur la côte en octobre. Puis rendent visitent aux sœurs dominicaines de Bethléem à Pontoise près de Paris, qui les impressionnent par leur foi, leur sobriété et leur ouverture : rien à la chapelle ne les sépare du public. A Fichermont autrefois, les sœurs se tenaient à part des autres de chaque côté de l'autel, en costume. Maintenant, tout le monde prie du même côté, mais la séparation existe sur des bases tacites. Habillées toutes en civil, si l'on s'assied par mégarde aux premiers rangs, on peut se retrouver entourée de sœurs de tous âges qui vous prennent pour l'une des leurs et cherchent, pleines d'une curiosité tendre et confiante, à faire connaissance. Il faut avoir vécu la douceur de ce contact quelques minutes pour comprendre le retour incessant de Jeannine et d'Annie dans les communautés. Il faut avoir également vécu l'instant où retombe un voile ténu sur leur sourire, quand elles apprennent qu'on n'appartient pas à l'Église. Alors elles se mettent à traduire leur gentillesse.

Deux mois de vacances n'ont pas suffit à redonner à Luc Dominique un semblant d'équilibre. En décembre 1967, elle s'en va avec Annie en Haute Gruyère dans une maison de repos tenue par des sœurs Dominicaines. Ainsi, leurs pérégrinations les mènent toujours vers leur famille spirituelle, et elles continuent à étudier et à prier ensemble dans toute la francophonie. Le journal publié de Luc Dominique se termine en janvier 1968 par un credo et une demande lancinante d'être fortifiée dans sa foi.

7

SŒUR SOURIRE TUE LUC DOMINIQUE

« De nombreux faits de rejet ou de non-assistance à personnes sorties de religion m'ont été racontés au cours de
l'enquête. Il y a là de la part de certains instituts, un phénomène de sectarisme religieux : celui qui " sort " est dévêtu et
démuni " ipso facto " de tous ses droits et de toute l'aura de
personnage sacré. Comme tel il retourne dans ce monde
étrange et étranger, profane, il passe les limites du monde
saint et sûr qu'est le monde religieux pour aller aux ténèbres
extérieures ! Celle qui " sort " est marquée d'un sceau de
désapprobation car elle s'est montrée indigne de sa vocation
et elle a manqué à la grâce. Elle est rejetée, indépendamment
de sa valeur humaine ou des liens antérieurs d'amitié qu'elle
a pu contracter avec tel ou tel membre de la secte [1]. »

En mars 1968, Jeannine Deckers pleure tout le jour, ingurgite calmants et anti-dépresseurs, jusqu'à l'intoxication
totale : les médicaments provoquent ulcères et maux de tête
qu'elle soigne avec d'autres médicaments. Des amis viennent
la voir pour lui tenir compagnie, et lui remonter le moral.
Annie, appelée un jour d'urgence à l'appartement, prévient le
médecin. Il diagnostique la fatigue, le brave homme. Jeannine
souffre principalement d'être lâchée dans le monde, de
l'absence de structure qu'elle a choisie, de la désaffection, le
mot est double et riche, de celles qui lui ont donné tendresse
et identité, et sans doute de la mauvaise conscience de souffrir de ses choix. « Qu'est-ce qu'une dépression ? écrit-elle. Je
refuse que cela puisse m'arriver à moi. » Elle supporte de

---

1. Marie-Josèphe Aubert, *Les religieuses sont-elles des femmes ?*, *op. cit.*, p. 98.

plus en plus mal le bruit du boulevard sous les fenêtres, l'étroitesse de l'appartement d'Heverlee. « Que l'on fasse partie de l'Église, et que l'on se sente contraint, disons par Dieu, de la quitter – dans ce cas-là on se trouve effectivement extra ecclesiam. Mais on dit bien « extra ecclesiam nulla salus » (hors de l'Église, point de salut). C'est alors que cela devient terrible, car on n'est plus protégé de rien, on ne fait plus partie du consentus gentium, on ne repose plus dans le sein de la mère de miséricorde. On est seul et tous les esprits infernaux sont déchaînés contre soi. C'est là ce que les gens ne savent pas... l'âme est esseulée, elle se trouve extra ecclesiam sans avoir été délivrée [1]. »

Le texte original du journal de Sœur Sourire des années 1955 à 1968 est perdu. Il reste la version édulcoré parue en 1968 chez Desclée, sans aucun succès, *Vivre sa Vérité*, préfacée par le père Marneffe, devenu Provincial des Dominicains de France, et qui commence par ces lignes de Sœur Sourire : « Ce livre n'était pas destiné à la publication. » Au moment où le volume sort en librairie, Jeannine Deckers entame un nouveau journal. Elle l'écrit cette fois pour son public, sous le titre « Celle qui dormait. Journal de Sœur Sourire – Tome 2. » Ce deuxième tome ne verra pas le jour. Les premières lignes donnent l'orientation tout à fait inverse à celle du premier tome, puisqu'elle s'adresse à son public : « Certains lecteurs connaissent peut-être cette page d'évangile où Jésus ramène une fillette à la vie en disant : « La fillette n'est pas morte mais elle dort. » Jusqu'en 1981, Sœur Sourire a continué d'écrire pour elle seule, n'abandonnant pas totalement l'espoir d'être lue par tous. Son testament exprime le vœu d'une publication intégrale des classeurs aux pages dactylographiées. De 1981 à mars 1985, il manque sans doute un volume. Cependant, elle a commencé une correspondance très importante aux mêmes dates, et il reste possible que les centaines de lettres qu'elle écrivit aient remplacé tout à fait le besoin d'écrire pour elle-même. Cela n'est pas certain.

Le journal continue, entre janvier 1968, date de la dernière entrée éditée par Desclée, et mars de la même année, sur des feuilles volantes. A la lecture de ces feuilles, on est frappé par le contraste avec le ton du premier volume. Malgré un style tendu et contraint au début, la censure, ou l'auto-censure, est

---

1. C.G. Jung, *La Vie symbolique, psychologie et vie religieuse*, Albin Michel, 1989, p. 66.

levée, ce qui permet d'en prendre la mesure. Les éditeurs ont
eu le livre édulcoré qu'ils souhaitaient. Annie s'appelle toujours Bénédicte dans la suite du journal. Les noms des amis
cités sont aussi changés, souvent raturés sur leurs véritables
prénoms. Elle écrit l'introduction en avril 1973, cinq ans
après, comme un pamphlet, enfin révoltée contre l'institution,
mais trop tard.

Elle commence des cours de guitare classique au printemps
1968 : « Je me mets sur les bancs de l'école, moi qu'on appelle
« une professionnelle », c'est dur. » On ne sait ce qui lui
semble le plus pénible : apprendre, ou découvrir qu'elle sait
peu de choses, qu'elle a fait une brève carrière d'amateur ?
« La religieuse comme personnage sacral conçoit difficilement des relations qui seraient basées sur la compétence et
non sur le droit issu de l'appartenance à une institution gérée
par la congrégation et sacralisée par la reconnaissance offi-
cielle de l'Église [1]. » Il est encore plus difficile d'acquérir des
compétences dans un domaine où l'on a déjà été célébrée
comme une star, donc implicitement comme quelqu'un qui
maîtrise sa technique.

En avril 1968, Jeannine et Annie déménagent d'Heverlee
près de Louvain, à Wavre, petite commune au sud-est de
Bruxelles. Annie a trouvé du travail comme kinésithérapeute
dans un pensionnat non loin de Wavre, ce qui a motivé leur
choix. Wavre est à ce moment-là un bourg de vingt-cinq mille
âmes au bord de la campagne fertile du Brabant wallon, à un
quart d'heure de voiture de Bruxelles par l'autoroute. C'est
un des centres commerciaux de la région avec Nivelles et
Jodoigne. La ville rassemble les écoles et les commerces pour
une population mixte d'autochtones et de transplantés de
Bruxelles et d'ailleurs, souvent plus éduqués et plus fortunés
que les familles d'origine locale. Dans le vieux Wavre, on
votait socialiste, mais on pensait libéral. Avec l'arrivée des
capitaux, et du parc d'attractions très populaire construit non
loin de là et qui amène du monde même de France, on vote
libéral. De nombreuses façades sont très belles avec leur dia-
dème de créneaux, souvent rénovées non sans quelque osten-
tation. Les rues commerçantes florissent. La place où trône la
poste n'est qu'un grand parking entouré de cafés où la bière
est excellente. Une artère la contourne, la longe sur la droite,
monte en pente douce, égrenée de magasins. Elle devient la

---

1. Marie-Josèphe Aubert, *Les religieuses sont-elles des femmes ?*, *op. cit.*, p. 96.

rue du Pont-du-Christ. Un des derniers magasins sur le trot-
toir de gauche est une pharmacie : celle où Sœur Sourire
achète ses monceaux de médicaments, qu'elle paie parfois en
tableaux. Le pharmacien ne posera pas de questions quand
elle demandera des centaines de somnifères d'une voix
pâteuse. Il lui fera même crédit. La dernière note restera
impayée. Ensuite vient le passage à niveau, et les maisons suivantes s'entourent de jardinets aux lilas maigres. Juste avant
de sortir tout à fait du bourg, en haut de la côte à gauche, en
face des installations sportives, se dresse un grand immeuble
récent. C'est la Résidence des Verts Horizons, construite sur
le lieu-dit « Pauvre Diable ». Jeannine Deckers et Annie
Pécher y ont trouvé un grand appartement au huitième étage,
plein sud avec un grand balcon, relativement bon marché. Il
domine un quartier de petites maisons particulières, et des
champs ondoyants au nord. Une ferme brabançonne émerge
des champs de blé aussi compacte qu'ils sont fuyants, aussi
carrée que les vallons s'arrondissent autour d'elle, aussi
sourde que le vent est bruissant. Bien que de l'extérieur
l'immeuble ressemble à ces blocs des banlieues, laids et plats,
les habitants ne le considèrent pas du tout comme un HLM.
Dans le hall d'entrée, un grand lustre aux pendants de verre
donne un ton un peu plus ambitieux à la construction qui
vieillit mal. Deux ascenseurs montent aux étages, propres.
Les paliers bien entretenus luisent, un calme plein de
componction règne dans la résidence. Les pièces sont larges,
les couloirs spacieux, mais les cloisons ne sont pas bien
épaisses. Les cours de guitare de Sœur Sourire profitent aux
voisins des étages en dessous. Le centre ville se situe à un
quart d'heure à pied. Les deux femmes possèdent également
une place dans le garage sous l'immeuble, pour la 2 CV jaune
d'Annie.

Pour acheter l'appartement, l'avocat du couvent donne à
Sœur Sourire 600 000 francs belges (100 000 francs français),
comme dépôt de garantie à trois ou quatre pour cent d'intérêt
par an sur un livret d'épargne, pour un prêt hypothécaire de
1 900 000 francs belges à la société Ippa. Elle ne sait pas
qu'elle peut acheter tout l'immeuble, garage compris, et la
ferme brabançonne sur la colline en prime, parce que cela ne
l'intéresse pas. Les réalités financières, Sœur Sourire les
ignore complètement. Pourquoi ne lui a-t-on pas simplement
reversé le prix total de l'appartement ? Avec des droits

d'auteur qui affluent sur un compte qu'il gère, pour lesquels il ne paye pas les impôts, l'avocat le pourrait sans doute. Elle est maintenant légalement délivrée de son vœu de pauvreté. L'avocat ne le voit pas du même œil. Elle s'est émancipée du couvent, à la réserve près qu'elle partage l'homme de loi qui défend aussi les intérêts de la communauté des sœurs. L'hypothèque grèvera son budget à jamais. Ippa oubliera le dépôt et la taxera à quatorze pour cent.

Jeannine ne fait plus rien, elle voudrait mourir, elle s'enfonce dans la dépression et la communique à Annie, à bout de fatigue elle aussi, d'avoir à supporter toutes les tâches du déménagement, du ménage, et le poids mort de son amie. On conseille à Jeannine de trouver un emploi. La directrice du pensionnat où travaille Annie lui propose de préparer les petites filles de sept ans à la communion. Il s'agit d'un pensionnat de filles en difficulté, qu'on appelait commodément à l'époque « caractérielles ». Cette activité nouvelle permet à la jeune femme de sortir de chez elle, et d'endosser quelques responsabilités. On imagine facilement que les religieuses peuvent enseigner la religion (ou les musiciens la musique, ou les écrivains la langue) : cette confusion nourrit Jeannine Deckers un certain temps. Mais de compétence, point. Elle n'a jamais aimé enseigner, n'a jamais appris à enseigner la religion. En guise de cours, elle montre aux petites des photos sur la messe, « pour leur faire connaître Jésus en tant que Personne vivante actuelle qui les invite à prendre part à sa Vie ». Cela laisse rêveur, surtout quand on sait la fascination qu'exercent les textes de l'Évangile sur les enfants. Mais les dix fillettes séduisent Jeannine, qui décide de leur acheter à chacune une petite croix en or comme souvenir. Dix petites croix en or représentent une dépense importante, les finances n'allaient pas si mal en 1968.

Elle s'inquiète de son image auprès des autres professeurs, à qui elle cache son identité de chanteuse.

« Savent-elles que je suis " Sœur Sourire "? Dans ce cas, elles doivent sans doute me trouver peu souriante et peu dynamique. Qui suis-je ? Luc Dominique, Jeannine, Sœur Sourire ? Les trois ? Je me sens tiraillée à l'intérieur. Quand j'étais au couvent, mes supérieures me faisaient bien sentir que Sœur Sourire n'avait pas de personnalité propre, qu'elle devait rester humble et consciente de sa petitesse. Cela me faisait souffrir, cette situation bizarre. »

Elle commence à se tourmenter de ne pas sourire, elle qui n'a jamais su. Jeannine amorce sa réappropriation de Sœur Sourire, seule de ses identités qui eut une réalité aux yeux du monde extérieur. Or, elle veut exister à ces yeux-là, puisqu'elle cherche à justifier son départ du couvent, à le transformer en une affirmation d'un nouveau mode de vie. Dans sa faillite psychologique du moment, son nom de civile ne la satisfait pas plus qu'auparavant. Quant à son nouveau nom de scène... elle a fait une expérience amère de la scène, et subit l'échec de sa seconde carrière. «Il y a ce surnom " Luc Dominique ", qu'une vaste campagne de presse a introduit sur le marché du disque, et qui ne donne rien du tout commercialement parlant.» (Un nom d'homme pour une femme qui vit avec une femme.) En septembre, la même question revient : « Comment assurer la vérité et l'identité de Jeannine-Sœur Sourire-Luc Dominique ? Luc Dominique me semble le plus authentique ; c'est un pseudonyme que j'aime, que j'ai choisi pour son symbolisme (saint Luc patron des artistes, et saint Dominique mon patron à moi), – et qui recouvre assez bien ce que je crois être ou ce que je sais de moi-même jusqu'ici, c'est-à-dire une personne créatrice, diffusive, qui s'exprime et tente d'exprimer sa vie religieuse par diverses techniques de diffusion.» Elle a même pensé à changer son nom véritable pour adopter Luc Dominique comme nom officiel, mais recule devant la dépense. «Peut-être dans ce désir y a-t-il aussi la volonté de créer un autre moi que la Jeannine et le nom de famille que j'ai hérité de mes parents. (...) J'acquiers une sorte de plus-value en acceptant de répondre à l'appel de Dieu. Je ne me considère pas comme simple laïque, mais bien comme un type inédit de religieuse dominicaine laïque.»

Jeannine avoue avec une naïveté désarmante une raison importante de son attachement à la vie religieuse : la «plus-value» sociale, raison que nous connaissions depuis son entrée au couvent. Son nouveau statut indéfini se situe sous les mêmes auspices : elle tient à conserver une certaine gloriole, dans le milieu religieux cette fois. Mais qui y croit ? En fait, elle inspire surtout la méfiance aux autres religieuses, une méfiance chargée de peine pour son aveuglement. En ce qui concerne le patron des artistes, le père Lacordaire, qui a rétabli l'Ordre de Saint-Dominique en France, a créé la confrérie de Saint-Jean l'Évangéliste pour les artistes, celle de saint Luc pour les médecins, et celle de Fra Angelico pour les dessinateurs et les graveurs, qui fournirent les premiers éléments d'un Tiers Ordre restauré. Ce patronage fut-il inventé de toutes pièces par Jeannine Deckers en un mouvement souterrain de rapprochement avec son père Lucien? Elle tourne en rond pendant ce printemps 1968. « A quoi sert ma vie? Je ne crée plus rien. Encore plusieurs crises de larmes ces jours-ci, pour des raisons stupides ou sans raison. Je remets en question le sens de ma consécration religieuse laïque. Qu'est-ce que ça veut dire? » Quitter l'institution sans quitter la foi, cela est possible, le Concile admet la sainteté laïque, et le rôle irremplaçable des baptisés. Être laïque et témoigner du Christ, cela se conçoit aisément. Mais il semble que cela reste en deçà de ses désirs. La situation intermédiaire qu'elle recherche n'existe pas, elle ne sait pas ce qu'elle veut créer. Elle s'est comparée aux prêtres ouvriers, les moins nombreux des prêtres ayant quitté leur cure pour travailler, mais les plus représentatifs pour le public de ceux qui voulaient vivre comme les pauvres.

Gagner sa vie? Confusément, elle souhaite chanter, écrire des chansons, transcrire dans la cité l'état de grâce du couvent, où ses disques se vendaient sans elle, sans effort, entre deux prières. Dans le manque de projet se trouve un élément majeur de sa dépression. Maintenant, ses mains sont vides, elle a perdu les motivations qui l'ont amenée à partir, faute d'avoir su les ancrer dans le réel. Dans l'incertitude des termes de sa vocation, elle garde sa fidélité à la prière commune avec Annie, deux fois une demi-heure tous les jours, « même si nous ne « sentons » rien ». Elle ignore qu'en France, beaucoup sont dans son cas.

« Une maîtresse des novices de 40 ans commente une expérience de petite fraternité, issue d'une grande congrégation : " Pour moi, spirituellement, elles n'ont pas de densité. Leurs motivations et leurs qualités sont variées, mais elles n'arrivent pas au noyau de la vie religieuse. Elles ont des points communs : elles n'ont aucune confiance dans la tradition religieuse, même dans ce qu'elle a de bien, et elles sont persuadées d'être dans l'aggiornamento, d'être le sel dans la pâte. " Alors, est-ce un nouveau pharisaïsme ? Pharisaïsme du neuf, du charisme, recouvrant une indigence spirituelle et psychologique soulignées sans fard par cette sœur. Elle énumère un certain nombre de traits caractérisant le style de ces reli-

gieuses : il faut s'installer en HLM, enregistrer des disques...
Elles sont constamment préoccupées de leur style : " Quel est
le comportement qui pourra frapper ou ne pas choquer les
gens de quartier? " et " Comment faire pour témoigner? "
Pourrait-on dire que l'attitude se déplace du centre vers
l'extérieur de l'individu [1] ? »

Vers l'extérieur oui, et vers l'intérieur aussi, mais pas vers
le centre en effet, puisque c'est le moi que Jeannine traque, et
cela n'est nulle part. Mais qu'à cela ne tienne! C'est une
recherche qui commence à faire fureur. Elle a rencontré au
pensionnat une psychologue, Édith V. Un jour, dans un couloir du pensionnat, elle se jette à l'eau et lui avoue son besoin
d'aide. Elles se rencontrent alors dans le cabinet de la praticienne, qui lui propose une psychagogie, sorte de thérapie
nouvelle dont l'époque foisonne. La méthode qui l'attend,
dite du « rêve éveillé dirigé », a été inventée par un Français,
le docteur de Soilles : Jeannine, qui manque tant du sens du
concret, va donc être plongée dans ses rêves et leur inter-
prétation. Elle commence en juin.

Lors des séances de rêve éveillé, la thérapeute lui suggère
des images, des scènes, ou parfois la laisse libre de choisir son
image de départ. Elle voit et vit les scènes, elle agit dans la
situation, la raconte au fur et à mesure à Édith V., qui lui propose d'intervenir pour en modifier le cours. Puis elles ana-
lysent le rêve. Le luxe de détails qui forment ces rêves, et la
précision de son souvenir, puisqu'elle les décrit presque systé-
matiquement à son journal en rentrant chez elle, sont éton-
nants. Par exemple : on lui demande de voir un arc. Elle
pense tout d'abord à un arc de triomphe. Mais on lui précise
qu'il s'agit d'un arc et de trois flèches. Elle lance sa première
flèche et ouvre les yeux pour voir où elle se trouve. Elle se
voit dans le hall d'un musée d'art. « Ma première flèche s'est
plantée dans les organes génitaux d'une grande statue masculine en bronze, trônant sur un piédestal. Je lance ma
seconde flèche. Quand j'ouvre les yeux, je me trouve dans le
même musée, mais dans une galerie latérale consacrée à la
peinture. La seconde flèche se trouve dans un tableau du
xvIIIᵉ siècle français montrant des scènes galantes et des
scènes de festin. La flèche s'est fichée entre les deux seins de
madame Z. Edgard (son oncle) est à sa gauche et lui tient des
propos amoureux. Je lance ma troisième flèche. Les yeux

---

1. M. J. Aubert, *Les religieuses sont-elles des femmes?*, *op. cit.*, p. 83.

ouverts, je me retrouve dans le musée d'art, dos à la statue masculine du hall, devant un escalier à deux voies; la flèche s'est plantée au pied d'un crucifix situé au-dessus d'une porte...» etc. Ensuite les personnages se mettent en mouvement. Elle leur explique ses motifs, ils se promènent ensemble, et elle vit une idylle avec la statue devenue chair, avant de s'élever au ciel ensemble.

Les relater tous ici serait fastidieux. Ses réactions conscientes nous importent plus que les rêves eux-mêmes. Des séances de relaxation alternent avec les rêves. Il arrive qu'elle ne puisse pas évoquer l'objet ou la situation qu'on lui demande, ce qui la frustre beaucoup.

Dès les premiers rendez-vous, elle touche d'emblée à une foule de zones sensibles, de problèmes de fond, de vieilles blessures. « Impression de ne jamais s'écouter, de ne jamais se laisser vivre. J'ai cru longtemps que cette forme de vie seule menait à Dieu, et je découvre maintenant que Dieu est partout, au fond de moi et non en dehors.» Elle prend conscience d'avoir fui sa mère, qui cherchait à la «rendre captive psychiquement», d'avoir trouvé dans l'atmosphère religieuse une compensation au manque d'affection familial, et de ne pas aimer les autres. Elle se plaint d'avoir été marginalisée au couvent en raison de ses talents et de son idéal de vie séculière. Favorisée, oui, critiquée, sans doute, mais marginalisée c'est peu probable. La loi au couvent c'est l'intégration. On exclut ou on assimile. Cependant, elle a besoin de le croire. « Je m'aperçois aussi que j'ai dressé d'autres barrières entre mon «presque-fiancé» et moi, en lui annonçant que j'entrais au couvent; je me protégeais inconsciemment de l'amour. Pourtant je lutte pour monter vers la lumière; une lutte pour mener une vie pleine et heureuse. Aurais-je peur de la vie?» Ces dernières lignes nous éclairent: peur de l'amour, peur de la vie. C'est la même personne qui a dit: « Ne vaut-il pas mieux se perdre que se connaître? » Va-t-elle accepter de se connaître à travers la thérapie? «A nouveau, je ne me comprends pas moi-même : j'avance, je recule, j'ai peur de moi et certains temps pourtant je vais mieux. Seigneur, que je suis compliquée!» La peur ne vient pas de Dieu. Mais Jeannine ne croit pas au diable. «C'est cela le blasphème, craindre; c'est cela le suicide, ne pas croire [1].»

---

1. Charles-Albert Cingria, *La Fourmi rouge*, L'Age d'homme, Lausanne, 1978, p. 95.

Le 7 juillet, elle se rassure et donne des premiers signes de bonheur : un rêve l'a aidée à se sentir religieuse « jusqu'à la fibre de moi-même, bien plus et au-delà de ce que je pense parfois; et cette constatation aussi m'apparaît comme une grâce. » « Lui, dit-elle de Dieu, un bonheur presque au-delà de mes limites. » Aimer Dieu signifie donc pour elle : être religieuse, dans la famille dominicaine, mais loin d'elle, comme de toute famille. Le bonheur amoureux vécu comme seul état de l'amour. L'extase ou l'absence. Elle avoue : « Il me semble parfois poursuivre un idéal inaccessible qui me laisse insatisfaite et déçue par la réalité quotidienne; je cherche comme un au-delà du réel... »

« Il semblerait que nos religieuses veuillent retenir du sacré ce qu'il a de fascinant et de miséricordieux, oublier ses exigences de purification et de séparation, car il est aussi l'horrible, l'inconnu et le différent [1]. » Elle décide néanmoins qu'elle n'a nul besoin d'un directeur spirituel, au contraire des autres Dominicaines. Le moral remonte, d'autant plus que le pensionnat d'Annie lui propose d'enseigner la guitare et le dessin en plus de la religion. Elle retrouve le sommeil, prend son travail au sérieux et se met à lire des travaux de pédagogie spéciale pour structurer ses cours, ceux de Bissonnier, notamment. Non sans mal. « Je retrouve un vieux complexe d'infériorité que je croyais liquidé. Parce qu'il est vrai que, malgré tout je ne crois pas en moi-même, je me reproche d'être incapable d'enseigner, de communiquer, de réussir. » En septembre, elle participe à un week-end de formation destiné aux professeurs de religion de l'enseignement primaire, et se réjouit de l'aide qu'elle y reçoit.

Après un an de vie commune avec Annie, elle rêve d'un coffret de vipères, et parle de sexe : « Les personnes rencontrées à ma firme de disques pensent couramment que deux jeunes filles vivant ensemble sont homosexuelles; que les religieuses vivant en communauté le sont aussi... La conclusion est pourtant simple : je ne suis pas homosexuelle. J'ai beaucoup d'affection envers Annie, une affection « dans le Seigneur », c'est tout différent. Que ceux qui ne peuvent pas comprendre aillent au diable ! » Puis, lors d'une retraite en France, dans un couvent de dominicaines près de Paris où une amie est novice et où elles se rendent souvent, Jeannine donne un éclairage plus intime sur cette « affection dans le

---

1. Roger Caillois, *L'Homme et le sacré*, PUF, 1939, pp. 23-27.

Seigneur ». « Chacune de nous est pour l'autre le sacrement
de la rencontre de Dieu ; cela est vécu très en profondeur...
(...) Je comprends que ma communauté, c'est Annie. » Le
sacrement de la rencontre de Dieu, c'est bien l'amour.
« Puisque je suis bonne et douce envers Annie, je suis sans
doute, logiquement, bonne et douce, malgré les rugosités de
l'extérieur, – envers les autres » espère-t-elle. J'ai faim de
bonheur, j'ai faim d'amour et de joie. » Il faudra encore
quinze ans avant qu'elle en dise plus sur ce sujet.

« Chez l'homme sans Dieu, l'âme est dévorée par l'amour ;
chez le chrétien, elle est asphyxiée si l'amour de Dieu exclut
l'amour du prochain [1]. » Annie est probablement le seul
« prochain » de Jeannine.

Avec le temps, leur affection évolue beaucoup. Lors d'un
rêve, cependant, c'est à un jeune homme blond, aux yeux
bruns et au front haut qu'elle demande de la libérer de cette
espèce d'écorce qu'elle sent autour de son corps et qui
l'empêche de faire le moindre geste vers tout autre. Respec-
tueusement, il s'exécute, et voilà Jeannine libérée qui danse
et rit dans la lumière, sur les nuages. Il ressemble au seul garçon qu'elle a connu, le Bernard dont elle aime à dire qu'il
était son presque-fiancé, à son directeur spirituel des trois
années de Louvain, et à quelqu'un qu'elle ne connaît pas
encore, et qui sera son unique ami, quelques années avant la
fin. « J'ai besoin de l'aide de quelqu'un pour m'en débarras-
ser, dit-elle de cette seconde peau, je ne peux faire cela toute
seule. » Mais elle ne laissera personne l'approcher assez près
pour le faire, sans cesser pour autant de réclamer de l'aide.

L'image d'elle-même, que la psychologue lui demande de
voir en rêve dans une pièce d'eau, est indistinctement homme
ou femme, puis laide, masculine, de grande taille et impo-
sante. « Il m'intrigue, écrit-elle. Je me demande pourquoi
mon reflet dans l'eau est masculin plutôt que féminin. » Elle
le suit dans les dédales de la ville. « Je n'aime pas le suivre,
car cela m'ôte toute initiative, mais je préfère encore suivre
que de voir mon guide ou mon image en face. (...) Je suis près
de me trouver anormale, à cause de mon image masculine
plutôt que féminine. J'ai peur de me trouver homosexuelle.
Je repense avec crainte à l'étroitesse d'esprit des gens de ma
firme de disques qui affirmaient que j'étais lesbienne...
auraient-ils raison ? (...) Je refuse de me voir telle que je suis,

---

1. Frère Roger Schutz, prieur de Taizé, *Vivre l'aujourd'hui de Dieu.*

je voudrais me trouver autre. Le symbole en est mon reflet qui devient finalement un petit enfant que j'oublie toujours... (...) J'ai peur de ce que je trouve en moi, et mon inconscient se rebiffe, alors que ma volonté claire veut aller de l'avant. » Maintenant elle s'aperçoit qu'elle oublie son enfance. Il émane beaucoup de sincérité de sa première thérapie. Elle se tient au bord de la porte étanche sur les premières douleurs enfouies, prête à mettre au jour la faille autour de laquelle elle s'est contruite. C'est si dangereux, qu'elle arrête la psychagogie. Elle a trente-cinq ans.

En mai 1968 en France, on parle de révolution. Le gouvernement n'en mène pas large, la rue est en ébullition. Les étudiants réfutent les valeurs surannées de leurs parents. Ils font beaucoup d'émules. La liberté, l'imagination, l'émancipation sont quelques-uns des mots d'ordre. Dans le journal de Sœur Sourire, pas une ligne sur l'actualité. Il lui aurait été facile de se réclamer de ces mutations profondes, qui dénonçaient comme elle aime à le faire la rigidité de l'ordre bourgeois. Mais les grands événements de mai 68 pour Jeannine et Annie, c'est la mort du père d'Annie d'abord, qui les peine profondément. Comme M. et Mme Pécher étaient présents tous deux à la mort des deux femmes, nous ignorons l'identité de ce papa perdu. Quelques bribes d'écho laissent à penser qu'il aurait eu une vie difficile. L'autre événement, qui, paradoxalement, aide Annie à se remettre du premier en dirigeant ses pensées ailleurs, c'est le vol de leur 2 CV jaune devant l'immeuble. Elles ne l'avaient pas rentrée au garage, qui s'enfonce sous le bâtiment, pour ne pas réveiller les voisins, et des jeunes s'en sont servi pour cambrioler une villa des environs. Le temps de louer une voiture pour continuer à se rendre au travail, et la police retrouve la 2 CV à Jodoigne, un bourg un peu plus au sud.

Les effets de l'arrêt de la thérapie se font sentir rapidement. Jeannine ne chante plus, n'a plus d'idées pour créer. « Il me semble parfois que je m'agite, que je remue beaucoup d'air autour de moi et que les vrais problèmes sont ailleurs... je ne sais. » Elle pleure de nouveau pour des riens, doute de ses capacités musicales, graphiques et poétiques. Elle a cru mettre un trait une fois pour toutes sur ses difficultés de contact avec les autres professeurs, grâce au mieux-être éprouvé quelque temps au début de la psychagogie. Mais elles reviennent, l'obsèdent, la nuit par des rêves éprouvants d'où émane le sentiment d'être étrangère, différente et exclue, et le jour dans une réunion d'anciens élèves en sciences religieuses à Louvain, où elle retrouve les mêmes sentiments. La déconfiture de sa vie la tourmente. L'automne pluvieux et froid s'installe à Wavre, se traîne dans l'hiver belge, longue grisaille humide.

En décembre 1968, à bout de ressources, Jeannine reprend la thérapie. Immédiatement, comme déchargée de ses manques, sa foi retrouve son élan et son travail de la vigueur. Elle voit en rêve toutes les femmes qui l'ont oppressée par leur esprit autoritaire, dominateur et captatif : sa mère, la maîtresse des novices, la supérieure générale du couvent – que l'on appelle « ma mère » – et une amie d'adolescence, qui possède elle aussi un regard sec et dur. Elle explique qu'elle a projeté sur toute autorité l'image maternelle écrasante, jusqu'à Marie mère du Christ pour qui elle n'éprouve aucune dévotion. Elle l'assimile à l'institution étouffante de l'Église-mère. Or, pour beaucoup de chrétiennes, l'image de Marie est le lieu intérieur qui autorise de se relâcher entièrement dans la tendresse toute donnante de la prime enfance. C'est l'image de la petite fille en soi qui vit encore, de sa propre maternité qui consiste à faire naître les autres à eux-mêmes, et aussi de la virginité d'âme, c'est-à-dire simplement la capacité d'émerveillement et de compassion. Pas de place pour cela en Jeannine. Sa mère Gabrielle n'en a pas planté les germes, mais en a laissé l'absence brûlante. Et le style religieux de certains offices, de certains psaumes même, lui donne la nausée, tout empreints de la tradition rigide qu'elle rejette en bloc en cette fin d'année. Sa psychologue lui dit qu'elle vit toujours en dehors du moment présent, en deçà ou au-delà. L'obsession de soi aveugle l'instant. « L'idéal en balade », dont ses poèmes du moment sont nostalgiques, n'offre qu'un perpétuel ailleurs. La cyclothymie s'installe pour durer.

Lentement, Jeannine prend en grippe l'enseignement au pensionnat. La responsable de l'établissement, « d'une grande laideur », marque des signes de défiance quant à ses méthodes, et reprend les élèves en main pour leur enseigner « le vieux christianisme démodé de nos grands-mères. » Cela peine Jeannine. Elle rêve de peindre ou d'écrire des romans...
Lors d'une recollection chez les Dominicaines, elle prend conscience que son bonheur ne dépend pas d'un « dehors »,

mais de son unité avec elle-même et avec un Dieu qui est
« au-dedans » d'elle. « Dieu qui me pénètre et me rend heureuse », dit-elle innocemment. Dans la salle d'attente de sa
psychologue, Jeannine interpelle son Dieu : « Quand me sau-
veras-tu ? » La réponse lui arrive au même moment : « Je te
sauve et tu ne me reconnais pas. » Elle s'accuse alors
d'oublier que le Seigneur agit aussi en elle par la thérapie. La
découverte perpétuelle de la relation intime avec Dieu lui fait
assister aux offices comme à des actes de théâtre hors du réel.
Elle lit Teilhard de Chardin, adhère à sa vision du *milieu
divin*. « Pour moi, l'Église, c'est le monde. (...) je veux des
chrétiens libres en conscience, pas des moutons qui courent
derrière le pape et ses encycliques ! »

Le 26 avril 1969, Annie et Jeannine renouvellent leur engagement dominicain par une cérémonie d'introduction dans le
Tiers Ordre. Trois prêtres célèbrent la messe. La psychologue
est dans l'assistance, avec quelques amis. Jeannine considère
cette profession comme un approfondissement des promesses
du guidisme, et de celles de sa vie religieuse... Elle ne voit
aucune discontinuité dans ses vœux temporaires du couvent
et celui-ci, de célibataire consacrée qui la voue au Seigneur
pour la vie. En voici le texte : « Je demande à être reçue dans
le Tiers Ordre de saint Dominique, et à y faire profession.
Devant vous frère H. qui représentez l'Ordre dominicain, et
vous tous frères et sœurs ici rassemblés, je m'engage avec la
grâce de Dieu à vivre la vocation de mon baptême à travers
l'amitié, consacrée au Seigneur et au service des autres dans
l'esprit de saint Dominique. La joie règne, je repars dans la
vie avec le Seigneur pour ami. »

Elle chante quelques fois devant des parents et amis de
quelques mouvements de jeunesse, public conquis, et devant
des carmélites qui l'accueillent dans leur couvent et dont la
bonne humeur et la tendresse l'émeuvent. La maison Hébra
lui propose d'éditer six nouvelles chansons pour enfants qui
illustraient ses cours de religion en première primaire à
Basse-Wavre. Cela va si bien, qu'elle s'offre le luxe d'enterrer
vivante dans un rêve éveillé sa mère, la maîtresse des novices
et la supérieure générale de son ancien couvent ! Annie, res-
sucitée, garnit une grotte de fleurs pour la remercier... Elle
tue aussi toutes sortes d'hommes qui s'avancent vers elle
pleins de désir. Elle s'analyse quelques jours plus tard : « Mon
dernier rêve révèle encore la crainte du viol, la crainte de

l'homme, la crainte des attouchements dans les trams, de même que le désir de fuir la sexualité par peur. »

Au milieu de juin, le père de Jeannine doit entrer d'urgence en clinique. Les deux femmes s'y rendent, prévenues par Madeleine Deckers, la sœur de Jeannine. Pendant la visite, leur mère Gabrielle Deckers entre dans la chambre, et paraît interdite de la présence de Jeannine. Elle ne la salue pas, l'ignore complètement. « Elle aurait aimé qu'on dise : Jeannine n'est pas venue voir son père ! » s'exclame celle-ci dans son journal. « Je trouve que Maman ressemble de plus en plus à la mère de " Bénédicte ", et ça n'est pas peu dire ! » Madame Deckers avait très mal pris le départ du couvent de sa fille, et son amitié exclusive pour une jeune femme. On imagine facilement quelles scènes ont pu avoir lieu dans la pâtisserie, que Jeannine snobait tout à fait. Avoir renoncé au statut de vedette, cela n'a pas pu être compréhensible pour Gabrielle Deckers, laquelle a peut-être bénéficié du renom de sa fille. La lecture de *Vipère au poing*, d'Hervé Bazin, l'enchante car elle reprend à son compte sa haine des mères. A l'approche des vacances, elle se compare à un bateau en déroute, ses seuls havres sont les couvents, où l'on assume pour elle toutes les taches matérielles. Le mot est passé entre les communautés religieuses des environs quant à la détresse psychologique de Sœur Sourire. On lui ouvre les bras dans quelques couvents par amitié, par devoir d'entraide, sans lui poser de questions, à elle ni à Annie, toujours en retrait. On leur donne un peu d'argent de temps en temps. Aucune des religieuses n'est dupe de sa façade trop gaie, qui cache mal sa blessure. Elles se souviennent de ses cheveux décolorés : à chaque visite, et sur chaque photo une autre teinte de brun, de châtain, de blond cendré. Déjà elles ne savent plus comment l'aider, tendresse, prière, accueil, aide matérielle repoussant chaque fois le problème.

En juillet 1969, Jeannine et Annie donnent leur préavis au pensionnat. Les conflits avec la direction n'ont pas abouti à une solution, d'autres enseignants partent aussi. Les causes réelles de leur départ ne sont cependant pas précises. Jeannine ne supporte pas qu'on remette en cause son contact personnel avec les petites. Mais il apparaît que l'amitié des deux femmes perturbe la direction du pensionnat. Il reste à Jeannine pour vivre deux heures d'instruction religieuse à l'école communale de Basse-Wavre, qui ne lui plaisent pas. Annie voudrait s'installer à son compte pour mettre en pratique un projet d'aide à l'enfance en difficulté qu'elle fomente depuis longtemps. Pour se consoler, elles partent pour un voyage de six semaines en France, à l'hôtel et dans des couvents. Pontoise d'abord, pour rendre visite à leur amie « Donatienne », jeune fille blonde au nez un peu cassé, rentrée sur l'avis des deux femmes chez les Petites Sœurs des Pauvres après avoir approché Fichermont. De la fondatrice de la communauté, Jeannine garde une très mauvaise impression : « Quel bloc de glace et quelle impertinence sûre de soi. Nous lui avons parlé de Donatienne ; elle la mène par le bout du nez, pauvre Donatienne. » Puis elles se rendent à Épinal, visitent les Vosges, Saint Dié, le Vercors, les Alpes, Tignes, qu'elle trouvent d'une laideur consommée, et Albi. A Fanjeaux, la maison de Saint Dominique, sa chambre tranformée en chapelle constitue pour les deux femmes un lieu annuel de ressourcement. A leur habitude, elle prennent beaucoup de photos, c'est le hobby d'Annie. Elles se photographient l'une l'autre volontiers, et collectionnent les cartes postales des lieux où elles passent. On retrouvera des albums entiers où alternent les cartes et les photos, qu'elles confectionnaient en septembre à l'appartement pour prolonger un peu les vacances.

Au retour, Jeannine termine son contrat au pensionnat. La tension est grande, comme il est de mise, la directrice comprend mal son départ. Les rêves éveillés témoignent de l'agitation intérieure de Jeannine, que le conflit agresse toujours. Ils sont très souvent émaillés de situations mystiques, transfigurations, rencontres avec les disciples, bonheur du bain dans l'amour divin, etc., au point qu'elle se demande ce qu'il en est. « Vrai, je m'en méfie. Ou bien je découvre banalement le vieux fonds religieux (non chrétien) de l'humanité personnalisé dans mon cas individuel. Ou bien, c'est que, décidément, je suis encore plus « religieuse-chrétienne » que je ne pensais. Je voudrais croire à la valeur de mon expérience, être rassurée en quelque sorte sur sa valeur. Car enfin, je ne confonds pas Dieu avec mon moi intime (à la manière de l'évêque anglican Robinson, pour qui Dieu est la profondeur de notre être), mais je perçois clairement Dieu comme une vitalité qui me meut. »

Le 7 octobre 1969, elle enregistre avec les chorales à Cœur Joie de Rixensart et les « petits chanteurs du Smohain » deux disques 33 tours de chansons pour enfants chez Hébra à Bruxelles.

Sans un mot à ce sujet dans son journal, Jeannine décide finalement de mener bataille pour reconquérir son nom de Sœur Sourire. Dans l'interview qu'il a donnée à la mort de Jeannine à la RTBF de Liège pour l'émission *Faits Divers* n° 28, Darlier évoque le passage d'un pseudonyme à un autre : « Elle a pris un avocat, dit-il, elle estimait que Sœur Sourire lui appartenait, et pendant un an ou deux elle a fort hésité et puis un arrangement a sans doute été trouvé – elle a pris la décision, je reste, je m'appelle Sœur Sourire. » Lassitude, réserve envers les journalistes ? Darlier aurait pu donner bien plus de détails sur la bataille juridique de cet automne 1969, dont on ne sait presque rien, et qui lui permet de mieux vendre les chansons catholiques sous un nom connu : il a participé à des tractations entre le couvent et l'ancienne nonne à sa sortie de Fichermont en tant que directeur de la Sabam. Il ne l'a pas aidée à reprendre son pseudonyme de Sœur Sourire, peut-être pour ne pas avoir d'ennuis ni avec Philips, ni avec la l'Église catholique belge, les anciens patrons de sa protégée.

Luc Dominique agonise : elle veut tuer cette personne passagère qui ne lui sert plus de rien. Redevenir Sœur Sourire pour toujours, pour tout le monde, et s'y identifier comme à son idéal. Elle vit ce conflit physiquement, migraines, maux de ventre. Quelqu'un tente de la convaincre, sans grande finesse, qu'elle a de la valeur, que ses chansons participent de la veine de celles de Brassens, qu'elle est et qu'elle reste Sœur Sourire. Mais elle lui oppose d'une part les remontrances des religieuses qui lui ont tant répété au couvent qu'elle doit rester humble, que *Dominique* n'est qu'une chansonnette, et d'autre part les derniers mots de son producteur chez Philips, lui enjoignant de faire du reportage mais surtout de laisser tomber la chanson. Reprendre le pseudonyme qu'elle a tant détesté de prime abord équivaut à retrouver une identité de chanteuse. Elle sent bien le danger qui l'attend. Mais elle ne peut se résoudre à n'être que Jeannine Deckers, professeur de religion à Wavre, Belgique. *Dominique* repasse sur les ondes, sept ans après sa sortie, elle l'interprète comme un signe. Cependant, elle n'est pas prête à intégrer le milieu de la chanson, pas plus qu'elle ne peut supporter de rester dans une structure religieuse. « Ma vocation personnelle semble mieux se réaliser dans un certain milieu artistique et religieux très intériorisé. » Aussi intériorisé qu'un milieu peut l'être...

La deuxième Sœur Sourire va tuer Luc Dominique et à la longue, Jeannine Deckers aussi.

En automne 1969, libérée du pensionnat, elle prend du temps sur la côte belge, et s'assied sur le port pour faire au crayon des croquis de bateaux : gros plans des garcettes, des mâts, des manilles. Quelques jours plus tard, elle part avec Annie en France, chez les dominicaines d'Enghien, près de Paris, en recollection. Fin octobre et début novembre 1969 c'est une tournée en Suisse, dans le canton du Valais. Elle donne des récitals dans les églises, dont celle de la paroisse de Martigny, et se réjouit du bon accueil qui lui est réservé, de la chaleur de son public. Elle passe la soirée du 2 novembre avec le pasteur P., ancien élève de Karl Barth, théologien allemand. Le pasteur révère encore son maître, la discussion s'engage avec Jeannine, éprise de nouvelle théologie. Ils abordent de grandes et vagues questions : Que signifie Dieu-Père pour le Christ ? Que signifie Dieu-Mère dans un éventuel régime matriarcal ? Que faut-il renouveler dans la mariologie catholique ? Quel est le sens de la Réforme pour l'actuelle Église catholique ? Le pasteur est marié à une femme qui participe à son ministère. Jeannine les admire, et rêve : « Quant à moi, je me serais bien mariée à un prêtre catholique, mais je n'aurais pas désiré d'enfants, afin d'être plus disponible aux autres... Non que je refuse l'acte conjugal en soi ou que je le redoute ! » s'exclame-t-elle, en contradiction avec un aveu récent. Malheureusement, les prêtres catholiques sont, avec les moines, les seuls hommes totalement voués au célibat.

Elle revient de Suisse en pleine euphorie, avec le sentiment que quelque chose de définitif change en elle, qu'elle ne sera jamais plus comme avant. Le succès de ses concerts, et les discussions stimulantes avec le pasteur lui ont donné confiance et sécurité. En rentrant à Wavre, elle trouve une lettre des services culturels des magasins suisses d'alimentation Migros, qui lui proposent un récital dans leur théâtre-club à Genève. C'est une salle d'une centaine de places. Ils ont appris par une interview donnée à la presse suisse qu'elle aimerait chanter dans cette ville, et offrent de prendre toute la publicité en charge. La chaîne Migros est très populaire en Suisse, elle fait partie du paysage quotidien helvétique, et son programme est très suivi. Sœur Sourire, fière de son succès dans une petite ville, répond qu'elle aimerait une salle beaucoup plus grande,

puisqu'il a fallu refuser du monde à Martigny. Elle propose
également une tournée en Suisse Romande. En ce qui
concerne les cachets, elle affirme avoir toujours reçu mille
francs suisses (plus de quatre mille francs français) par récital,
tous frais payés – les siens et ceux d'un manager, M. Hoff-
mann, dont elle ne dit jamais rien dans son journal. Il semble
que la Migros n'ait pas donné suite.

Mais bientôt, son semblant de force s'effrite. Les problèmes d'identité la rongent tous les jours. Pendant les
séances de rêves éveillés, elle rencontre souvent des jeunes
aux cheveux longs, comme l'époque en produit beaucoup, qui
jouent de la musique et peignent, sur des plages, sur des
nuages, dans une béatitude totale, libérés de tout sauf de la
joie, lui faisant fête. Mais elle est née quinze ans trop tôt pour
rejoindre le mouvement hippie. Elle a trente-six ans, c'est
tard pour partir sac au dos et guitare à la main dans les îles,
parmi ceux qui ne veulent faire aucune confiance à quelqu'un
de plus de trente ans.

Les derniers jours de novembre, elle assiste à un cours
d'anthropologie biblique donné par le père Radermaeckers,
jésuite du célèbre Centre catéchétique de Lumen Vitae, à
Bruxelles. Ce cours lui plaît beaucoup, dense, proche selon
elle de la vie concrète, de l'expérience humaine. Elle regrette
de ne pouvoir en retenir les enseignements sans un grand
effort de mémoire, grâce à un travail assidu chez elle. Avec
Annie, elle assiste également à un cours de théologie à l'Institut Saint Louis à Bruxelles, qui produit sur elle un effet tout
différent : « Je me suis prise à me demander : mais qu'est-ce
que je fiche ici ? Je devrais être dans un milieu artistique plutôt que d'entendre des spéculations incompréhensibles, en
compagnie de nonnettes et de gens rangés. » Elle reçoit la
visite d'un homme rangé, un abbé professeur de théologie, et
parle à un autre, le doyen de Wavre, de la création d'une
équipe liturgique. Le doyen est un prêtre qui exerce une responsabilité pour un ensemble de paroisses. Celui-ci est curé
de la paroisse saint Jean Baptiste, au centre de Wavre, et
anime l'équipe des pasteurs des paroisses alentour. Il lui
reproche à juste titre son manque de relations de voisinage.
« Saluez plutôt les gens dans l'ascenseur au lieu de tenir des
discours théologiques ! » lui dit-il en substance. Farouche, la
Sœur Sourire ne se lie pas facilement. Qu'importe, elle le taxe
de rural, et prétend être libre de se lier à qui elle veut. Elle

cherche quelqu'un qui la comprenne « sur le plan artistique et religieux », pas un directeur spirituel. « Qu'ils aillent au diable ceux qui « dirigent » leurs ouailles ! » réplique-t-elle sur le papier. Malgré son franc parler – ou à cause de lui, Jeannine et le doyen nouent des liens cordiaux.

A la veille de Noël 1969, elle participe à une émission en direct de l'ORTF, la télévision française : Midi-Magazine. Et le 9 janvier 1970, elle sera sur le plateau d'une émission réalisée par Jean-Christophe Averty, homme de télévision très créatif et très en vogue. Deux disques, une tournée en Suisse, et deux télévisions en un trimestre : comment, dans ces conditions, ne pas se sentir encore une vedette ?

8

FIN DU RÊVE ÉVEILLÉ

Les trois premiers mois de 1970, la nouvelle Sœur Sourire vit dans d'autres mondes. Celui des rêves éveillés, double magnifique du quotidien, où elle retrouve les mêmes endroits imaginaires à la réalité stupéfiante (châteaux forts ou luxueux, escaliers monumentaux, couloirs boisés aux tapis profonds, grandes salles de réception ou salles d'armes, théâtres, parcs, vasques, douves, caves, chemins bordés d'arbres, plages et, en leitmotiv, les nuages où elle finit souvent son rêve, car on lui demande de s'élever). Et le monde de la nouvelle théologie, qui la préoccupe de plus en plus, à travers les livres, les cours et les rencontres.

Un ouvrage résume son parcours déjà ancien vers les réformateurs de la théologie passée : *La Nouvelle Théologie,* de Speirma-Weiland. Ce livre la conforte dans sa perception de Dieu qui fluctue sans jamais s'effacer. Elle achète des ouvrages des théologiens modernes cités par Speirma-Weiland. Elle s'enthousiasme pour H. Cox, *La Cité Séculière,* qui propose une théologie du changement social, dont elle recopie de très longs extraits. Pour Bonhoeffer, qu'elle redécouvre avec *Résistance et soumission.* Pour Ebeling dont elle cite : « Notre devoir n'est pas de persévérer dans une certaine manière d'interpréter l'Évangile, mais de persévérer dans la réinterprétation continuelle de l'Évangile. » Pour Hamilton, qui préconise de trouver un nouveau nom pour Dieu, comme il en a reçu si souvent dans l'Ancien Testament, car ce nom-ci crée tant de confusion et cristallise autour de lui toutes sortes d'images dépassées. Ses conversations avec le théologien H. Coes, de l'université de Louvain, qu'elle a rencontré pendant ses études, et à qui elle rend souvent visite, vont dans le même sens. De la Trinité elle rapporte qu'il affirme : « C'est un beau bricolage » et Sœur Sourire jubile : « L'image de mon père n'est pas un support suffisant pour l'image d'un Dieu-Père. Me voilà à nouveau libérée en m'entendant dire qu'il ne s'agit là que d'une enveloppe culturelle. » Déjà, ce que croient les théologiens et ce que croient les chrétiens moyens n'a plus grand-chose en commun. Elle lit Tillich, *Dynamique de la foi*, Hans Küng, *L'Avenir de l'Église – être vrai*, qui la rebute un peu, et même Huxley, qui n'a rien d'un théologien mais que cela n'a pas empêché d'écrire *Philosophie éternelle,* qu'elle cite extensivement. Elle dévore maître Eckhart, bien sûr, pour la mystique, et Sainte Catherine, ainsi que Denis Vasse, qui a écrit : *Le Temps du désir – psychanalyse de la prière et de la foi,* où l'on peut lire : « Aimer suppose à l'ultime limite qu'on puisse renoncer à l'être aimé. Prier, de la même façon, implique que l'on puisse renoncer à la rencontre avec Dieu. L'amour est cette force qui unit les êtres dans l'acte même de leur irréconciliable différence. » Sœur Sourire enterre souvent dans son journal l'Église catholique, qui, croit-elle, va s'étouffer sous un passé trop lourd, coupée de la vie spirituelle des chrétiens, qui bouge très vite et exige plus de vérité. Les nouveaux théologiens la confortent dans son rejet des structures d'antan. « Ces hommes sont en quête d'un Dieu-amour, du Christ évangélique, et non d'une machine-providence » écrit-elle. Quels que soient ses motifs, en ce sens l'avenir lui donnera raison. Lorsqu'elle rencontrera le mouvement charismatique naissant, elle trouvera, pour un temps, une famille.

Sur les conseils du Provincial dominicain de Belgique-Sud, « un grand monsieur, un vrai Dominicain », Jeannine se rend à Louvain pour rencontrer le père Schoonbrood. Celui-ci répond chaleureusement à son désir d'information sur ce qui se nomme « la nouvelle herméneutique » – une nouvelle façon d'interpréter les textes sacrés, dont Ebeling et Fuchs sont les chefs de file. Il lui donne des brochures et lui conseille des lectures, dont le *Jésus* de Bultman, paru en 1968.

Annie se sent quelque peu dépassée par toutes ces lectures. C'est la plus concrète des deux, celle qui se charge de bien des tâches quotidiennes, même si elle partage aussi l'horreur du ménage. Annie retrouve au début de 1970 quelques patients pour commencer sa pratique d'une nouvelle

approche des enfants autistes, par l'affection sans faille, la
chaleur et la patience. Bien qu'elle s'efforce de suivre son
amie dans toutes les directions, la théologie n'est pas de son
ressort. Elle en conçoit de l'amertume envers sa propre défi-
cience. Jeannine écrit sous l'influence des lignes de Denis
Vasse : « « Bénédicte » aussi se questionne sur le plan religieux, mais autrement que moi – et cet autrement lui ferait
vite croire qu'elle est dévalorisée à mes yeux, alors que je
l'aime *Différente* et *autre*. (...) Je voudrais tellement qu'elle
trouve sa route personnelle, sans loucher sur la mienne qui lui
semblerait meilleure. En tout cas j'ai besoin de solide nourriture spirituelle et religieuse, autre que du moralisme ou de la
religion universaliste à un prix de soldes. J'ai besoin de
connaissance, de savoir, même si j'ai aussi besoin d'existen-
tiel. » Quelque dépit que Jeannine en éprouve, Annie l'aime
de lui montrer la voie. La suivre aveuglément, dans la symbiose et non dans la différence, est une constituante primor-
diale de leur couple, spirituellement aussi. Elle ne dément
personne qui l'appelle « sœur Annie ». Les religieuses des
couvents qui les accueillent connaissent la vérité, mais lui
concèdent ce titre par affection, et en raison des vœux de tertiaire qu'elle a quand même prononcés. Elle est la sœur, la
petite, celle qui accepte un modèle, bien que, dans son propre
domaine, elle ouvre des voies inusitées. Jeannine ne peut que
l'y encourager et la soutenir, mais pas la conseiller. « Vous
devez devenir indépendantes et rester différentes dans la for-
mulation religieuse de vos vies, tout en fortifiant votre unité,
votre communion », leur conseille le professeur Cloes, ami
chrétien qui aborde leur couple de façon fine et constructive.
Lorsque la foi de Jeannine chancelle dans la tristesse à
l'approche de Pâques, Annie réagit sainement : « Évidemment, dit-elle, ayant tout mis par terre, il n'est pas étonnant
qu'il ne reste rien ! » Jeannine écrit que sur ces hauteurs, personne ne peut la suivre, qu'elle a atteint la limite de sa capacité de solitude, qu'elle est prête à redevenir conformiste
pour ne plus être seule, mais qu'elle ne le fera pas car il est
dans son tempérament de toujours courir derrière la Vérité...
Pauvre Annie. Elle n'invente pas toujours les raisons de son
complexe d'infériorité. Ces temps-ci, sa santé vacille, elles
envisagent une opération de la colonne vertébrale. Elle rece-
vra tout de même une preuve d'amour sous forme d'une
chanson : « J'étais pauvre, sans amour et sans joie, Mais tu as

mis l'amour sous mes pas, J'étais triste, je n'avais aucune foi,
Mais tu as mis le bonheur sous mes pas... »
Les deux disques pour les enfants commencent à se vendre.
Les journalistes sollicitent Sœur Sourire à la radio, certains
viennent la voir chez elle. Elle supporte mal les longues interviews d'une ou deux heures, qui l'épuisent nerveusement,
tant elle se sent vulnérable et sur la défensive. De plus, ils
reviennent pour prendre des photos, et elle doit sourire sur
ordre quand elle voudrait pouvoir les chasser. Après leur
départ, elle dort une heure entière.

Début avril, elle signe un contrat avec Hébra, ce qui n'est
pas dans ses habitudes, mais ne portera que sur deux ans. Ses
chants pour enfants sont enregistrés le 29 du même mois, et
elle prévoit pour le 5 mai l'enregistrement de chants pour
adultes. Les finances ne vont pas mal : elle passe son permis
de conduire et s'achète sa première voiture, une Daf, qui fait
à Annie l'impression d'un jouet. « Jouet à conduire pour
artistes distraits ! » s'inquiète Sœur Sourire. Un proche avoue
qu'elle est une « tueuse » au volant. Au point qu'elle est obli-
gée de prier avant de monter en voiture pour demander au
ciel de la prudence. Elles ont maintenant chacune leur propre
moyen de transport. Dans les temps futurs de disette, elles
regretteront amèrement ce luxe. Le week-end, elles sil-
lonnent les routes : retraites, communions, visite à des
consœurs bénédictines, sessions d'études en Belgique et en
France, on les voit partout. Dans un hôtel, les serveuses
demandent un autographe sur des photos de Sœur Sourire.
La gloire locale continue longtemps.

Au printemps 1970, elle compose quatre titres particulièrement nerveux : *Les Mères*, *Le Monde majeur*, *Les Conservateurs*, et *Le Temps des Femmes*. Le premier couplet des *Mères*
résume en dix lignes le ressentiment de Jeannine pour toutes
les éducatrices :

Les mères nous enlacent
Nous bercent, nous pourchassent
Nous élèvent en flacons
Bouchés sur l'horizon
Les mères qui sont trop sages
Nous forment aux traditions
Conformes à leur image
Belles manières vieilles façons

Refrain : Cherchez une mère qui soit maman
Rares sont celles qui ne sont pas tyrans.

Et pour en finir avec la dernière des Mères, la chanson change de titre, devient *Notre Mère l'Église*, et le premier couplet se modifie :
O toi qui nous enfantes
Sans notre volonté
Ta tendresse est absente
L'histoire en sera frustrée
O toi qui nous enlaces
Nous berces nous pourchasses,
Nous élèves en flacons
Bouchés sur l'horizon.
Refrain : Ma pauvre mère crois donc en nous
Le monde espère des êtres vivants debout.

La Sabam n'a pas donné de numéro d'enregistrement à ce texte, qui, pour malhabile qu'il soit, a le mérite cathartique de faire progresser Sœur Sourire un peu en dehors de l'obsession qui la ronge d'avoir été étouffée par Gabrielle. Dans la foulée, elle règle ses comptes avec l'Église catholique, Église dont le monde n'a plus besoin puisque, ainsi le voudrait l'ancienne nonne, il est parvenu à maturité et peut se gouverner seul. Elle la voue aux gémonies avec la chanson *Le Monde majeur*, dont le refrain est : « Constantin est crevé pour l'éternité ohé (bis) ». Il s'agit bien sûr de l'empereur Constantin qui imposa l'Église catholique à tous ses États. Sous le même numéro de Sabam, on trouve *Les Conservateurs*, dont le refrain à lui seul donne le style : « Les concons, les concons, les conservateurs. » « Ils font bâiller le monde entier, Ces gens froussards, ces attardés, Ces gens craintifs, ces gens frileux... » commence le premier couplet. Quant au *Temps des femmes*, l'acrimonie vengeresse ne faiblit pas dans les cinq couplets, dont voici le deuxième :

« Si tant d'épouses sont déçues de leurs noces, C'est que vous êtes hussards plus que maris, L'Homme des Cavernes, votre ancêtre féroce, Surgit en vous à l'ombre de la nuit ; Femme au foyer, femme cloîtrée, traite des blanches, Et l'entretien de la prostitution, Voilà le fruit de vos incompétences, Voilà le fruit de vos bonnes intentions ! »

Ainsi en quelques semaines, Sœur Sourire s'est vengée des Mères, de l'Église, des hommes, et pratiquement du reste du monde. Si bien vengée, qu'elle est proche de l'apaisement, du pardon envers sa mère. « Maintenant, il me semble comprendre que si j'ai reçu un tempérament d'artiste, c'est à ma mère en quelque sorte que je le dois. Sans ce conflit originel, j'aurais peut-être été une personne conformiste, sage, sans fantaisie. Or, je sais que mon tempérament artistique me laissera toujours marginale, toujours un peu au-delà et en deçà des autres, des groupes humains constitués, des structures. Je dis secrètement merci à ma mère même si beaucoup de souffrances ont dû me mener à cette réflexion et à cette conclusion. » C'est un très grand pas dans la vie de Jeannine Deckers. Même si le mot « artiste » auquel elle tient est plutôt un fourre-tout, cette approche positive de sa souffrance lui a apporté un apaisement considérable. Ses maux de tête disparaissent dans le même temps. Le dernier changement de médicament a pu y contribuer, mais pas autant qu'une réconciliation, fut-elle seulement intérieure.

A la fin du printemps 1970, l'approche de l'opération d'Annie, qui doit subir une greffe osseuse dans la région lombaire, crée une tension grandissante dans leur foyer. Jeannine redoute les six mois de convalescence qui feront d'elle une garde-malade, et lui laisseront la charge entière de la maison. Elles préparent leurs vacances de façon qu'Annie, qui ne peut plus marcher une demi-heure sans souffrir, puisse se reposer complètement avant d'entrer en clinique.

Le réalisateur De Renesse a contacté Sœur Sourire fin mai pour tourner un petit film de quatre minutes pour la télévision allemande. Il a lu son livre, *Vivre sa vérité*, et s'est montré très appréciatif. Aux désirs de la jeune femme de rencontrer des artistes, il répond concrètement : pourquoi ne rend-elle pas visite à l'équipe de Maurice Béjart, le chorégraphe ? Il a installé rue Bara à Bruxelles un lieu de travail et de rencontres. Elle y ferait la connaissance d'artistes de toutes disciplines et de toutes nationalités, danseurs bien sûrs, musiciens, écrivains et gens d'images. Le centre comporte également une salle de méditation où chacun peut pratiquer sa religion comme il l'entend. La description du réalisateur ressemble à un rêve éveillé de Sœur Sourire. On s'attendrait à la voir s'exclamer de bonheur, et à courir rue Bara avec sa guitare. « Je crois bien que j'irai voir de ce côté ce qui se passe », écrit-elle. Elle n'en fait rien, mais continuera d'en rêver. Pourtant l'année a bien commencé, elle n'est pas surchargée de travail contraignant, sa carrière continue, elle se sent plus solide, et pourrait commencer à puiser en elle-même la force de passer à l'acte. Cette force-là, on ne l'acquiert pas toujours.

Le 19 mai, elle enregistre quatre nouvelles chansons pour adultes, et quatre chansons pour enfants en anglais, ce qui n'est pas simple car elle ne maîtrise pas la langue. Le travail en studio la stimule beaucoup. Et le samedi 6 juin, elle tourne toute la journée pour les quatres minutes de télévision allemande. Annie est avec elle. On les voit à la piscine, au supermarché, dans leur appartement en train de prier ou de faire la vaisselle, à l'école où Sœur Sourire donne ses cours de religion, entre les hêtres magnifiques de la forêt de Soignes, et même sur la scène pour un concert au profit des Jeunesses ouvrières chrétiennes qu'elle devait donner le soir même. En rentrant chez elle, Sœur Sourire apprend qu'on lui propose une tournée sur les plages de France pendant l'été. Elle se dit enchantée, mais refuse. Elle allègue que ses vacances en seraient amputées. Le souvenir cuisant de sa seule tournée au Canada, l'épuisement, les boîtes sordides, sont encore présents à sa mémoire. La perspective de la balade annuelle avec Annie au soleil de France, véritable rite, l'emplit de joie, surtout à la lumière de la prochaine opération de son amie, et elle n'a pas vraiment besoin d'argent. Le dernier week-end de mai, elles s'offrent un hôtel de luxe, le château de Saint Roch, dont le guide Michelin, qu'elles ne quittent plus, vante la beauté et le calme de son parc. Malchance : deux ou trois cents personnes dînent ensemble dans la salle à manger du château à la faveur d'un rallye automobile.

La Daf les emmène le 1er juillet vers les Alpes. Jeannine est libre et heureuse : les chansons pour adultes viennent de sortir, elle ne doit pas reprendre ses cours de religion à la rentrée, et pourra tout à fait se consacrer à sa petite carrière et à sa compagne. Elles font plusieurs étapes pour ne pas fatiguer Annie. A la frontière franco-belge, les douaniers demandent à Sœur Sourire un autographe ; les hôteliers de Bar-le-Duc lui réclament un disque dédicacé... le public de Sœur Sourire jalonne sa route. Elles avaient réservé à Pâques une chambre dans une maison de famille à La Grave, dans le massif de l'Oisans, construite en face du massif de la Meije. Les familles, c'est souvent plein d'enfants, et le bruit de leurs jeux agace Jeannine, qui se renfrogne. « Tu es asociable, lui dit Annie. Ça n'est pas en restant dans son coin qu'on peut rendre témoignage comme Dominicaine consacrée. » « Tu as raison, mais c'est plus fort que moi, réplique Jeannine. » « Seigneur, écrit-elle face aux montagnes, aide-moi à être proche, accueillante, sœur universelle... J'ai faim de Dieu, faim de vivre en Dieu, de partager Dieu aux autres, et cette faim est ma crucifixion. Je ressens profondément mes limites, ma difficulté de partager Dieu aux autres. Il semble que je n'y réussisse que dans la chanson. Alors, oui, je sens que quelque chose passe. »

Elles rentrent à Wavre début août, défont les valises des vacances et préparent celle d'Annie. Dans la soirée du 5 août, Jeannine la conduit à la clinique Saint Jean, rue du Marais à Bruxelles, et l'installe dans la chambre 732 pour quinze jours. Le lendemain à huit heures du matin, Annie est opérée : elle subit deux greffes osseuses dans la colonne vertébrale. Elle se réveille en pleine douleur. La piqûre anesthésiante est administrée toutes les quatres heures, et n'agit que pendant une heure et demie. Jeannine est bouleversée, Annie ne se plaint pas, reste calme, immobile. Quand elle s'endort, Jeannine se rend à la chapelle de la clinique, endroit sombre éclairé chichement de quelques lampadaires. Dans un coin, un groupe de religieuses annonent un office en flamand. Écœurée, Jeannine n'interrompt sa garde que pour les repas au self-service, et dort chez une amie en ville. Le matin, elle apporte fleurs et friandises. Les cinq premiers jours sont affreux pour Annie, et Jeannine assiste à sa souffrance pleine d'impuissance. Puis la douleur cède du terrain. Le 20 août, elles rentrent à l'appartement en ambulance. Annie doit porter un lombostat post-opératoire, sorte de carcan rigide, rester couchée toute la journée, et se lever cinq minutes de plus chaque semaine. Elles s'organisent : toilette matinale, soins, déjeuner, courses, repas, travail de bureau, visites, office : elles communient le dimanche, et parfois en semaine. Quelqu'un doit remplacer Jeannine au chevet d'Annie quand elle va chez sa thérapeute, au récital d'Anne Sylvestre le 10 octobre, avec qui elle sympathise, à une conférence donnée le 23 octobre par Mgr Suenens, cardinal belge, sur l'avenir de l'Église. « Personnage déplaisant qui se prend au sérieux », écrit-elle.

Peu après la rentrée scolaire, les religieuses de Wavre lui demandent de prendre en charge l'animation musicale des primaires le mercredi. Elle n'en a aucune envie. Par chance, à l'examen, ses diplômes s'avèrent insuffisants pour l'enseignement primaire. Sœur Sourire respire. Elle prépare son propre récital, qui a lieu le 25 octobre à Laeken. C'est un bon succès : pas de trac, deux rappels « à battements de pieds et de mains », séance de signature à l'entracte et bonne vente de disques – et de son livre, qu'elle écoule ainsi malgré la mévente en librairie. Pendant l'été, elle a reçu un relevé de droits d'auteur des éditions Desclée & Cie, qui fait état pour la période du 1er août 1969 au 30 juin 1970 de 173 exemplaires vendus en Belgique, 226 en France et cinquante et un à l'étranger, (la France n'étant pas tout à fait l'étranger), soit 450 exemplaires vendus en un an, deux ans après la parution du livre. C'est honorable. Cela lui rapporte 5 400 francs belges, soit environ neuf cent francs français. Début novembre, *Paris Match*, le magazine à sensations fortes, vient faire un reportage, où elle espère n'être pas trop maltraitée. Mais la garde d'Annie la fatigue et lui pèse, le médecin finit par prescrire des remontants pour toutes les deux.

Est-ce l'effet des remontants ? Une nuit d'insomnie, l'idée lui vient d'être diaconesse, c'est-à-dire de prendre en charge certaines fonctions ecclésiastiques dans la paroisse. C'est encore un statut intermédiaire entre les laïcs et les religieux, disparu depuis longtemps malheureusement, de ceux qui plaisent à Sœur Sourire. Elle pense que cela lui permettrait de lire les textes sacrés pendant les offices, ce qui est maintenant autorisé aux religieuses dans les ordres, mais pas encore aux Tertiaires. Elle souffre d'être tenue à part du déroulement des messes, de s'asseoir en spectateur pour regarder les hommes officier – on voit leur visage depuis peu, ils ont contourné les autels, ne montrent plus leur dos aux fidèles. L'équipe liturgique, dont elle avait suggéré la création au doyen, s'est constituée sans elle. Jeannine comptait sur cette équipe pour créer des liens, ceux que le doyen lui reprochait de ne pas avoir dans le voisinage. Le statut imprécis des deux femmes les marginalise forcément dans l'Église, dont elles voudraient tout de même être des membres actifs. A trente-sept ans, Jeannine pleure d'isolement. Quelques jours plus tard, le doyen vient chez elles et les écoute. Le diaconat, il le repousse d'emblée. Mais il propose à Annie de faire la caté-chèse des arriérés mentaux, et à Jeannine d'intégrer l'équipe liturgique – et elle se plaint le soir même d'être remise dans les rangs ! Le lendemain, un prêtre vient célébrer la messe à l'appartement. Les deux femmes choisissent les textes, et se réjouissent ensemble.

Vers la fin d'un rêve éveillé en novembre, elle perçoit non plus des situations concrètes mais des couleurs et des sensations pures. D'après Édith V., c'est le signe de la fin de la psychagogie : les idées sont intégrées, vécues, elles ne sont plus seulement esthétiques. Dans cette thérapie, sa foi a occupé une grande place, la disputant au début à la Dame en noir avec son regard terrifiant. Elle en sort renforcée. En l'espace de deux ans, elle a beaucoup progressé à l'intérieur d'elle-même, sa foi a évolué avec la même force. (Elle cite volontiers cette phrase platonicienne de Denis Vasse [1] : « L'homme n'est saisi par Dieu que s'il travaille à la connaissance de soi. ») Mais les idées de Sœur Sourire sont loin d'être toutes vécues ou intégrées : « Mon idéal est de faire rencontrer Dieu par la culture et par l'art ; de personnaliser les gens en Dieu ; c'est cela ma façon d'être chrétienne. » Qu'est-ce que cela peut bien signifier ? L'émotion esthétique prendra toujours le pas en elle sur l'émotion spirituelle. Le spectacle de Béjart du 29 novembre : *L'Oiseau de feu,* les *Noces,* de Stravinsky, et le *Boléro,* de Ravel, qui ont valu au chorégraphe une gloire internationale, lui donne envie de hurler son admiration et son bonheur. Cette même sensation, elle la demande à sa foi, qui ne peut pas la lui donner.

Le 15 décembre, Annie a le droit de s'asseoir dans son lit, après quatre mois et demi de station allongée. Elle a grossi de douze kilos. Quelques semaines plus tard, elle se remet péniblement à conduire. Le plus difficile est de rester debout, elle en éprouve tout de suite des maux de tête. Mais elle peut se rendre à la messe de minuit à Noël, avec son nouveau corset de coutil. L'office les déçoit par son conformisme folkloriste. (Annie a également suivi la même psychagogie chez la même thérapeute.) Elles célèbrent ensemble l'an nouveau par une journée de prière, dans une communion très forte de leur amitié et de leur foi.

Entre janvier et août 1971, il n'y pas trace de journal. Le ton des entrées à partir du 8 août laisse supposer que l'année a été très éprouvante. Les phrases sont courtes, les points de suspension les finissent sans les clore, il n'y plus d'allant. Pourtant, les deux amies se sont accordé en février trois semaines de repos à Almeria, en Espagne. Elles ont pris

---

1. Denis Vasse, *Le Temps du désir,* Le Seuil, 1969.

l'avion de Bruxelles à Madrid et ont loué une voiture sur place. Au retour, Sœur Sourire a chanté *Dominique* à l'heure de l'apéritif au bar de l'hôtel Barajos, près de l'aéroport de Madrid, et accordé une interview à la presse espagnole. Le journaliste, José Manuel Sagaldo, était très bien informé des détails de la vie de l'ancienne star. Il s'est étonné de sa façon de parler presque infantile, mais pas des quelques cigarettes qu'elle fumait. On apprend que Sœur Sourire était blonde ce jour-là, que les deux femmes étaient vêtues d'un pantalon noir et d'un chemisier noir et blanc, et qu'elles étaient très surprises du luxe de cet hôtel de passage.

De retour à Bruxelles, Sœur Sourire prend des cours de guitare, donne des cours de guitare et des récitals de chansons. Elle enregistre de nouveau *Dominique* et *Le Soleil* aux studios Leponce à Bruxelles, pour un 33 tours. Annie a pris la photo de couverture, qui représente l'abbaye de Maredsous. L'orchestration à l'orgue électronique déplaît à Sœur Sourire, elle la trouve agressive. Elle se dit anxieuse et oppressée. Elle se plaint de troubles nerveux et digestifs, de nausées, et accuse la tension et la fatigue des derniers mois. Les vieilles migraines reprennent leur place. En septembre, elle part dans le sud de la France pour son voyage annuel avec Annie, qui peut supporter la route en voiture, et un couple d'amis avec leur bébé Anne. Ils séjournent à Saint-Martin-Vésubie, visitent les environs, Nice, Saint-Paul-de-Vence, les gorges de Daluis, Menton. Puis les deux femmes s'installent à la pension La Gardiole, au Cap d'Antibes, et se promènent dans l'arrière pays, Vallauris, Grasse, Cagnes, les Gorges du Verdon. Elles se lient d'amitié avec l'équipe de direction de l'hôtel, et débattent avec eux de leur vie communautaire, de leurs projets.

Les phrases de Jeannine sur sa nouvelle joie de vivre à la rentrée ne sont pas convaincantes. Elle reprend des cours lors d'une session à la Faculté de théologie de Louvain. Psychologie religieuse, Bible et cathéchèse, Synthèse du message chrétien. Le 17 octobre, une réception est organisée pour elle à l'Association des Ecrivains Wallons, elle y chante quelques chansons à la guitare. Puis elle se rend à un baptême où elle rencontre le doyen de Wavre. Elle lui fait part de son désir de se joindre au groupe de femmes qu'il vient de constituer, qui préparent les parents des futurs baptisés. Ces femmes sont des mères de famille, qui rendent visite aux accouchées, les convainquent d'attendre quelques mois avant de baptiser l'enfant, font connaissance, papotent, se revoient, échangent des idées de layette et des conseils de soins, et éventuellement laissent des brochures et commencent à expliquer la signification du baptême. Ainsi les liens se créent entre les familles et la communauté catholique. Les envies de Sœur Sourire sont plutôt d'ordre missionnaire. Elle souffrirait tout de suite dans cette atmosphère familiale. « Elle n'avait pas la fibre pastorale, malgré son désir impuissant de s'insérer », témoigne le doyen. « Les gens sont comme ils sont, n'est-ce pas ? Elle était quelque peu épouvantée de sa différence. » Envers les mères de famille, sa peur se traduit en mépris, et elle supporte mal les petits enfants. Au bout du compte, raisonnablement, elle écrit des textes sur le baptême qui sont distribués aux jeunes parents.

On lui propose de participer avec sa guitare à la chorale paroissiale de Saint-Antoine, à Wavre, pour attirer du monde à la messe. Elle ne refuse pas, bien que cela lui semble un peu louche. Finalement, elle y entraîne Annie, trois autres guitaristes, et bouscule la chorale dans ses habitudes. Le week-end suivant, Annie et Jeannine se rendent chez les dominicaines contemplatives de Herne, en recollection. Ensemble, elles mettent en perspective leur vie communautaire, font le tour de leurs attitudes. Jeannine reconnaît trop s'imposer à Annie, dans son rythme de vie et de prière. « Annie est liée à ma vocation religieuse en son centre même, écrit-elle. Elle est la petite sœur de choix, élue, choisie pour partager ma vie de consacrée. Et cette amitié aussi demande à être vécue en pleine conscience, en pleine clarté, évoluant sans cesse vers plus de vérité, plus de communion. Annie est signe et sacrement du Seigneur pour moi. »

« Partager ma vie de consacrée » : sans aucun doute, Annie partage la vie de Jeannine, l'inverse viendra un peu plus tard. De ce week-end, leur tendresse mutuelle revient fortifiée. Pleine d'optimisme, Sœur Sourire présente le concours de composition pour l'Eurovision 72 avec une chanson pour Serge et Christine Ghisoland. Mais le moral ne suit pas. Son médecin lui prescrit du Témesta pour calmer son angoisse. Elle reprend les rêves éveillés.

La thérapeute lui laisse espérer qu'elle peut guider les autres vers la lumière, grâce aux commentaires des textes de la messe qu'elle rédige pour les parents des futurs baptisés.

Elle tient toujours beaucoup à éduquer le monde, ce que ses collègues de l'équipe des responsables de la pastorale ne prennent pas toujours très bien. Quelques jours avant Noël, Sœur Sourire fait le voyage de Paris pour essayer de placer le deuxième tome de son journal. Jean Sulivan, auteur de *Car je t'aime, ô éternité*, aux éditions Gallimard, lui conseille de se libérer des dates et des comptes rendus de lecture (Mallet-Joris, Guy des Cars,...) et d'aller voir aux éditions du Seuil ou au Centurion. L'année se termine sur le plateau de l'émission du réveillon de l'ORTF, animée par Philippe Bouvard, présentateur connu pour sa verve sans pitié. Sœur Sourire n'a pas peur de lui, s'amuse même de ses piques. Devant quelques millions de téléspectateurs, elle est tout à son aise.

Mais quand, début janvier 1972, un prêtre qu'elle rencontre doute de l'existence de Sœur Sourire, en insistant, comme les supérieures du couvent, qu'elle n'est véritablement que Jeannine Deckers, et que l'autre est un personnage publicitaire, elle se rebiffe. Elle accuse les gens d'Église d'avoir peur de sa notoriété, et d'en éprouver de l'amertume. « J'ai assimilé le personnage publicitaire et je ne fais qu'un, je suis à la fois Jeannine D. et Sœur Sourire ; oublier l'une des deux est comme une mutilation ; et je m'y refuse. »

Son contrat de disques lui pose des problèmes. Elle s'est plainte plusieurs fois de ne pas travailler suffisamment avec la France, bien que M. Checkler, son producteur pour ce pays, y mette plus d'entrain que son agent belge. Fin janvier, un coup de téléphone de Paris lui annonce enfin qu'elle va pouvoir travailler avec Lem Records. En février, elle écrit à Jean Darlier, chez la New Music Corporation, pour résilier son ancien contrat. Son nouveau contrat est en route début mars. M. Checkler devient son producteur mondial, mais Jean Darlier garde la sous-direction pour la Belgique et la Hollande jusqu'en avril 1974. Il bénéficie de cinq pour cent sur le prix de vente en gros hors taxes des disques sortis sous la marque Lem Records jusqu'aux même dates. Son avocat en 1972 est maître Humblet. Malgré tout cela, elle pleure souvent pour des motifs variés que séparément elle parvient à relativiser, comme la baisse de ses revenus annuels. Les dialogues d'amour avec son Dieu ont seuls le pouvoir de l'équilibrer. Il la réveille un matin « à la fine pointe de l'âme », selon l'expression de Ruysbroek, pour la bercer de sa riche et dense présence, comme il la pêchait à la ligne à Wenduine les nuits de vent, et l'emplit de douceur et de force.

Fin février elle retourne à Paris avec Adèle sous son bras, sa fidèle guitare, pour une autre émission de télévision, Télé-Midi, cette fois en compagnie du chanteur Nino Ferrer. On lui assure que c'est la meilleure émission qu'elle ait faite jusqu'ici. Elle se réjouit de faire des progrès devant les caméras. Annie aussi va à Paris, pour des sessions de psychomotricité. Mi-mars, un groupe culturel d'Ypres invite Sœur Sourire pour une « causerie-récital-débat ». Elle se plaint du trac devant un petit groupe tout acquis ! Seule dans une ville reconstruite, et dans son hôtel battu par les cloches, elle attend avec impatience le week-end sur la côte belge, ses balades sur la plage venteuse, le petit hôtel dans les arbres, où Annie la rejoint pour deux semaines de vacances. Puis, fin avril, elles célèbrent avec quelques amis le troisième anniversaire de leurs vœux communs, que Jeannine nomme « consécration religieuse », chez leurs sœurs contemplatives de Herne. Cette fête de leur amitié n'empêche pas les heurts entre elles. Annie pleure de la dureté de sa compagne. De leurs réconciliations, elles puisent toujours plus de tendresse. « Annie, je la veux tout entière. » « Comme elle est forte et affectueuse notre communion ! »

Leur médecin traitant accuse le climat belge de provoquer de graves rhumatismes à Annie, et découvre que l'arthrose cervicale est à l'origine des migraines quotidiennes de Jeannine. Mais les deux femmes ne sont pas prêtes à abandonner leurs amis pour s'expatrier dans le midi de la France. La solution intermédiaire leur plaît davantage : six semaines par an dans un pays sec. C'est déjà dans leurs habitudes.

Avant de partir en vacances, Sœur Sourire descend à l'hôtel Régence-Etoile à Paris, pour préparer l'enregistrement de ses chansons. Après le travail de la journée, la trépidation de la ville l'épuise totalement. Au bout de deux jours, elle enregistre pour de bon.

Leur second séjour à la maison de famille de La Grave, dans le massif de l'Oisans, où elles partent avec un couple d'amis, leur fille Anne et une nommée Brigitte, leur laisse un goût amer : brusquement, en plus du mauvais temps, la douche commune à tout l'hôtel leur apparaît incommode et sale, les repas trop simples, le bruit insupportable. Jeannine se sent loin d'Annie, qui partage son attention entre les membres de leur petit groupe. Pour se consoler, elle cite Rilke : « Une seule chose est nécessaire : la solitude. La grande solitude intérieure. Aller en soi-même et ne rencontrer durant des heures personne, c'est à cela qu'il faut parvenir. La solitude n'est pas une chose à prendre ou à laisser, nous sommes solitude. Nous pouvons donner le change, faire comme si cela n'était pas, mais c'est tout. » Elle donne quand même un récital pour les vacanciers, et tout le monde change d'hôtel pour s'installer à Combloux en face du Mont-Blanc, où elles reviendront l'année suivante. Avant de rentrer à Bruxelles, les deux femmes s'offrent un week-end ensemble à Paris, et courent les musées.

Début octobre, lors d'une récollection chez les dominicaines d'Enghien, Jeannine rencontre une jeune Française qui a créé des équipes missionnaires dans le milieu du travail. Elle lui fait part de son expérience, qui n'est pas unique en France. Elles évoquent le nom de Madeleine Delbrel, qui serait à l'origine de ces initiatives. Jeannine se pose de nouveau la question de l'utilité d'un religieux préposé à leur écoute, dont elles pourraient suivre les conseils. Elle éprouve la perspective de rattachement à un Institut Dominicain Séculier comme une recherche de sécurité menaçante pour son indépendance, bien qu'elle souffre du besoin de soutien et de règle de vie plus construite. « Notre vie spirituelle est trop bourgeoise, écrit-elle, on prie ou on ne prie pas selon notre humeur. » Sa thérapeute et son médecin lui conseillent de valoriser son indépendance. « J'aime peu les autres parce que j'en ai peur. J'ai peur d'être « dévorée » moralement par eux. »

D'octobre 72 à mai 73, Jeannine est occupée par des recollections, des sessions de formation, des conférences, et par son travail dans la paroisse de Wavre. En mai, elle participe à un recyclage théologique organisé par le Centre de Formation Permanente de Liège, avec plus de cent cinquante prêtres, et une vingtaines de religieuses et de laïcs. Elle crée de nouveaux liens avec des abbés sympathiques et ouverts, qui l'écoutent et s'intéressent à son travail et à sa recherche. L'un d'entre eux lui donne encore des adresses d'artistes, de centres culturels, l'encourageant à passer à l'acte et à partager son talent. L'été arrive, elle n'en fait rien, elle se traîne à la maison. Annie se fait opérer des amygdales le 13 juillet, et Jeannine s'effondre. Elle ne supporte pas la souffrance de son amie. Elle la regarde, à peine remise, faire les valises pour leur départ dans les Alpes, à Combloux. Les vacances se ter-

minent par une session d'études à Fanjeaux, où saint Dominique fut curé quelques années. Mais la dépression ne lâche
pas. Au retour, la seule vue du psautier, où puisent tous les
chrétiens du monde pour la prière, lui donne des haut-le-
cœur. Elle écrit au doyen de Wavre pour lui demander « son
aide paternelle et sereine », et sa visite, qu'elle ne souhaite
plus aussitôt la lettre expédiée. Avec l'automne 73, la situation se dégrade terriblement. Elle commence à prendre
l'habitude d'avaler des médicaments pour tenter de combler
son angoisse, depuis l'aspirine à grosses doses, les sulfamides,
jusqu'aux calmants, dont elle voudrait déjà pouvoir se passer
sans y parvenir, mais qu'elle ingurgite plusieurs fois par jour.
Elle surveille sa température de façon maniaque, se couche
dès qu'elle dépasse 37° 5. De nouveau, comme en 1969, l'idée
du suicide fait surface. Les finances vont mal. Elle ne peut
remettre les leçons de guitare qui lui pèsent, car elles ont
besoin du moindre billet de cent francs (environ quinze francs
français). Le manque d'argent produit sur elle des effets calamiteux. Elle vient de fêter son quarantième anniversaire, elle
grossit, et ne voit pas beaucoup de perspective dans le milieu
catholique d'où elle ne peut pas s'extirper, qui la sclérose. Les
heures quotidiennes de relaxation produisent un effet très
court, surtout quand elle attend les journalistes du *Soir illustré*, ou qu'elle doit partir en Suisse pour un seul récital, à
Lucerne. La thérapie avec Édith V. piétine.

Hector Marcus titre son article du *Soir illustré* d'octobre 73 : « Sœur Sourire revient ». A « Dominique-nique-
nique » succèdent les « con-conservateurs ». Ironie mordante ? Il semblerait que non ! Sur deux pages, il inclut deux
photos : la jeune sœur Luc-Gabriel assise, voilée, portant de
fines lunettes rondes, jouant de la guitare et chantant devant
un mur noir et blanc de consœurs aux bras croisés, debout
derrière elle. Et la nouvelle Sœur Sourire, brune, les cheveux
courts et laqués gonflant le haut de sa tête, les lunettes rectangulaires dans des cadres épais, en col roulé à côtes minces,
avec au tour du cou une chaîne très fine qui retient sa croix
dominicaine. Elle ne paraît pas quarante ans. Son œil gauche,
tendu loin devant elle, brille dans le vague, tandis que le droit
regarde sans crainte le journaliste à qui elle répond. Sa lèvre
inférieure a gardé la rondeur enfantine qui la rendit presque
jolie sur certaines photos de Luc Dominique. Marcus retrace
l'éternel historique du succès des années soixante, chiffres à

l'appui, fait parler Sœur Sourire des motivations qui l'ont amenée au couvent, de sa nouvelle situation; il confond sœur Luc-Gabriel et Luc-Dominique. «J'écris toujours pour les petits, et là je pense être restée la même, lui dit-elle. Mais pour ce qui est des autres chansons, Dieu n'y est plus présent comme auparavant. C'est-à-dire qu'il y est toujours présent, mais au deuxième degré.» Sœur Sourire affirme qu'elle s'est lancée dans la rédaction d'une étude de psychologie, «gros travail qui exige une parfaite mise au point». Parle-t-elle en termes élogieux des notations systématiques dans son journal de ses rêves éveillés? Elle lui dit ne pas aimer la scène, trop contraignante et trop fatigante. «Du reste, ajoute-t-elle, si je voulais faire de la scène, il me faudrait un imprésario. Or, je n'en ai pas. Si je me mettais en tête d'en avoir un, je doute même de le trouver. A une certaine époque, où je pensais encore me produire en public, plusieurs ont refusé en tout cas de me prendre sous contrat.» Il n'y a pas de traces de ces contacts avec des imprésarios.

Le doyen de Wavre ne relâche pas son amitié. Il l'écoute, et partage avec elle ses propres difficultés. Comme envers tous les hommes, spécialistes en leur domaine, qu'elle admire et chez qui elle cherche conseils et appui tous azimuts, elle ne peut s'empêcher de désirer sa tendresse – en rêve – et de s'imaginer la séduction possible. D'être écoutée, elle se figure tout de suite être comprise, adoptée, et voudrait qu'on la suive sans réserve dans ses contradictions. Le doyen ne croit pas à sa qualité d'artiste, bien qu'il lui reconnaisse quelque talent, ni à son statut religieux intermédiaire. Mais il l'aide à «mettre des queues aux notes», comme elle le lui demande, c'est-à-dire à transcrire en écriture musicale correcte les brouillons de chansons qu'elle lui apporte. Pour lui, elle est l'une de ses dix mille paroissiennes, il la réconforte à ce titre. Pour elle, c'est déjà un ami intime. De même le docteur A., son généraliste. Elle lui avait demandé conseil dans un domaine qui n'est pas le sien, lorsqu'elle hésitait à joindre un Institut Dominicain Séculier. Elle s'est réjouie qu'il lui propose l'indépendance. Alors elle lui a apporté le manuscrit de son journal, encouragée par son attitude «paternelle et compréhensive.» Le docteur l'a lu, lui a donné son avis : certaines pages du journal pourraient se retourner contre elle – ses attaques contre l'Église, sa tendresse envers Annie. Folle furieuse, elle le traite en retour de «baratineur et moralisateur ». Elle accusera plus tard le doyen d'être « nul en psychologie », et s'en distanciera de même. Pour le moment, elle idéalise son nouveau professeur de piano, le compositeur Frédéric van Rossum.

Fin novembre, le doyen lui promet de lui rapporter ses impressions d'une réunion de prières des « Pentecôtistes » à l'abbaye bénédictine Sainte-Gertrude, à Louvain. Importé des États-Unis où les Baptistes (protestants) lui ont donné son essor, ce mouvement plus ou moins œcuménique s'appelle maintenant communément « nouvelles communautés chrétiennes » ou Renouveau charismatique. (Un charisme est un don particulier conféré par grâce divine ; certains se manifestent surtout lors des réunions de prières.) Le mouvement, qui n'est pas organisé de façon centrale mais comporte de nombreuses branches, compte sur la force positive et active de l'Esprit-Saint par la prière commune pour soulager les âmes et guérir les corps. La joie qui s'en dégage à elle seule forme un contraste saisissant avec les messes catholiques du dimanche. Les chants nouveaux imprégnés de belles mélodies juives sont ponctués de témoignages, d'applaudissements, de prières communes, de rires et de conversions spectaculaires, de confessions publiques, de divinations. Sœur Sourire, séduite par la sincérité et agacée par l'exubérance de ces réunions, « flaire le salut », mais ne s'engage pas tout de suite dans le mouvement.

C'est la seule note d'espoir de la fin de l'année 1973. L'année qui vient tient dans sa manche une catastrophe qui mettra douze ans à la tuer.

9

LE FISC ET LE RENOUVEAU

Le 12 mars 1974, dans la matinée, Sœur Sourire vide la boîte aux lettres n° 47 dans le hall de l'immeuble, et remonte à l'appartement par l'ascenseur. Parmi le courrier et les prospectus, une lettre du receveur des contributions de Wavre. Elle la décachette, et s'effare : il lui réclame 910 000 francs belges d'arriérés d'impôts pour la période 68-69. Plus de 150 000 francs français sur un an de droits d'auteurs, y compris les **intérêts** sur six ans, intérêts qui, dans ce pays-là, sont capitalisables. (En France, cela s'appelle de l'usure, et c'est interdit.) Le fisc a trouvé sa trace.

JE NE LES PAIERAI PAS, crie la jeune femme à son journal. Puis elle pense tout de suite à une action juridique, et à une visite au Roi pour un recours en grâce. Si l'on déduit les intérêts, il n'en reste pas moins que Sœur Sourire aurait dû toucher presque un million de francs français actuels de droits d'auteur pour la seule année 68-69, quatre ans après le succès de son premier titre, et tout à fait déliée de son vœu de pauvreté. On a vu que sa situation financière n'était pas mauvaise cette année-là. Quelque argent lui parvenait sûrement de l'avocat. A la sortie du couvent, Sœur Sourire s'est vantée à un journaliste d'avoir déjà vendu un million et demi de disques, d'avoir confié sa fortune à un homme d'affaires et de pouvoir s'acheter des manteaux de fourrure si elle en avait envie, mais de préférer plutôt donner son argent à des œuvres. Là non plus, pas de reçus. Les dernières pièces à conviction ont disparu avec sa mort.

Ça n'est pas la première fois qu'elle éprouve un tel choc. Mais ce jour-là, elle espère encore que le vieux différend avec

le couvent s'est tassé de lui-même. Lorsqu'elle rédige l'introduction au second volume du journal intime quelques
semaines plus tard, Sœur Sourire affirme qu'après deux ans
de psychothérapie, sa personnalité réelle a enfin pu voir le
jour. « Dans le premier volume de mon journal, j'ai volon-
tairement passé sous silence certaines difficultés où mon
couvent était en cause. Si j'ai agi de la sorte en 1968, c'était
parce que j'étais encore peu clairvoyante et que je ne voulais
pas donner l'image d'une ancienne religieuse révoltée,
aggressive ou ingrate », écrit-elle. Clairvoyante, elle l'est à
peine devenue. Aigrie par la gravité soudaine de la situation,
elle accuse sept ans trop tard ses supérieures de lui avoir fait
signer les papiers lui interdisant de garder son pseudonyme,
et le solde de tout compte les déchargeant de leurs dettes
envers le fisc :

« Malgré les énormes bénéfices que les Dominicaines de
Fichermont avaient réalisés grâce à mes disques, les télévisions, le film américain, les divers succès aux hit-parades, je
suis sortie du couvent avec cinquante mille francs belges...
Bien sûr on m'a proposé avec condescendance : « Vous
obtiendrez tout l'argent que vous désirez ». Mais je trouvais
cette proposition assez sordide. La conséquence de ce papier
est simple : les sœurs de Fichermont ont refusé de payer les
impôts qui leur incombaient pour la première moitié de
l'année 1966. »

« Pour la période de janvier à juin 1966, nous n'avons pas
payé les impôts, car dans le contrat conclu avec Sœur Sourire,
Sabam et Polygram, il était stipulé qu'elle nous quitterait le
1er juillet 1966, et qu'à partir de ce moment-là toutes les royalties qui arriveraient en retard, même celles qu'elle avait
gagnées en étant encore religieuse, lui seraient versées directement. Mais nous étions d'accord qu'elle paierait elle-même
les impôts sur ces royalties-là », explique sœur Marie-
Michèle, maîtresse des novices, dans une interview à la presse
en 1985. Les sœurs ont-elles essayé de mettre la jeune sœur
Luc au courant des réalités financières compliquées qui
l'attendaient à la sortie ? Payer elle-même les impôts ? Jeannine Deckers a-t-elle vu une feuille d'impôt pendant qu'elle
dépendait encore de Fichermont ? Elle n'a pas pu aller
jusqu'au bout et faire les chèques relatifs à ces feuilles si elle
n'a pas reçu les comptes. Il semble qu'en ce qui concerne ces
six mois-là, la prescription ait finalement joué.

Sœur Sourire admet avoir refusé de se battre pour obtenir une part du pécule abandonné, et oppose une passivité de victime aux exigences du fisc belge. Celui-ci ne se sent pas concerné par le contentieux entre le couvent et l'ancienne religieuse, puisque c'est la seule signature de Jeannine Deckers qu'il reconnaît. Fichermont est assimilé à une asbl, c'est-à-dire une association loi 1901. La loi belge proscrit les dons à cent pour cent à une asbl. A ses yeux, la signataire du contrat avec Philips est en faute si elle a abandonné ses bénéfices. L'engrenage se met en marche.

A ce point, l'absurdité règne déjà : l'avocat du couvent, l'ineffable Maître X, possédait sans doute au nom de Jeannine Deckers de quoi régler six mois d'impôts, puisque des terrains ont été achetés, au moins en Espagne et en Floride. Dans le cas de figure où cela n'eût pas suffi, ce qui est peu probable, une procédure d'enrichissement indu à l'encontre du couvent aurait permis de faire suffisamment peur aux religieuses, mises en face de leur maladresse quant à la gestion de l'argent (qui est abstrait puisque c'est celui des autres, de toutes, c'est-à-dire de personne), pour qu'elles acceptent de régler à l'amiable et définitivement un différend encore chaud. Mais avant d'être poussée dans ses retranchements, Sœur Sourire se trouvait dans l'incapacité psychologique d'attaquer son couvent. Ensuite, son avocat refusera d'engager la procédure : le fisc contre l'Église catholique, c'est une bataille de titans. Si quelque chose restait des bénéfices représentant au maximum 3 % de 90 % du prix de gros des disques, après une dispersion au petit bonheur entre les différents quémandeurs venus recueillir les mannes de *Dominique-nique-nique,* il n'en reste pas moins que Fichermont, et l'Église belge, pouvaient se permettre largement de régler cette dette sans se priver. Pour la charité, et pour l'honneur.

La dramatisation de sa situation ne fait pas peur à la jeune femme et l'enferre dans l'impuissance : « La porte du couvent fermée, je me retrouvais seule dans la vie. Sans aide et sans conseil. J'étais bien seule, et je quittais un milieu sécurisant : logement, repas, habits, soins et vieillesse assurés. Il n'était pas question de rejoindre mes parents : ils ne comprenaient pas ma vocation religieuse et encore moins le changement d'orientation apparent de celle-ci. Je me suis donc débrouillée seule. » Ce dernier mot, qui revient en leitmotiv, n'est pas juste : Annie est à ses côtés. Mais Annie panique autant que

son amie. Elles n'ont pas eu le réflexe de chercher une aide
judiciaire et fiscale valable. Il est bien entendu que l'avocat
du couvent ne constitue aucun secours. C'est un monsieur
Courard qui s'occupe de leurs affaires pour le moment, et
promet de vendre l'un des terrains en Espagne avant octobre
prochain, avec l'espoir d'éponger les arriérés d'impôts de
1968-69. Elles empruntent quand même 150 000 francs belges
à la banque (environ 25 000 francs français)... et s'en
remettent à Dieu.

Un certain monsieur D., receveur des contributions de la
ville de Wavre, (l'inspecteur des impôts) a déjà choisi son
camp. Nulle part l'anticléricalisme n'est plus féroce dans
l'Europe actuelle que dans la Belgique divisée. Le pouvoir de
l'Église constitue une des factions qui se disputent ce petit
pays. En France, être athée équivaut à être agnostique. Au
pire, ironique. En Belgique, l'athéisme est une chapelle à
laquelle on appartient fièrement. On a vu par les activités
nombreuses de Sœur Sourire combien les Catholiques organisent de colloques, de rencontres, de sessions, et en cette
période d'ouverture qui suit Vatican II, de groupes de
prières, d'équipes liturgiques ouvertes sur la paroisse...
Autant de provocations pour les athées ? Monsieur D. tient
dans ses mains le dossier d'une catho malhabile et célèbre,
grâce à qui l'Église, plus précisément la congrégation des
Dominicaines Missionnaires de Fichermont, a gagné beaucoup d'argent. Sœur Sourire représente sans doute à ses yeux
l'Église tout entière. Elle doit de grosses sommes au fisc.
S'est-il juré de causer sa perte ? Pour le moment il ne fait que
son travail.

Bien qu'elle n'y fasse que de vagues allusions, depuis
qu'elle s'est installée à Wavre Sœur Sourire sait que ces
impôts-là, et ceux qui suivent, vont lui être réclamés un jour
ou l'autre. Repousser cette évidence contribue en partie à la
maintenir dans la dépression. En février 74, elle est au bord
de l'incohérence. D'abord elle perd sa voix, et annule tous ses
cours. Elle s'observe sans cesse, se loue pour chaque effort.
Puis les crises d'angoisse des débuts de soirée reprennent,
avec leurs cortèges de bains chauds et de calmants, de pleurs
et d'immobilité. Heureusement, une semaine de cession
d'études bibliques chez les Dominicaines de Froidmont, sur le
thème « Révélation biblique de Dieu » la relance quelque
peu dans sa foi et dans l'optimisme, en grande partie grâce à

la chaleur de leur accueil. A l'appartement, elles transforment la pièce qui servait de bureau d'Annie et de chambre
d'amis en oratoire. Elles y installent une bibliothèque pour
les nombreux livres religieux, livres de prières, dictionnaires
de la théologie du xxᵉ siècle (dont Jeannine n'a lu qu'une
dizaine de pages), et tous les livres sur la sécularisation du
monde et les théologiens dits « de la mort de Dieu », qu'elle a
tant aimés. Devant l'autel où elles gardent des hosties pour
communier tous les matins, un petit banc de prière. Cette
pièce les apaise et les réconforte, mais ne change rien à leur
situation. « Pour moi, écrit Sœur Sourire, c'est depuis sept ans
l'éternel problème : quand je rencontre des gens, seront-ils
« pour » ou « contre » Sœur Sourire ? Cela me fait beaucoup
souffrir et redouter les contacts humains. »
    Ainsi libérées de l'angoisse, elles se consacrent entièrement
à leur vie spirituelle. Tous les jeudis soirs, elles rejoignent le
groupe du Renouveau chez les bénédictines à Louvain. La
distance est un peu contraignante, mais plus les semaines
passent, plus elles en ressentent les effets positifs. Les dix
mois qui vont suivre sont empreints d'une réelle allégresse ; la
dépression de Jeannine et son cortège de maux semblent
s'être évaporés. Elle retrouve le dynamisme, la joie, la créativité. Elle éprouve une nouvelle douceur pour Annie, qui se
traduit par des gestes tendres au réveil et une volonté de la
servir joyeusement au lieu de renâcler en assumant sa part du
ménage. Le Renouveau met souvent l'accent sur la louange
et l'action de grâce : le journal en déborde. Pour le nouveau
contrat portant sur son dernier disque, qui doit sortir d'abord
aux États-Unis, mais aussi pour tous les aspects positifs de la
vie, dont une partie de tennis avec Annie, la première depuis
son opération. « Louange à Toi pour cette amitié qui grandit
chaque jour, qui s'approfondit (dans la prière) en vérité, en
partage, en tendresse chaque matin retrouvée ! »
    En juillet, Sœur Sourire enregistre douze chansons en deux
jours dans un studio à Schelle, entre Boom et Anvers. Une
simple contrebasse l'accompagne, les chœurs seront compo-
sés de sa propre voix surimposée. Elle espère beaucoup de ce
disque « pour la gloire de Dieu, pour la louange de son nom,
et pour combler nos difficultés financières, retard d'impôts,
etc. » Dans les nouvelles communautés chrétiennes, sous
l'influence du protestantisme, il n'y a pas de honte à demander à Dieu de l'aide pour les aspects matériels de l'existence.

Leurs pratiques déculpabilisent l'univers privilégié du chrétien moderne pour qui la vie sans voiture, par exemple, est une suite de frustrations sans nom (surtout dans les grands pays). La pauvreté devient une notion intérieure : pauvreté de l'esprit, c'est-à-dire capacité d'émerveillement et d'empathie, et esprit de pauvreté, qui est détachement et consiste à n'accorder à ses biens qu'une importance relative au service qu'ils procurent. (« Merci pour la GS Citroën que nous avons pu louer avant de partir et qui nous a permis d'avoir des vacances reposantes ! » s'écrie Sœur Sourire). Annie et Jeannine sont parties tous le mois d'août avec une amie dans les Alpes françaises, après une semaine de retraite chez des consœurs dominicaines non loin de Wavre pour rédiger le livre d'Annie sur ses expériences de kinésithérapie. Annie dicte et Jeannine tape à la machine. A la rentrée, les deux femmes rayonnent de bonheur. « J'ai recommencé l'année très en forme, à cause de l'immense espérance et l'immense joie que Dieu me met au cœur. » Jeannine parle de « désintellectualisation » de sa relation avec Dieu, elle se sent guérie, « née de nouveau » comme disent les Américains (born again). Elle a envoyé son journal de mars 1968 à septembre 1974 au père dominicain Monléon à Paris pour qu'il en rédige l'introduction. Elle est sûre de trouver un éditeur, certaine que le public attend son livre.

Début octobre, un M. Fouquet, journaliste français qui a passé vingt-cinq ans aux États-Unis, vient interviewer Sœur Sourire pour *Newsweek*, et quelques jours plus tard, les photographes de l'agence Guyaux viennent faire un reportage-photos de deux heures pour le même article. Sœur Sourire est furieuse contre le journaliste Franz Royns, de la publication néerlandophone *Laatse Nieuws* : il a publié sans son consentement un article « bourré de fausses informations » dans trois journaux flamands de la presse à sensation, *Choc*, *Quick* et *Zondags-Nieuws*, publications qui ont disparu depuis. Quant aux fausses informations, Sœur Sourire elle même se charge parfois d'en donner.

Le 8 octobre, l'argent de la vente d'un des terrains espagnols arrive. Avec un peu de retard, dû à l'accident de voiture à Madrid de l'homme d'affaires Courard, qui, blessé, a mis du temps à se remettre. Bien que la somme ne couvre pas les exigences du fisc ni leurs emprunts (elles ont encore 350 000 francs belges, soit environ cinquante huit mille francs français de découvert à la banque), les deux femmes peuvent faire des achats repoussés depuis plusieurs mois, dont des cadeaux à leurs amis, notamment un lit d'enfant pour une petite Magali. Jeannine fête son quarante et unième anniversaire, le bonheur continue, mais l'euphorie s'apaise, et cela l'inquiète. Elle a besoin de ce sentiment fort pour croire à sa joie, bien qu'elle pose une fois la question : « Est-ce seulement *ressentir* que je cherche ? » Son amie Marie-Andrée lui affirme qu'elle sera « guérie » en profondeur le jour où elle pourra pardonner aux Mères de Fichermont. Alors elle prie tous les jours pour que cette grâce de pardon lui « tombe dessus ».

L'ouvrage d'Annie sur ses méthodes de kinésithérapie a reçu un accueil favorable d'une maison d'édition française, Masson. Pendant un temps, Annie a pensé installer un cabinet dans un appartement contigu au leur, mais maintenant, elle voit plus grand. Elle fonde un centre d'accueil et de soins pour enfants autistes qu'elle nomme « Claire-Joie ». Jeannine est nommée présidente de l'association. Annie loue une belle maison, la retape, la rend accueillante et gaie. Les deux femmes accrochent les rideaux ensemble, et les propriétaires tassent gentiment le gravier qu'Annie a fait livrer pour installer un parking destiné aux voitures de ses clients. L'ancien garage doit servir d'atelier à Jeannine. L'aventure de Claire-Joie va durer huit ans. D'après le témoignage d'un parent d'une jeune autiste, qui a participé à la création du centre, Annie n'a pas inventé de nouveau système, mais à partir de la psychomotricité, elle a compris qu'elle pouvait aider les enfants autistes de façon nouvelle, en installant une relation active et affectueuse avec les enfants. Elle s'entoure de psychiatres et de psychologues, d'une logopède, d'une assistante en psychomotricité, et inclut dans le conseil d'administration des parents d'enfants autistes qui soutiennent sa démarche, tout en reconnaissant sa grande fragilité psychologique et pratique. Dès le début, elle obtient d'excellents résultats : les enfants qui ne parlaient pas commencent à utiliser la parole pour communiquer, leur sourire se fait plus précis, ils réagissent doucement à leur nom quand on les appelle, se réjouissent de leurs vêtements neufs, autant de changements considérables pour ces petits êtres emmurés. Claire-Joie redonne de l'espoir à beaucoup de familles que l'autisme coupe de leur enfant. L'objectif du centre fait l'objet d'un grand respect, mais l'administration belge ne l'entend pas de cette oreille. Les difficultés de reconnaissance administrative, donc de financement de Claire-Joie, qui coûte cher, amèneront la fermeture du centre en 1982.

Grâce à son moral retrouvé, Sœur Sourire, à la demande des contributions, trouve le courage d'aller frapper à la porte du couvent de Fichermont en novembre, pour réclamer une attestation écrite stipulant qu'elle n'avait rien touché des droits d'auteur sur ses disques pendant qu'elle y était religieuse. Deux ans auparavant, cette requête lui avait été refusée : cette fois, les sœurs signent le papier. Mais l'entrevue manque de chaleur, la tension à son encontre est encore grande.

Début décembre, elle enregistre aux studios de la maison Primavéra six nouvelles chansons pour enfants destinées aux États-Unis. Pour Noël, Jeannine et Annie recoivent sept personnes à l'appartement : fondue bourguignonne, sapin décoré entouré de cadeaux pour tous, c'est la fête. Annie lui offre un chevalet qu'elle veut installer dans le garage de Claire-Joie, afin de « se remettre à dessiner ». Le lendemain, les deux amies partent pour quelques jours à l'hôtel sur la côte belge, au Zoute. La mer est furieuse sous un ciel clair, le vent souffle dru, Sœur Sourire se repaît de cette violence dans de nombreuses balades sur la plage avec Annie. Elles vont tous les jours assister à des messes en flamand, qu'elle ne comprennent ni l'une ni l'autre. La détente permet à Jeannine de supprimer presque tous ses médicaments de digestion – cela laisse présumer du nombre.

L'année 1975 démarre en flèche : Claire-Joie se lance avec bonheur, et Sœur Sourire a trente-deux élèves par semaine pour ses cours particuliers de guitare, douze chez elle. Dans une école des environs, elle enseigne une demi-heure à vingt autres. Les témoignages concordent pour admettre que Sœur Sourire n'est pas un professeur de guitare hors pair, quoi qu'elle en pense. Elle trouve encore le temps de prendre des cours de solfège avec son amie Christiane, de préparer des jeunes à la communion, et d'apprendre à faire des crêpes pour la première fois de sa vie, ainsi que quelques plats rudimentaires qui font plaisir à Annie. Fidèlement, tous les jeudis, elles rejoignent le groupe du Renouveau à Louvain.

Mais les migraines recommencent à la clouer au lit régulièrement. « Ce matin, sur mon lit, j'ai pu prier Le Seigneur, Le louer, puisque j'étais réduite à l'immobilité. Je finirai par croire que le Seigneur me laisse mes migraines pour pouvoir Le louer mieux de temps à autre ! » Elle Lui demande entre autres, l'inspiration pour créer de bonnes chansons à la louange de Sa gloire – et, avec son amour du paradoxe, un cœur de Dominicaine contemplative. Depuis huit mois, presque chaque fois qu'elle écrit dans son journal, c'est pour louer son Dieu et lui rendre grâce. A partir de février 1975, l'état de béatitude enthousiaste que l'énergie du mouvement charismatique avait installé en elle commence à se flétrir. Elle se brouille avec un jeune couple auquel elle apportait son soutien, parce qu'il a refusé un appartement trouvé pour lui par Sœur Sourire et Annie. « Depuis des mois et des mois les relations amicales s'étaient amenuisées, tendues... nous avons écrit une lettre sèche pour leur dire qu'ils ne devaient plus compter sur notre amitié : l'amitié n'est pas un jeu. Si nous n'avions la foi, nous finirions par penser que les gosses de home sont tous irrécupérables, comme les pauvres, attachés à leur misère, aimant leur misère. » Pas trace en effet de « fibre pastorale », comme dirait le bon doyen ! Quinze jours plus tard, les deux femmes se rendent à un week-end de retraite charismatique avec le groupe de Louvain. A l'arrivée, on leur demande d'enlever leur montre. Cela énerve Jeannine, mais elle finit par y voir « un avant-goût d'éternité » et se prend au jeu. De petits groupes sont établis, on y chante ses chansons en dansant. On lui répète que ses anciens titres ont semé beaucoup de bonheur aux États-Unis. Au bout de deux jours elle s'effondre en larmes. « La souffrance dominait tout, aveuglait tout. » Souffrance d'être aimée, acceptée, louée ? C'est fort possible. Elle se sent écorchée vive, fuit tout le monde, même Annie. Laquelle, en désespoir de cause, croit trouver la solution : c'est le diable qui l'envahit et détruit la guérison opérée par l'Esprit Saint. « Satan, au nom de Jésus, fiche le camp ! » ordonne Marie-Andrée, péremptoire. Et Satan s'en va, la queue entre les pattes. Une immense tendresse pour les membres du groupe envahit Jeannine, elle déborde d'allégresse. La rencontre s'achève sur un chant qu'elle a composé quelques semaines plus tôt, *Réjouissez-vous dans le Seigneur*, que tout le groupe, à la sortie de la chapelle, entonne en dansant. « Annie et moi au retour de ce week-end avons connu des moments de communion suprêmes, merveilleux, nous faisions la redécouverte de notre amitié dans l'amour de Jésus pour nous, pour chacune et pour les deux ! » écrit-elle au retour. Les liens entre les deux femmes se resserrent sans cesse.

Au milieu de mars, Jeannine et Annie se rendent à Paris en voiture. Annie donne une conférence de quatre heures devant des kinésithérapeutes français, et Sœur Sourire rencontre son ancien producteur, M. Checkler, et sa femme, ainsi que le père dominicain de Monléon, très actif dans le mouvement charismatique français. Elle ne rapporte pas l'entrevue avec le père dominicain, mais à partir de cette date, elle ne crispe plus son style, et commence à appeler sa Bénédicte par son véritable nom d'Annie. C'est le signe qu'on l'a apparemment découragée de jamais renouveler l'expérience de la publication de 1968, dont il reste tant d'invendus. Le journal devient un lieu personnel.

Elle espère avoir donné à ses hôtes l'impression d'une Sœur Sourire transformée par son expérience dans le Renouveau. Checkler décide de tenter de rompre l'ancien contrat de disques établi avec Darlier, pour éditer à la Pentecôte quelques chansons charismatiques. Aussitôt après Paris, Sœur Sourire part en train et donne une interview pour la radio à Amsterdam. Elle n'a presque plus le trac. Puis à Bruxelles, elle rencontre avec Annie le cardinal Suenens. Le cardinal, « simple et gentil », lui recommande de « créer encore beaucoup de belles chansons pour le Renouveau. » Il a défendu ce mouvement spirituel, au moment où il prenait de l'ampleur et rencontrait une certaine méfiance de la part de la nomenclatura ecclésiale. Il a montré qu'il ne s'agissait pas d'une secte mais bien de l'évolution de la foi des baptisés, et les papes se sont rangés derrière cet avis, émis par bien des évêques.

Le Renouveau et la psychothérapie se mêlent chez Sœur Sourire pour lui donner l'impression qu'elle détient une vérité, ou une série de vérités, que les catholiques traditionnels et les non-analysés ne peuvent pas approcher. Elle écrit aux moines Bénédictins de Clerlande pour leur annoncer qu'ils se trompent quant à leur approche de la Résurrection, toute de mots, quand elle la vit au quotidien. Ce monastère deviendra sous peu son havre de paix. Elle se distancie déjà du doyen, qui « ignore les lois élémentaires de la psychologie », qu'elle n'appelle plus « Monsieur le doyen » mais « mon père » en signe de familiarité. Elle s'offusque qu'il passe du tutoiement au voussoiement si quelqu'un s'approche de leur conversation. Les problèmes psychologiques de certains prêtres autour d'elle la navrent. Elle baigne dans une impression de grande lucidité, croyant comprendre et aider les autres mieux que jamais, mieux que quiconque, parle même d'un « certain sens de la psychologie des masses » qu'elle affirme avoir découvert pendant ses études pourtant si maigres au Cetedi à Louvain dix ans auparavant.

En avril, le Seigneur lui joue un bon tour. Elle qui Lui demandait à pleine voix de Le servir grâce à sa chanson, elle se voit mise au pied du mur : on lui propose de passer à l'acte. Deux Américains du groupe charismatique l'enrôlent dans la préparation de la journée nationale diocésaine du premier mai. Elle s'y rend de mauvaise humeur. Ils ont pitié de moi, ils veulent me valoriser, pense-t-elle. Mais en discutant avec Annie, elle commence à comprendre. Lorsque Dave et Paul seront repartis, lui dit Annie, il faudra que tu les remplaces. Tu as mission avec tes chants, pour le Renouveau en Belgique. « J'étais assommée ! Le Seigneur avait pris au sérieux ma décision, prise dans un moment d'euphorie spirituelle, de servir le Renouveau Charismatique avec les charismes artistiques qu'il m'a donnés ! ! ! » Sa chanson *Je Te Bénis, Seigneur* est déjà chantée dans la plupart des groupes de prière francophones, et traduite en flamand. Une fois remise de ses émotions, elle décide un plan d'action sous forme de bonnes résolutions : recyclage en sciences de la communication, en psychologie de groupe ; approfondissement du solfège et des accords de guitare, ainsi que du répertoire de chants « des autres ». Cette responsabilité nouvelle l'emplit d'énervement quant à l'attitude des membres du groupe lors de la journée de prière du Renouveau : ils ne savent pas établir un rythme, ils monopolisent le micro, ils se prennent au sérieux... même le cardinal, qui a perdu sa simplicité pour l'occasion. Et les béguines flamandes sont un poids mort ! Le Renouveau repêche les marginaux, constate Jeannine, mais il faut faire preuve de patience avec eux, ils ne sont pas encore guéris, équilibrés, comme elle... La connaissance est le premier ennemi de l'homme de connaissance, dirait un sorcier Yaqi.

Quant aux finances, rien n'est résolu. La Sabam, qui lui devait 500 000 francs belges, (environ 84 000 francs français) n'est pas prête à les lui verser. Elle lui octroie 366 000 francs belges l'année suivante seulement. Elles annulent leurs chères vacances à l'hôtel, choisissant de dormir dans les monastères de Prouille près de Carcassonne, de l'Arbresle près de Lyon, où se donne une session d'études sur les Actes des Apôtres, et au monastère de Chalais près de Grenoble. « Père, au nom de Jésus, prie Jeannine, je te demande de nous sauver du péril financier où nous sommes. » Elle prie également pour se rendre aux États-Unis. L'excellente nouvelle parvient fin mai à Sœur Sourire : on l'invite l'année d'après, en mai 1976, à se rendre à l'université de Duquesne aux USA pour y témoigner de son expérience dans le Renouveau Charismatique – qu'elle voudrait combiner avec un tour de chant pour les éditions musicales Legrand. « Le Seigneur prend notre prière au sérieux ! » s'exclame-t-elle. De fait, début juin, la banque, toujours généreuse en matière de prêt, propose une adjonction de cinquante mille francs belge aux cinq cent mille déjà consentis. Et surtout, M. Courard lui promet huit cent mille francs belges de réalisation des terrains à Madrid – plus de cent trente mille francs français. Mais entre le prêt de la banque et les impôts, c'est presque un million et demi de francs belges qu'il lui faudrait déjà.

Comme sa voix s'altère, Annie lui propose d'essayer une nouvelle thérapie, mise au point par le docteur Tomatis, qui l'applique à Paris : l'audio-phonologie. Il s'agit d'une thérapie psycho-sensorielle, une rééducation par les sons, pour ouvrir les gens à certaines fréquences auxquelles ils sont fermés, avec l'espoir de les ouvrir sur le monde et sur eux-mêmes. Dans un premier temps, on fait entendre à Jeannine, « sous oreille électronique », des sons aigus filtrés qui rappellent l'univers intra-utérin, en espérant que de très anciens blocages y trouvent leur compte. De fait, l'horreur que portait au sexe la mère de Jeannine lui revient en mémoire, et la peur qu'elle avait que sa fille aînée aime trop son père. Elle revit la relation de dépendance mère-enfant, elle a faim, ses rêves sont étranges. Au début de la thérapie, elle atteint un certain calme intérieur, mais pas pour longtemps. Annie subit le même traitement, par tendresse. Dans l'ensemble, et comme cela se présente parfois au début, cette thérapie déstabilise Jeannine. Elle prend conscience de certaines de ses contradictions sans pouvoir leur offrir de solution : son désir de gloire terrestre et de vedettariat, doublé d'un réflexe de fuite dans l'anonymat ; sa foi très profonde, qui peut être également une sorte de second sein maternel, un substitut. La musique de fréquences différentes lui agresse les oreilles, elle revient chez elle dans un état d'énervement considérable, mais ne dépasse pas ce stade, sans doute celui du conflit vital avec sa mère. Ni les sucreries, ni le whisky ne la réconfortent, seule l'amitié d'Annie, sa patience, son optimisme, l'apaisent un peu. Elle ne dort plus sans somnifères. Elle arrête le traitement au bout de sept mois, lasse et déçue.

Son voyage de trois semaines aux USA à l'été 76 lui laissera des souvenirs impérissables. Elle est reçue dans une famille à Pittsburgh, en Pennsylvanie sur la côte Est, dans le cadre d'un congrès du Renouveau Charismatique, puis à Ann Arbor, ville étudiante du Michigan non loin de Détroit. La presse est prévenue de son arrivée : elle est interviewée pour une émission qui sera diffusée sur cinquante chaînes de télévision. Le soin que les Américaines prennent de leur corps la motive pour se faire plus belle pour le Christ : « Quand je pense à certaines tristes horreurs qui dorment dans les couvents, je me dis qu'elles ne doivent pas donner envie d'être la fiancée du Seigneur ! » Elle s'émerveille du confort dans lequel vivent ses hôtes, et des particularités de son entourage. Le garçon de dix-sept ans ne se coiffe pas, ne se lave pas beaucoup non plus, mais conduit nu-pieds les voitures de ses parents ; sa jeune sœur, à treize ans, ne salue personne et aime les motards. On lui demande de chanter à l'université Dusquesne, ce qui lui donnera l'occasion de dormir dans un couvent, et de partager une chambre avec une sœur belge de ses connaissances, sœur Jeanne-Françoise. Celle-ci voulait traduire *Vivre sa vérité* en anglais, mais ses supérieures le lui interdisent. Sœur Sourire est triste et furieuse, mais peut-être un peu soulagée. Le flûtiste James Cavnar l'invite à leur réunion du « Ministère de la musique », pour se joindre à leur orchestre. Elle chante, un jeune garçon traduit, tout le monde prie pour elle.

Le sommet de son voyage se passe dans le stade où ont lieu la grande rencontre et les célébrations religieuses. Elle chante pour des dizaines de milliers de personnes, dont un bon nombre connaît *Dominique* et reprend le refrain en chœur. C'est la gloire. Son témoignage d'ancienne nonne – et d'ancienne vedette, ce qui compte beaucoup – convertie à un nouveau mode de christianisme, est très apprécié, on lui fait fête. Lors de la messe finale du congrès, les prêtres dansent ensemble, lancent leur étole en l'air. Jamais elle ne pourra tout à fait combler le vide que lui laissent ces quelques chansons sur une pelouse. C'est une euphorie de quelques instants qui lui tourne la tête. Elle dira qu'elle a donné un concert devant une foule en délire, ce qui arrange un peu la réalité, mais fait naître une nostalgie douloureuse. Le poison du suc-cès résiste à l'antidote de la foi, à la triste réalité des comités des fêtes belges où elle chante pour quelques vieux. A Ann Arbor, elle est reçue dans une communauté chrétienne de huit femmes, dont elle admire profondément le mode de vie. L'hospitalité américaine déploie des trésors de gentillesse à l'égard de la « Singing Nun » : on lui offre des cadeaux de toutes sortes. Sa coiffeuse lui demande de chanter, sa fillette apporte la guitare, on lui fait grâce de la note et on lui met dans les mains laque et brosse à cheveux. On l'accompagne en bande à l'aéroport. Elle rapporte de nombreuses photos de sa famille d'accueil, du groupe charismatique qui l'a invi-tée, des grosses voitures sous les arbres des banlieues. Et des nuages au-dessus de l'Atlantique, beaucoup de nuages.

10

LA PLONGÉE

L'audio-phonologie n'a pas été d'un grand secours. Et
Sœur Sourire a toujours besoin de grand secours. Ni la religion, ni les calmants, ni l'alcool qu'elle leur associe, ni l'amitié
d'Annie ne comble son angoisse grandissante envers l'échec
de sa vie. Un échec tout relatif, mais face aux gouffres de
désirs « d'enfant qui ne veut rien savoir sinon espérer éternellement des choses vagues », selon le mot de Valéry Larbaud,
le monde est impuissant à la guérir de l'impuissance. Elle gardera des contacts avec le praticien belge qui a effectué sa thérapie sous oreille électronique pour venir répéter ses chants
de cette manière, et travailler sa voix à l'approche des
concerts.

Le journal *La Wallonie* consacre en décembre 1976 une
page entière avec quatre photos à la nonne chantante. Le
fameux sourire pétille quelque peu, malgré une dent bien
grise et la lourdeur des joues tirées. Les montures de ses nouvelles lunettes, très épaisses, noires, arrondies près des
branches durcissent son visage. Ses cheveux sont blonds,
courts, joliment coiffés en mèches droites. Elle porte un col
roulé blanc et une chaîne aux larges mailles retenant une
croix dominicaine. Sans qu'on lui demande rien, elle montre
aux journalistes ses cartons à dessin, et attrape sa guitare
pour le sempiternel « Dominique ». Aux questions sur son
pseudonyme, elle répond par la même histoire depuis quatorze ans : comment il fut trouvé, qu'elle ne souriait pas au
couvent mais faisait des blagues et des niches d'adolescentes,
chanter pour les poules qui n'aiment pas la guitare, par
exemple, ou accrocher des jarretières aux cornes des vaches.

Elle débite l'histoire de sa vie : Luc Dominique, la thérapie, les envies suicidaires, les chansons engagées de maintenant bien plus réalistes et dérangeantes pour l'institution que les refrains d'autrefois, avec (ou bien est-ce l'art délicat du journaliste Gabriel Ringlet, curé lui-même ?), le rythme naturel d'un premier récit. Puis elle affirme que l'avocat du couvent lui a conseillé de donner tout son argent à la Croix-Rouge et aux enfants du Viêt-nam, ce qu'elle aurait fait de bon cœur. Toujours, elle se justifie, s'oppose au pot de fer du conservatisme, et définit son engagement dans la chanson comme une recherche de la Beauté et non une prise de position sociale ou politique. La politique « l'embête passionnément. » L'article dessine le portrait d'une femme qui maîtrise sa vie malgré les aberrations de sa naïveté, qu'elle admet ou ignore. Elle réussit encore à donner d'elle l'image battante, rebelle, marginale de son propre chef, qu'elle se désespère tant de trouver en elle.

En juillet 1977, malgré trois Sinéquan par jour, elle se réveille en plein énervement. Dans la journée, elle étouffe. Elle se résout alors à recommencer une analyse, mais pas chez Édith V., qui l'a beaucoup déçue malgré le long travail ensemble. Elle lui reproche de l'avoir poussée au mariage, et de n'avoir pas reconnu que Dieu constitue le sens ultime de sa vie. En compagnie d'Annie qui, comme toujours, double ses thérapies, elle rend visite à D., psychologue à Bruxelles, dans l'espoir de trouver sa « vérité toute entière », avec l'aide de Dieu, ce que la jeune psychologue ne semble pas vouloir lui démentir (« Notre totalité est un fait inconscient dont nous ne pouvons pas établir l'extension. Seulement Dieu peut juger de la totalité humaine. Nous ne pouvons que dire humblement « aussi total que possible [1]. »)

Jeannine est une des premières clientes de D. Elle lui apporte son journal intime, qui n'intéresse pas la thérapeute. Déception. « Comme un enfant dont on refuse le cadeau. » Les bienfaits du Renouveau charismatique sont loin. Elle est de nouveau seule avec le marasme revenu, avec son passé qui lui mord la conscience, avec les impôts qui ajoutent du poids au couvercle sous lequel elle vit. Une partie de ce poids est constitué par l'image qu'elle a absolument besoin de jeter au monde indifférent : « La femme libre parce que vouée au Seigneur qui la rend libre. Libre de quoi : des attaches familiales

---

1. C.G. Jung, *La Vie symbolique, op. cit.*, p. 242.

(souvent contraignantes et réductrices), du mari et des enfants (pouah), qui semblent à mes yeux représenter un conformisme social dépassé.(...) Mais aussi libre pour vivre à plein une vocation artistico-religieuse. » Le simple geste de préparer un plat est connoté pour elle de références à la vie de la femme mariée – sauf, dit-elle, quand elle le fait par amitié pour Annie, qui manque de disponibilité à cause de son travail...

L'Église de France, dans la revue *ICI* de juin 1977 (*Informations catholiques internationales,* n° 515), propose aux célibataires et aux marginalisés (bien qu'il ne soit pas clair ce qu'il faut entendre par ce dernier terme : handicapés, veufs, clochards et aussi homosexuels ?) une approche déculpabilisante de la masturbation, envisagée comme l'expression de pulsions vitales et non, à l'instar de la morale catholique traditionnelle, comme un regrettable accident de parcours. « Je me sens déjà mieux ! » s'écrie Sœur Sourire, qui, dans ce domaine comme dans les autres, ne reconnaît pas les dangers de l'excès. Son journal recueille sur ce point des confidences fréquentes, explicites et surprenantes.

Elle projette une conférence de presse pour s'expliquer de ses difficultés, et étaler au grand jour le scandale de la rétention d'argent du couvent. « Pour défendre le statut de Sœur Sourire, écrit-elle. Pour un certain public, mon nom est lié au succès passé de *Dominique*, et auréolé de gloire : un peu la gloire des vedettes, même si cela est arrivé il y a dix-douze ans. Pour la firme de disques SM-Paris, qui sort en septembre un nouveau disque de mes chants religieux, je suis *un témoin, une religieuse,* avant d'être une artiste ; et même, pour un certain milieu d'Église, je ne suis que « la petite sœur Sourire »... Je voudrais me situer dans un juste milieu, me retrouver en vérité, non pas la vedette, non pas uniquement le témoin ; une personne qui a un nom et des droits à défendre. » Mais on ne peut pas vivre pour l'intérieur, comme c'est le choix des religieux, et à la fois pour l'extérieur, comme c'est le choix des vedettes. La névrose correspond à un va-et-vient incessant entre deux attitudes, nous dit C.G. Jung. Le père Duval, au contraire, un jésuite qui a enregistré quatorze disques et chantait en neuf langues, n'a jamais voulu qu'on le prenne pour autre chose que ce qu'il était : un besogneux de la chanson chrétienne, fraîche et porteuse d'espoir, une cigale obstinée. Bien qu'il passât une grande partie de son temps sur les routes, de concert en concert, sa maison était la cellule monacale, toujours la même, dans une communauté avec d'autres Jésuites qui le terrorisaient quelque peu. Il a chanté : « Qu'est-ce que j'ai dans ma p'tit tête, à rêver le soir comme ça ? » Lorsqu'il a publié son témoignage sur l'alcoolisme, qui a bien failli le tuer, il le fit sous un pseudonyme, Lucien [1]. « Ce qui m'a fait boire, raconte-t-il, c'est la fricaillerie et mon inadaptation congénitale à la saloperie du monde. Je voulais changer le monde et j'ai sombré dans l'alcool. Aujourd'hui j'ai compris que c'est en me changeant moi-même que je suis parvenu à me libérer de l'alcool. » Se changer soi-même commence par se connaître. Sœur Sourire est un monstre à ses propres yeux. Elle fait donc tout de travers, elle souffre chaque jour un peu plus.

« Tu ne peux plus t'arrêter, Lucien, tu es au bout du rouleau, se disait le Jésuite sous son couvercle. Tu veux réjouir le peuple et tu as une âme de croque-mort. Tu veux consoler les malades et tu n'as pas un gramme d'optimisme. Tu voulais aimer l'humanité et la haine de toi-même te fait serrer les dents. Paysage de banquise, froidure et dureté. » Trop de douleur pour Jeannine, la douleur lui fait terriblement peur. Dans ses accès de désespoir, elle accuse encore le monde, elle donne au destin des échéances. Le jour où le monde lui apparaîtra sans plus de destin pour elle, elle se tuera tout simplement.

Avec D., elle parle de son père, suite à un rêve où elle l'avait vu traverser une cour pour aller célébrer une messe. Le soir même au dîner, Annie lui fait remarquer qu'elle en avait déjà parlé de cette façon avec son ancienne thérapeute, ainsi que de l'homme-prêtre, « être plus ou moins châtré, moins « dangereux » ou agressif sur le plan érotique parce que vivant pour Dieu. » Jeannine est atterrée. Pour se rassurer, elle se dit qu'Édith avait peut-être décrypté la question, puisqu'elles communiquaient surtout de façon symbolique, mais qu'au fond, il est temps qu'elle fasse les découvertes toute seule, sans attendre qu'on les lui révèle. « Il semblerait que le désir inconscient de voir mon père prêtre soit à la fois le refus de sa sexualité (et de la mienne, en même temps ?). » Mais Jung nous met en garde : « C'est ainsi que nous nous défaisons de nos âmes, par le raisonnement suivant : " Oh, je

---

1. Lucien, *L'enfant qui jouait avec la lune*, éditions Salvator, Mulhouse, 1983.

suis lié à ma mère par une fixation, mais si je prends conscience de tous les fantasmes que je peux avoir à ce sujet, je serai libéré de cette fixation. " Si le patient y parvient, il aura perdu son âme. Chaque fois que l'on accepte cette explication, on perd son âme. On ne rend pas service à son âme de cette manière, on la remplace par une explication, une théorie [1]. » Jeannine cherche malgré tout un moyen : « Je souffre d'avoir eu un père si falot, si peu percutant, mais qu'y faire, et comment assumer cela, et comment, à l'avenir, rencontrer d'autres hommes sans toujours redouter le viol, le paternalisme ou la concurrence ? »

Si D. ne mentionne pas Jung à sa cliente, elle étudie cependant la religion hindoue, fortement symbolique, et lui conseille de lire la *Bhagavad-gîtā*. Elle explique à Sœur Sourire que la messe est apparue souvent comme la rencontre conjugale, donc une noce, ce qui signifierait que son père aurait refusé de la rencontrer conjugalement, pour rencontrer conjugalement sa mère. La patiente, qui vit actuellement sa relation avec Dieu comme une noce mystique, cite sa chanson, composée aux États-Unis quand elle déplorait la laideur des nonnes : « Le Seigneur est mon fiancé, pour lui je me ferai belle. » Dieu-époux est une préoccupation majeure en ces jours de juillet où elle parle de sa relation au corps pour la première fois dans son journal (vêtements, régime, etc.) et de son désir du corps parfait d'un homme-prêtre « dans un climat d'amour fou et de tendresse échangée ».

Sa nouvelle thérapie soulève bien entendu les questions habituelles d'identité Jeannine Deckers-Sœur Sourire ; elle écrit presque tous les jours de longues entrées dans son journal, détaillant ses rêves et les divers états nerveux de la journée. Elle fait imprimer des cartes de visite au nom de *Sœur Sourire* sous le prétexte de pouvoir prendre son courrier à la poste. « Petite victoire », écrit-elle en morigénant son ancien couvent qui ne reconnaît plus ce nom (mais bien le facteur, depuis huit ans qu'elle habite aux Verts Horizons). Mi-juillet, elle donne un récital dans l'église de Alle-sur-Semois. Elle y emporte une cinquantaine de disques et des exemplaires de son livre, qui se vendent bien. Des gens sont debout tant l'église est comble. Pour une fois, la sonorisation est excellente et l'éclairage suffisant. Avant de chanter, le curé, après quelques réticences, lit à l'assistance des extraits du journal

1. C. G. Jung, *op. cit.*, p. 67.

de Sœur Sourire. Dans la première partie du programme, elle chante au moins une quinzaine de chansons. Elle apprend au public conquis la dernière chanson du récital, *Envoie-moi*, qu'il reprend en chœur. Le produit de la soirée lui permet de payer quelques factures, et son bon succès la réconforte durablement. De même à la fin du mois, lors d'une soirée dans un monastère de Clarisses à Lonbeek, dans le Brabant flamand. Incertaine de l'accueil de ces sœurs traditionnelles, elle est touchée de leur chaleur – et stupéfaite de recevoir discrètement de la Supérieure une enveloppe contenant dix mille francs belges, plus de mille cinq cent francs français, pour une heure de chanson. L'échéance trimestrielle de l'hypothèque de l'appartement, tombant début septembre, commençait à lui ôter le sommeil.

Le ministère des Finances la convoque fin juillet, en la personne de l'adjoint du Secrétaire général aux Finances. Elle en attend une aide numéraire urgente. Elle reçoit des conseils. Rentrant à l'appartement les mains vides avec la ferme intention de prendre sa situation fiscale en main, qui traîne sans effet depuis trop longtemps, elle ouvre un courrier de Philipsdisques lui annonçant la première mesure grave : le fisc effectue une saisie-arrêt sur ses dernières royalties : trente-trois mille francs belges (environ 5 500 francs français). Elle se précipite sur le téléphone. M. D., receveur des contributions de Wavre, lui fait comprendre que la décision vient du ministère. Au ministère, on lui affirme qu'elle vient de M. D. Son avocat lui déconseille d'attaquer le couvent en vertu du vœu de pauvreté et du solde de tout compte qu'elle a signé à la sortie, considérant de plus qu'elle a repris illégalement son pseudonyme. « Il m'était impossible de ne pas signer ces papiers ! s'exclame-t-elle. J'aurais failli à la sainte obéissance. En fait, les supérieures ont abusé de ma confiance, de mon idéal religieux, et se sont retranchées derrière ces motifs « pieux » pour se préserver devant l'avenir. Mais il n'y a aucune commune mesure entre la « justice civile » et la « justice » que je vivais, par idéal, dans cette boutique... L'avocat croit que l'un et l'autre sont la même chose ; mais il y a toute la distance que l'on trouve entre les « valeurs » religieuses-évangéliques, et les « valeurs » du monde... or, je vis actuellement dans le monde, je dois défendre ma peau avec les moyens de ce monde. Signer les papiers qu'on m'a demandé de signer, c'est un peu comme si on demandait à un enfant de sept ans, juste en âge d'écrire son nom, de signer un acte engageant son avenir. (...) J'étais cet enfant, en toute bonne conscience. » Elle le presse de poursuivre le couvent. Le premier procès, Sœur Sourire contre l'État belge, est tout de suite perdu. De nouveau elle songe à organiser une campagne de presse pour « remuer les gens ». Dans la Bible, elle trouve les psaumes de lutte, ceux qui font du Dieu de l'Ancien Testament un Dieu terrible : « Dieu de vengeance parais, écrase la tête de tes oppresseurs ! » cite-t-elle. Cela aboutit à une mise en musique des psaumes 143 et 55 : « Bénis soit mon Dieu qui instruit mes mains au combat et prépare mes doigts pour la bataille ! » Elle se prépare à un mois entier de vacances, en Belgique puis en France, sans thérapeute, juste au moment où un rêve suggestif la représente en situation équivoque avec un très jeune garçon au visage d'Annie. Elle emporte dans ses bagages des faims boulimiques grandissantes, et comme elle grossit un peu vite, la perspective désastreuse de ressembler à sa mère, « bonne mémère popotte et grasse, empâtée et bourgeoise », à quarante-trois ans, l'emplit de rage. Régimes, rechutes et frustrations.

D'abord dans un couvent belge, qui accueille d'autres retraitants pour lesquels elle chante, puis chez leurs consœurs dominicaines de Prouille, c'est un mois de prière et d'actions de grâces pour Sœur Sourire, si l'on excepte les crises de larmes dues à sa faiblesse devant la nourriture. Un soir, elle dépose son dernier paquet de gâteaux sur le lit d'Annie. Elle s'aperçoit de nouveau qu'elle materne Annie, dont la santé est chancelante, et en demande pardon : « Ne pas me conduire en « mère » envers elle, mais bien en « sœur », en égale. Je suis toujours tentée de me considérer un peu comme sa maîtresse des novices ! question de décalage d'âge, de maturité, d'expérience spirituelle... » « De moi à elle, c'est comme si c'était toujours à moi de donner et à Annie de recevoir. Est-ce que je veux inconsciemment la maintenir dans un état de dépendance ? J'espère bien que non, car, rationnellement, je la voudrais elle-même, autonome, personnelle, indépendante, ne vivant plus dans mon ombre religieuse. » Si l'on excepte quelques frictions dues au partage des tâches ménagères, Jeannine n'a jamais dans son journal de mot injuste envers Annie. Tout au plus une légère condescendance envers les capacités intellectuelles et spirituelles de la plus jeune, ce dont Annie semble souffrir. Dans ses rêves,

Jeannine confond souvent Annie et sa petite sœur Madeleine, qu'elle a considérablement négligée. En réaction à la dureté de sa compagne, les larmes d'Annie émaillent le journal. La petite « sœur », encore une fois, materne la grande, qui la sermonne. Jeannine règne avec l'autorité de ses mères sur leur couple, sur la foi, la culture, l'esprit de la plus jeune. L'ombre portante, en quelque sorte, l'obscur soutien, le souffre-douleur, le miroir de Narcisse, Annie est tout cela. Elle doit consulter les mêmes médecins, les mêmes psychiatres, effectuer les mêmes retraites dans les mêmes couvents, vivre en symbiose la vie de Jeannine. Et se battre aussi, pour exister, avec ses larmes qui ne manquent pas de toucher, pour protéger son amie contre la destruction qu'elle s'inflige, avec les mêmes armes. Elles se détendent ensemble en Vendée près de Saint Gilles Croix de Vie, dans la paix retrouvée, avec des forces neuves pour se battre à la rentrée.

Sans doute la lecture de la *Bhagavad-gîtā* n'a-t-elle pas donné les résultats escomptés. Sa thérapeute la relance dans une série de rêves éveillés dirigés. Aussitôt l'agressivité de Jeannine remonte au jour : envers Annie principalement, et la directrice du home de Rixensart où elles ont travaillé, et qui refuse de lui remettre un papier attestant des dons qu'elle a fait aux pensionnaires, ce qui l'aiderait auprès des contributions. Agressivité envers les malheureux nageurs de la piscine, qu'elle aime regarder de temps en temps depuis le balcon de la cafétéria en mangeant une glace, mais qu'elle désire châtrer cette fois, et mutiler le corps des femmes. « Je sens que je n'ai pas « droit » à toute cette vie », écrit-elle. Dans la rue, sa haine se dirige vers les gens trop bien habillés, les gens mal habillés, les voitures trop lentes ou trop rapides, les enfants, les vieux, les nonnes ! Elle prend trois calmants en rentrant. « Je veux tuer ma mère, dit-elle encore, je veux être Sœur Sourire, j'ai créé une personnalité libérée en rupture avec le passé et ce nom détesté de Jeannine Deckers à la consonance bruxelloise et flamande. J'en crève. » La tension monte avec Annie, très préoccupée par Claire-Joie et « ses » enfants qui mobilisent la conversation. Annie suit également une analyse avec D., cela semble lui donner de nouvelles forces pour faire face à Jeannine, lui résister, se distancier d'elle, bien qu'elle redoute l'abandon de son amie, si Jeannine venait à la trouver « moins religieuse » qu'elle. Annie répète à son amie qu'elle est intenable, hérissée ; Jeannine se sent « toutes griffes dehors ». Un régime commencé pour maigrir augmente encore son agressivité. Elle mangerait sans cesse des sucreries arrosées d'apéritifs pour essayer de se calmer. Elle se désespère de ses écarts constants. On lui prescrit de grandes doses de protéines pures, qui lui coûtent cher, et autres produits pour éviter les sensations de faim et de manque. A l'oratoire, par la prière, elle retrouve la paix quelques minutes par jour.

L'automne 77 ressemble aux autres saisons : interrogations, analyse, cours de guitare, concerts. Jeannine court partout, angoissée par le temps qui s'écoule et qui lui manque sans cesse, se réveille de méchante humeur, prend des psycho-toniques et des anxiolytiques le matin, des calmants l'après-midi, bâille à huit heures du soir, s'endort avec des somnifères. Sœur Sourire chante en public le 5 novembre : « Le récital de samedi était bon. Bonne acoustique, mais gens blasés ; je m'étais cependant juré qu'ils chanteraient, et ils ont chanté ! flûte pour leur apparente inertie. Sainte-Ode, ce centre hospitalier pour anciens prisonniers de guerre, est presque agressivement luxueux. TV dans toutes les chambres, grands couloirs aérés, espace, verdure. Tout cela parce que ces types ont travaillé pour libérer la patrie. Merde. Et puis, ce qu'il y a de marrant, c'est qu'il n'existe rien de tout cela pour les femmes dans ce genre de réhabilitation. Il faut qu'elles se démerdent toutes seules, avec leurs gosses, leurs séquelles de camps de concentration, et tout et tout. »

En novembre 1977, elle prend contact avec maître de Lantsheere, qui remplace l'avocat du couvent, disparu corps et biens. Personne ne sait pourquoi, à la mort de maître de Lantsheere, il n'y avait plus trace du dossier Sœur Sourire qui devait lui avoir été remis. Ni pourquoi l'État belge n'attaque pas sa succession, puisque les minutes d'un avocat doivent être conservées par ceux qui reprennent son étude. A quel moment le dossier a-t-il disparu ? Lorsqu'elle demande à Fichermont divers papiers, c'est un autre avocat, Michel Mathias, de Rixensart, qui se met en relation avec le sien. « Elles sont très moches, ces nonnettes, je ne peux plus les sentir, ni de près ni de loin », écrit-elle. Parfois, pour se détendre et se sentir artiste, dans le garage de Claire-Joie, elle peint. Certaines de ses peintures se vendent ici et là, à un docteur, dans une exposition au bord de la mer.

L'argent est soigneusement mis de côté pour payer l'hypothèque de l'appartement en décembre. Sa peur de manquer d'argent est liée à la peur d'avoir faim, soif, de manquer de médicaments, d'avoir mal quelque part, avoue-t-elle. Elle est furieuse contre son public qui ne donne à la collecte après un concert que des piécettes, alors qu'elle a chanté deux heures dans une église glacée. Payer les notes de téléphone et les charges de l'appartement lui occasionne des angoisses affreuses, des palpitations, et la jette sur les calmants et autres anti-dépresseurs qu'elle mélange. Leur situation est catastrophique. Elles renoncent au téléphone pour quelque temps. Fin décembre, Sœur Sourire rencontre à Paris un maître Taupin, conseiller juridique de la firme SM qui produit ses disques, afin de trouver des solutions. Le résultat de l'entrevue lui laisse au cœur une amertume immense. Face aux menaces de saisie de l'appartement, il est décidé de tenter de la rendre insolvable. Annie devra racheter l'autre moitié de l'appartement, qui appartient aux deux femmes en commun, ainsi que les meubles. Ils envisagent également de changer le statut de Sœur Sourire, qui d'auteur-compositeur-interprète deviendrait seulement interprète, Annie étant déclarée auteur-compositeur, ce qui permettrait aux droits d'auteur de Soeur Sourire d'être encaissés par Annie au lieu d'être saisis directement par le fisc. Elles ont déja trouvé un nom de plume : Anne Dominique. Officiellement, Sœur Sourire s'occuperait d'enfants handicapés – ceux de Claire-Joie. Ces propositions doivent encore être examinées par M. Pirlet, leur expert comptable. Il étudie la possibilité de faire entrer au Luxembourg, paradis fiscal, les droits d'auteurs en provenance des USA.

« Mais que tout cela est difficile à vivre. J'ai l'impression d'une défaite, et me sens triste, triste, triste à mourir, même si les solutions envisagées sont réalistement les meilleures. J'y perds des plumes. Et Fichermont, de plus, aura l'impression d'avoir gain de cause ; tout cela me donne une folle envie de pleurer ; je voudrais tant me venger contre Fichermont et tout le tort que j'y ai subi... Même une campagne de presse dirigée contre Fichermont se retournerait contre moi, paraît-il. Je suis donc pieds et poings liés devant mon sort, acculée à des solutions imprévues et non souhaitées... » Les droits d'auteurs resteront finalement attachés au nom de Sœur Sourire. Cela lui coûtera très cher, mais elle n'aura pas le cœur de se défaire d'une partie de son identité de compositeur. Annie supporte très mal les menaces des huissiers, elle est à bout de fatigue et s'endort dans le désespoir tous les soirs. Claire-Joie est en danger. Elle cherche à faire des ménages chez des particuliers après le travail. Le centre n'est pas encore agréé, et certains remboursements cessent. Il manque de personnel diplômé, mais il n'y a pas d'argent pour embaucher. « Si on perd tout, je me suicide » dit-elle à Jeannine, qui lui demande de penser à elle, qui resterait toute seule dans la peine. Le mot est lâché. L'année 1978 qui arrive donne le ton, l'angoisse matérielle avive toutes les autres. La Caisse d'Allocations Sociales, à qui elles doivent 209 000 francs belges (près de trente cinq mille francs français), leur refuse une dispense de cotisations ; quand elle auront besoin des fonds d'aide urgente, dispensés par la Caisse, ce sera pour vivoter au seuil de la misère. Elles écrivent au roi afin d'obtenir une audience pour lui exposer leurs problèmes fiscaux. Cela durera sept ans.

Quelques curés des environs que Sœur Sourire a contactés répondent favorablement à ses demandes de concerts, ainsi qu'un ancien professeur de Louvain qui décide de lui venir en aide, et d'organiser un concert à l'UCL, l'Université Catholique de Louvain. L'Hôtel de Ville de Wavre accepte d'exposer ses dessins l'automne suivant. Elle prépare une grande fête musicale en avril avec ses quarante-deux élèves de guitare, ainsi que des pochettes de disques et des affiches dont elle doit réaliser le graphisme. Tout cela, ainsi que la reprise des contacts avec le doyen de Wavre, pour lui offrir le disque paru chez SM et dont les arrangements ont été effectués sur son piano, devrait apaiser Jeannine, d'autant que son régime commence à donner de bons résultats. Mais chez le doyen, il est surtout question d'Annie, de la distance nouvelle apparue entre elles, de la crise spirituelle qu'elle traverse, et de la difficulté qu'éprouve Jeannine à parler de Dieu avec elle.

Jeannine reprend son souffle grâce à l'écoute de qualité qu'on lui offre ; sa thérapeute, dont elle suit les conseils, ne s'engage pas volontiers sur le terrain spirituel. Elle la pousse plutôt à entrer dans la forêt qui revient souvent dans les rêves éveillés. Jeannine refuse pendant de longs mois. Un jour pourtant, elle ose s'y aventurer en pirogue, mais non seule, en compagnie de sœur Renée, une ancienne prieure du couvent qu'elle aimait beaucoup, qui avait vécu au Congo. Ensemble, elles prennent part avec des Pygmées à une fête célébrant la joie originelle, celle de la toute petite enfance, le bonheur d'être. C'est le temps où remontent doucement tous les souvenirs anciens, de la pâtisserie, de la famille. Pour la première fois depuis le rêve des Pygmées, hommes petits comme les enfants dont ils possèdent la joie simple, s'avivent les souvenirs de la rue de Laeken, qu'elle a quittée à douze ans. Une demi-page pour douze ans d'enfance, un court égrenage, un survol. Puis, quelques jours plus tard, encore deux pages concernant les années Woluwé. Elle ne se donnera plus la chance d'aborder de nouveau ce monde enfoui. Nombre de nœuds l'enserrent chaque jour un peu plus, qu'elle ne pourra jamais dénouer. « Rechercher la vérité au fond de soi ; encore ; c'est comme si j'en étais fatiguée à l'avance ; encore une fois ce travail de recherche déjà fait chez Édith ; pour retrouver quoi, quoi.... encore et toujours la même chose, qu'Édith n'a pu guérir tout à fait sans doute, ou qui est à recommencer de dix ans en dix ans... ces craintes d'ordre sexuel, ces deux souvenirs d'enfance évoqués la séance dernière. Pourquoi cette quête n'a-t-elle pas de fin ? » Elle envisage même de changer de thérapeute, mais D. l'assure de ses progrès et lui promet de l'aider. Il faut seulement qu'elle veuille se souvenir des scènes de l'enfance pendant lesquelles sa mère se montrait dominatrice et captative. Elle ne le peut. Des impressions seules remontent en surface, les cris des parents envers son insolence. Dans ses accès de doute, le questionnement sur son identité et sur sa relation à Dieu est toujours parallèle. Au point que, dans le découragement qui l'envahit, elle n'est même plus sûre de vouloir une véritable vie de communion avec Dieu, malgré les moments très forts d'adoration à l'oratoire. La voie dominicaine lui suggérant de toujours continuer l'étude, elle suit les cours de théologie des pères dominicains de l'Arbresle, qui la soutiennent beaucoup.

La présence d'Annie l'exaspère, mais pas autant que son absence l'affole. Pour se venger, dès qu'elle se retrouve seule à l'appartement, elle dévore : un cake aux cerises entier, un grand verre de whisky à la framboise, deux glaces et des gâteaux au chocolat constituent son goûter. S'ensuivent automatiquement la crise de foie et ses maux de tête, en plus de la mauvaise conscience. Annie à son retour paye encore la solitude de son amie, les reproches pleuvent. Son désordre lui est reproché, mais si elle range, elle est critiquée encore. D. leur assure que c'est la fonction d'Annie et non sa personne que Jeannine a du mal à supporter; sa fonction de miroir du narcisse, dont l'absence réduit à rien. D'amante, aussi. « Bien que nos échanges de tendresse n'aient rien « d'homosexuels » (du moins je le pense, si on entend par homosexuel des rapports de sexe à sexe ?), le doute plane toujours », écrit Jeannine. Et la dépression d'Annie s'aggrave. Elle perd dix kilos en six mois. Plus Jeannine devient boulimique, plus Annie refuse de s'alimenter. Tu m'aimes comme un objet, seulement quand tu en as besoin, sanglote-t-elle. Tu ne prends pas en compte ce qui me donne de la joie. Je n'ai pas le droit d'exister. Elles pleurent ensemble, Jeannine prend pour la centième fois la résolution d'être plus présente et attentive à son amie. Elle se met à faire la lessive pour Annie, la vaisselle pour Annie, à faire son lit, ce qui est pénible à son dos opéré, lave son pyjama pour qu'il soit bien frais le soir, mais la plus jeune n'est pas consolée pour autant. Elle pleure pendant les messes, pendant le dîner, se traîne, morose et fatiguée, ne réagit pas aux projets de vacances que Jeannine lui propose pour l'égayer, malgré l'impatience qu'elle ressent sans cesse en présence des difficultés d'Annie, impatience qui alimente l'angoisse. D. essaye bien d'attirer sur elle l'agressivité de Jeannine, mais celle-ci refuse tout à fait de s'y soumettre. « Il y a tout le temps de se suicider avant les vacances », écrit Jeannine, et au paragraphe suivant : « J'aimerais tant – oh! une seule fois! – faire l'amour avec quelqu'un, avec quelqu'un qui m'aimerait vraiment... Mais ce souci n'est rien à côté de ce problème permanent qu'est Annie. » Les tensions surgissent pour des broutilles : une messe dont a besoin Annie après un shopping éprouvant, alors que Jeannine tombe de sommeil, et qui s'avère être en flamand. Mauvaise humeur, mauvaise conscience, crises de larmes. Le désordre chronique d'Annie, qui n'a plus de bureau depuis qu'il est devenu un oratoire, entre en conflit avec la manie de rangement de Jeannine. Elle se demande si leur amitié connaîtra encore les joies qu'elle a vécues quelques années plus tôt, mais n'envisage pas un seul instant d'abandonner Annie – à qui des médecins bien intentionnés ont prédit que sa compagne ne sortira jamais de son état dépressif, et la quittera peut-être. Un soir, Annie voit l'œil brouillé et entend la voix pâteuse de Jeannine. Questions. Elle n'avoue que les deux verres de liqueur et les sédatifs, pas les deux apéritifs qui les ont précédés. Sanglots. « Tu finiras comme Anne D. qui pour se suicider a pris un jour un flacon d'eau de cologne avec des calmants ! » Jeannine la rassure, qu'elle ne craigne rien. Pour se retrouver, elles achètent ensemble une caméra grâce à une collecte auprès de leurs proches, à l'occasion de l'anniversaire d'Annie. De tout temps elle a aimé la photo. Elle veut filmer son travail. Ravie, elle voudrait gâter son amie, lui offrir un vêtement – le refus est ferme. Jeannine ne sait pas recevoir.

Elles sont convoquées chez le Chef de Cabinet du Roi, rue Ducale, début mars, à la suite de leur demande d'audience. Il leur conseille de demander un avocat pro Deo au Palais de Justice de Nivelles pour poursuivre Fichermont en cour d'appel. Il téléphone à la caisse d'assurances sociales pour obtenir un délai de paiement, donne quelques adresses pour trouver des cours de guitare dans des institutions, et conseille à Sœur Sourire de chercher un job rentable, puisqu'elle est « bourrée de talents ». Comme toujours, elle rentre chez elle les mains vides et ragaillardie. Elle contacte un journaliste du magazine populaire *Pourquoi pas*, afin de lancer un appel à la générosité du public, l'article paraîtra en avril. Elle envoie un curriculum vitae à l'École des Beaux-Arts de Namur dans l'espoir d'un poste de professeur de dessin. Ainsi qu'elle l'écrit à D. depuis un monastère des environs, auquel elles ne pourront pas payer leur séjour en hôtellerie, un petit journal catholique nommé *Dimanche* propose de leur venir en aide financièrement, et de communiquer leurs difficultés à leurs lecteurs avec leur numéro de compte en banque.

Dans chaque magasin, à la poste, partout où Jeannine doit ouvrir son porte-monnaie, elle est prise de panique. Maux de têtes, médicaments, anxiétés : elle a l'œil vague toute la journée, n'ose plus conduire sa voiture car les sédatifs ralentissent ses réflexes. Elle compte beaucoup sur les chants de Noël qu'elle peut maintenant composer sur commande, sans avoir besoin d'élan mystique, pour faire bouillir la marmite. Mais SM Paris la décourage : le dernier 45 tours s'est très mal vendu, il n'y aura peut-être pas de disque de Noël. Elle proteste : à chaque concert, elle vend une vingtaine de disques, et se plaint que SM Paris n'a pas assuré la promotion qu'il lui avait promise, par exemple une émission de télévision à RTL et des récitals en France. L'École des Beaux-Arts de Namur répond évasivement à sa demande de poste, puis la convoque quelque temps plus tard pour une entrevue avec cinq autres professeurs retenus sur vingt-cinq canditatures, dont une majorité d'enseignants de la province. Mais ils ne choisissent pas Sœur Sourire. Elle se rassure en se disant qu'elle n'aime pas enseigner aux groupes, que seule la relation individuelle lui est possible dans l'enseignement, et elle se jette sur les gâteaux, les apéritifs, les calmants, puis les médicaments pour faire passer les maux de tête et l'indigestion, sans apaiser un désir irrépressible et vague. Son médecin, peu psychologue, lui prescrit des amphétamines comme modérateur d'appétit. Très excitants, prisés par les étudiants et les fêtards pour rester éveillés, déstabilisants, ces produits sont maintenant très contrôlés en raison du mal qu'ils occasionnent au psychisme, et de l'accoutumance qu'ils provoquent. Qui la guérira de la médicalisation ?

Le public ne s'est guère ému de l'article de P. Thonon dans *Pourquoi pas*. Curieusement, c'est le fisc qui réagit : par une manœuvre étrange, il participe pour 78 000 francs belges par an aux frais de l'appartement (environ treize mille francs francais). De plus, il octroie un délai d'un an pour les autres opérations : ce qui signifie qu'il n'y aura pas de saisie dans l'immédiat. Les deux femmes respirent de nouveau. A force de répéter qu'elle a donné son argent aux œuvres, Sœur Sourire convainc les autorités fiscales. Une recherche se met en route pour en établir le montant. Les journalistes téléphonent pour obtenir d'autres interviews, font quelques papiers, le plus souvent de simples récapitulatifs de l'histoire de Sœur Sourire, mais insistent rarement sur la nécessité d'envoyer de l'argent à Sœur Sourire ou à Claire-Joie. Jusqu'à un quotidien anglophone de Montréal, qui résumera sa situation quelques mois plus tard, publiant une photo ancienne de Luc Dominique avec sa guitare. Mais aucun don spontané n'arrive. Comme les impôts capitalisent les intérêts, elles doivent maintenant quatre millions de francs belges, plus un million de frais divers aux uns et aux autres, surtout aux amis, ce qui fait plus de huit cent mille francs français de dettes. Sœur Sourire ne peut pas payer son avocat, ni sa thérapeute, se privant ainsi de ses consultations. Quelque fois, un concert dans une maison de retraite lui rapporte cinq mille francs belges. Elle en doit la moitié à l'avocat et l'autre moitié aux assurances sociales. Pour le moment, c'est Claire-Joie qui les fait vivre, le tout petit salaire qu'Annie s'octroie pour ses multiples fonctions. Quand Annie prend la voiture, qui est en mauvais état, pour de longues distances, elle évoque la misère soudaine que sa mort occasionnerait. Jeannine se résout à répondre à des annonces d'offres d'emploi. Parfois, cela prend une tournure comique : « Refusé une place de démonstratrice en produits de beauté et d'hygiène jeudi ; deux bonnes femmes qui n'ont jamais employé de déodorant sont venues me parler de leur firme ; encore un peu, le 29 je devais inviter « des amies » pour leur présenter les produits « truc-machin-chouette » pour le relax des jambes, la beauté du buste, le soin des mains, etc. Je crois que j'ai failli me moquer d'elles ; le lendemain j'ai téléphoné que je n'acceptais pas cet emploi. » Elle résiste, car elle nourrit encore le rêve de pouvoir vivre de ses récitals, un ou deux par mois, et du produit des disques, bien que ses migraines provoquent de curieux engourdissements de sa main droite. Cinq curés ont accepté de la recevoir dans leur paroisse pour un récital en septembre. Elle s'inscrit comme secrétaire médicale intérimaire chez Interlabor à Bruxelles, rassurée par l'intermittence qui l'éloigne d'un « vrai travail ». Elle téléphone à un libraire de Louvain la Neuve, qui recherche des dactylos pour copier des cours, des thèses et des mémoires, et lui offre ses services à quarante francs belges la page (environ sept francs français). La place qu'elle convoitait d'hôtesse d'accueil avec notions de secrétariat dans un centre de La Hulpe était prise lorsqu'elle l'a contacté, elle se tourne alors vers un home de jeunes qui recherche une secrétaire. Finalement, c'est l'hôpital Saint-Pierre qui lui propose trois jours à l'essai pour un remplacement de trois semaines à l'accueil.

Les rêves éveillés présentent à Jeannine la taie qui la sépare de la réalité, le film protecteur qui l'entoure et l'empêche de la saisir dans sa lumière crue. Elle se perçoit dominatrice et paralysante, comme sa mère. Elle voit son père inerte et triste devant un verre, Annie qui vient vers elle, lui prend la main pour l'entraîner hors de l'ombre, mais elle n'éprouve aucune envie de sortir de sa léthargie. « Celle qui dormait » ne peut que contempler son rêve. « Quel imbroglio que ma vie actuelle. Sans boussole, vraiment. Ni en face de moi, ni en face des autres – les disques et les récitals –, ni en face de Dieu. J'aurais dû commencer par là. Jésus, Lui, se référait toujours à Dieu son Père. Moi pas. Je crois que je ne pense qu'à moi, moi, moi, moi, moi... et nos pauvres sous qui s'envolent. » Un rêve éveillé lui permet de discuter avec un prêtre américain très beau, qui a nourri ses fantasmes. Elle se déclare prête à une amitié sans crainte et sans désir avec un homme cultivé et ouvert. (Il s'en faut de quelques mois qu'il ne croise sa route.) Elle se sent d'une autre race, fonce de fierté sur l'autoroute en rentrant de chez la psychologue.

Finalement, en juin, Sœur Sourire enregistre huit chants pour enfants, six religieux et deux profanes en prévision d'un prochain disque. On lui demande encore d'en illustrer les pochettes. En relisant une nouvelle fois son journal publié, elle s'extasie sur la pureté de son style. Tout de suite elle écrit aux éditions Stock et Laffont pour leur proposer un nouvel ouvrage, qui raconterait sa vie sous forme de dialogues et d'entretiens. Stock lui répond que le volume de *Vivre sa Vérité* qu'elle leur a envoyé a été transmis au directeur de la collection Elles-Mêmes, où n'écrivent que des femmes, et qu'elle aura une réponse d'ici deux mois.

L'absence d'Annie, absorbée par des stages, lui semble pour la première fois bénéfique. Elle se réjouit de ses nombreux talents, et découvre qu'il lui est plus facile d'écrire des chansons dans le silence de l'appartement. Dans son petit bureau, auquel Annie n'a pas accès, elle laisse ouverte la fenêtre près de sa table, sauf quand le vent souffle du Sud-Ouest et déverse ses rafales sur sa feuille. Elle ferme alors la croisée, contemple Wavre, paisible, et l'horizon. Comme toujours, elle grignote, particulièrement des cônes de glaces et des bananes glacées dans lesquelles elle aime mordre. « Pour moi, table est sexe (la faute de frappe ?) sont liés, mais en quoi ? » écrit-elle, sans lire la réponse qu'elle vient justement de se donner.

L'été 78 est là. Le désespoir est repoussé. Les quelques perspectives positives des dernières semaines – subventions trouvées pour Claire-Joie, poste intérimaire, concerts à la rentrée et quinze jours de vacances – suffisent pour que ces mots disparus refassent surface au petit soleil bruxellois : heureuse.

11

L'ENFANT DE LA FAMILLE

L'occultation de l'enfance, on l'a vu, semble avoir aidé Jeannine Deckers à se perdre.

On est frappé par la récurrence des plages de silence, des zones d'ombre qu'elle étend presque délibérément sur elle-même, afin de continuer sans rupture à bercer les quelques illusions qui lui sont chères : elle est une artiste polyvalente, elle est une religieuse, elle n'est pas homosexuelle, elle est incasable, à part, entre ciel et terre. Cependant, elle admet facilement qu'elle a horreur de tout ce qui se rapporte à l'image traditionnelle de la femme, couple, foyer, maternité. Combien de fois elle répète qu'elle n'aime que les adolescents, que l'enfance l'exaspère ! Les petits, c'est le domaine d'Annie. A Claire-Joie, elle ne s'occupe que de l'administration et du secrétariat.

Or, un enfant a pratiquement grandit chez elle. Un petit garçon, accueilli au début avec la générosité caractéristique dont son foyer a toujours fait preuve : portes ouvertes, lit préparé pour les amis, aides multiples, cadeaux. De 1974 à sa mort, ce petit est devenu l'enfant de la famille, comme il aime à le dire.

Il est vrai qu'à chacun on ne donne qu'une image partielle de ce qu'on est, et chacun en interprète ce qu'il peut en recevoir. Il est difficilement acceptable d'imaginer que ceux que nous connaissons nous cachent une part importante de leur être. Ainsi, chaque témoignage affirme comme une vérité : je l'aurais su, si cela avait été le cas, j'étais là. J'ai vu, je n'ai rien vu. C'est vrai. C'est ainsi. Elle était joyeuse, battante, ouverte. Je sais, je la connais. Non, elle était renfermée, agressive, peureuse, infantile. Je sais, je l'ai connue. A la même question sur la nature de sa voix, par exemple, les dernières années, les témoignages divergent. Un reportage télévisuel des années quatre-vingt donne à entendre une bouillie de mots à peine discernables. Son agent lui demandait sans cesse au téléphone de répéter sa phrase, tant son débit était pâteux. Dans sa correspondance avec un ami moine, elle avoue ne s'exprimer d'une voix intelligible que pour faire cours, prêcher ou chanter. Mais un proche vous dira que c'est faux, il n'a rien entendu de tel. L'irréductibilité de la personne est une merveille sans nom. La somme de tous les témoignages, proches, voisins, thérapeutes, médecins, professeurs, journalistes, plus son journal intime, avec ses nombreux rêves, voix directe de l'inconscient : autant de cloches d'un carillon d'une complexité infinie, dont l'harmonie échappe à tous, à elle-même en premier lieu. Toute à son idée monstrueuse de la maternité, attachée à charger sa mère de torts innombrables qui empoisonnaient son existence, Sœur Sourire, dans son journal, n'a pas écrit une ligne entière sur ce petit garçon qui a passé chez elle plus de temps que quiconque, de 1974 au samedi précédant sa mort. Plus de temps même que chez ses propres parents. Nous l'appellerons Yvan. Il était le seul en dehors des deux femmes à posséder la clef de l'appartement.

Yvan suivait une scolarité parallèle, dans une école pour enfants en difficulté scolaire. Lorsqu'il a voulu faire sa première communion, c'est Sœur Sourire qui l'a préparé, Annie qui a écrit certains textes de la messe, et les sœurs bénédictines de Rixensart qui ont ouvert leur chapelle pour une messe toute spéciale. Yvan était seul avec ses parents, toutes les sœurs de la communauté derrière lui, et Sœur Sourire chantait au pupitre. L'enfant n'oubliera jamais ce moment, même quand il prendra ses distances avec l'Église. La popularité de Sœur Sourire était encore très grande en 1974, Yvan était très impressionné par l'attention particulière qu'il recevait de cette femme si célèbre. Ses parents habitaient en ville, et Yvan prit l'habitude de monter aux Verts Horizons pour rendre visite aux deux femmes, qui bientôt constituèrent son second foyer. La joie avec laquelle il était reçu semblait être sans faille. Pour Yvan, le bonheur régnait chez Sœur Sourire. Calme, attentif, prompt à s'émerveiller, Yvan pouvait rester des heures à feuilleter les albums de photos et de cartes postales, que Jeannine lui commentaient abondamment à son retour de vacances, d'où elle ne manquait jamais de lui envoyer une carte. Son anniversaire était fêté tendrement. Il adorait leur intérieur moderne et simple, l'énergie vigoureuse de Jeannine, toujours entre deux cours, musique, dessin, même le samedi. Il se désolait des problèmes qu'elle évoquait parfois devant lui, prenant fait et cause pour elle contre le couvent et le fisc, tout en reconnaissant que Sœur Sourire vivait dans le passé, sur les restes d'une gloire morte. Elle lui disait qu'elle aurait voulu partir au Congo, il était bon public. Il avait la primeur des nouvelles chansons, tout ce qu'elles lui offraient constituait son trésor. S'il restait dormir à l'appartement, à tour de rôle elles lui racontaient des histoires. Un soir, alors qu'il n'arrivait pas à s'endormir, Jeannine a ouvert ses tiroirs de médicaments. Impressionné par leur nombre, Yvan s'est dit que son médecin devait être bien laxiste, mais comme elle ne voulait pas en parler, et que le sujet semblait la tracasser, il n'a pas insisté. Juge-t-on quelqu'un qu'on aime ? Yvan choisissait les disques, Jeannine aimait beaucoup les Beatles (auxquels elle a fait concurrence quelque temps), et ils riaient tous deux, s'amusant qu'une religieuse puisse avoir de tels goûts. Elle a bien essayé de lui apprendre la musique, mais ils ont conclu tous deux qu'il n'y arriverait pas. Yvan admirait sa gentillesse avec ses élèves de guitare, la force de sa foi, sa générosité active. Jeannine ne lui montrait de son journal que les textes de chansons. Pour lui, les autres textes n'existent pas. Elle l'emmenait parfois à la messe, en balade dans la campagne, en week-end scout où elle chantait à la veillée, son foulard autour du cou. Elle jouait au tennis avec lui le vendredi. Toute nuance au portrait idyllique que les deux femmes lui avaient proposé de leur vie, sans se taire tout à fait sur leurs difficultés mais en lui épargnant toujours les détails, ont semblé à Yvan un viol invraisemblable de la vérité. Pendant plus de dix ans, il a vécu à leurs côtés, finissant sa scolarité et ses études de coiffure. A leur mort, dont elles ont tenu secret le projet à tous, particulièrement à Yvan, il a perdu à la fois une grande partie de son enfance, de son adolescence, et de sa famille. Bien d'autres, inconnus, qui n'ont peut-être même jamais mis les pieds en

Belgique, ont aussi perdu une part d'enfance lors du suicide de Sœur Sourire. Ceux qui, sans creuser plus avant, ont voulu se réjouir de son innocence sans admettre qu'elle ne faisait pas le poids. Et ceux pour qui le choix du cœur ne constitue pas un outrage aux bonnes mœurs.

12

GLISSADES

Le premier procès perdu, Sœur Sourire, prête à combattre le fisc, veut changer d'avocat et faire appel. Toujours sans le sou, elle demande un avocat pro Deo. On lui assigne maître Dabin-Serlez, sise à Wavre. Leur rencontre initiale laisse Jeannine pleine d'espoir.

Maître Dabin-Serlez s'occupait très probablement des affaires de Claire-Joie. Annie a fait, grâce à elle, la connaissance d'un expert-comptable, R. La voix haute et rapide, précieuse parfois, des petits yeux fuyants enfoncés dans beaucoup de chair, qui donnent le change par de brusques regards très assurés, la bedaine proéminente et les manières bonhommes, R. gagne sa confiance. Il propose de l'aider dans les difficultés absurdes que rencontre Claire-Joie. Le Centre est très bien accueilli dans la profession et auprès des parents. Le Ministère de la Santé lui a suggéré de se faire agréer comme école, ce qui apporte des subsides importants. Le Centre a donc embauché du personnel qualifié, puisque c'est une condition préalable. Mais les subventions ont pris le chemin administratif, de couloir en couloir, de ministère en ministère. Les parents, qui, jusqu'alors, payaient individuellement chaque spécialiste, ne peuvent pas être sollicités davantage. L'Office de la Sécurité sociale, l'Urssaf belge, menace à présent de fermer Claire-Joie, car les cotisations ne peuvent plus lui être payées. Dans un premier temps, R. en devient l'administrateur. D'après ses dires, il est reçu en audience chez la reine, qui téléphone devant lui au ministre de l'Éducation, qui envoie son chef de cabinet, lequel accompagne R. et Annie à l'Office de la Sécurité sociale pour l'informer que les sommes dues à Claire-Joie au titre de l'éducation seront versées directement au Centre. L'Office oppose une fin de non-recevoir, arguant qu'il ne dépend pas du même ministre, et que les choses doivent rester étanches et dans l'ordre. Si l'argent n'est pas versé à l'Office, il déclenche la fermeture. « Ce sont des voyous, dit R., des imbéciles. » Claire-Joie se trouve au centre d'une polémique entre État et Régions. Les Régions chercheraient à contrôler l'enseignement spécial, et non à favoriser les entreprises privées, quelle que soit leur qualité.

Maître Dabin-Serlez a informé R. du lien entre les deux femmes, et du dossier Sœur Sourire. Toujours à la recherche d'aide, le 3 novembre 1979, Jeannine lui écrit :

Cher Monsieur,
Lors de votre dernière entrevue avec mademoiselle Pécher, vous lui avez parlé, m'a-t-elle dit, de « Sr Sourire et de ses problèmes »... Je suis très touchée de cette bienveillance inattendue envers moi et vous en remercie.

Voici la situation actuelle. Je chante en récital dans diverses localités des Ardennes (langue française), soit seule, soit accompagnée de deux musiciens (plutôt rares). Le bénéfice de ces récitals, je n'en vois pas longtemps la couleur, parce qu'ils sont destinés à payer les trimestrialités de notre appartement et à apurer très modestement et lentement les diverses dettes qui nous pèsent sur le dos... Je cherche donc, faute de mieux, un emploi mi-temps, soit comme secrétaire, ou autre chose de plus culturel, – mais je ne trouve rien. J'ai l'intention de faire revalider mon diplôme de régente en arts plastiques (1953) en présentant quelques branches l'an prochain devant un jury central... mais autant vous avouer de suite que cette perspective ne me sourit qu'à moitié : je donne des cours de guitare d'accompagnement avec chants et lors de ces prestations, j'ai apprécié de plus en plus la qualité de la RELATION INDIVIDUELLE, de telle sorte que l'enseignement à des groupes ne me tente plus.

J'ai édité plusieurs disques, 33 et 45 tours mais, mal promotionnés, ils sont peu connus, tant en France qu'en Belgique, et les deux firmes qui les éditent sont d'une inertie profonde en ce domaine de la publicité et de la diffusion sur radio ou TV. Je dois tout réaliser moi-même... et c'est parfois insurmontable...

Ceci pour vous dire que l'aide d'un impresario devient pressante, avec ses risques et périls. La saisie fiscale dont je suis l'objet depuis 1977 rend inabordables mes revenus de droits d'auteur, et j'ai tout avantage à chanter « en noir »... cette région-là de mes activités n'étant pas sujette à la saisie. Je réalise aussi parfois des expositions de mes peintures et dessins mais... les encadrements convenables sont coûteux, je ne puis presque jamais « avancer » la somme relative à ces encadrements...

Il y a aussi le projet d'éditer mon journal, lequel est confié au père Fabien Deleclos, du Chant d'oiseau, mais de ce côté je suis encore sans nouvelles... quelle lenteur !

Enfin, il nous faut bien constater que « l'art ne paie pas »... du moins jusqu'ici ; et à moins d'être lancée et reconnue dans divers milieux influents... lesquels ?

Je viens d'envoyer 20 textes à SM-Paris, spécialiste en chant religieux : je prévois donc que le type de chants que je leur ai proposé risque de détonner dans l'ensemble... en effet, il y a des chansons dites « engagées », où Dieu n'apparaît pas au premier abord, et qui, de toute manière, ne pourraient être utilisées comme chants liturgiques d'une eucharistie par exemple. Mais, mais... si cette firme refuse ces chants, je pense que je chercherai ailleurs, avec l'aide de l'éventuel impresario, des gens plus ouverts et moins « catholiques ». Je suis fermement décidée à émerger de cette clandestinité que m'imposent « les bien-pensants », les « catholiques »... etc. Pourriez-vous m'aider ? Je vous en serais infiniment reconnaissante.

Dans l'attente de vos très prochaines nouvelles, et vous en remerciant d'avance, je vous prie de recevoir, cher Monsieur, l'expression de mes salutations distinguées.

Sœur Sourire.

R. lui offre ses services, et ceux de son ami, l'avocat René Vannerom. Puis il prend en main les affaires administratives et judiciaires de Sœur Sourire. Elle espère qu'il pourra également devenir son agent, car il semble proche des milieux du show-business local, par affinité autant que par intérêt. Le 23 novembre 1979, sans doute sur ses conseils, elle écrit à Jean Darlier, directeur de la firme Hébra qui a réalisé les derniers disques, une missive empreinte d'une verve mordante :

Cher Monsieur,

Je vous prie de trouver en annexe les derniers contrats de mes chants pour l'Europe.

En effet, vous y avez indiqué comme clause particulière que « l'éditeur a le droit de déposer l'œuvre à la Sabam et de toucher sa part éditoriale sans avoir à justifier d'édition graphique ou discographique », petite phrase qui va à l'encontre de l'article XYZ de notre contrat d'engagement, où il est stipulé que vous vous engagez, justement, à assurer « l'édition papier » de mes œuvres enregistrées pour vous. Cette situation est donc, à mes yeux, tout à fait illégale.

Rappelez-vous trois ou quatre de mes lettres, où je vous demande patiemment de publier un recueil des chants que je vous ai cédés, et indépendamment des intercalaires joints seulement aux grands 33 tours (les deux derniers LP).

Je vous saurais gré de considérer la présente lettre avec intérêt, et en cherchant une solution concrète.

Dans l'attente de vos nouvelles, je vous prie de croire, cher Monsieur, à l'expression de mes meilleures salutations.

Le 26 novembre de la même année, elle envoie à R. l'original de tous ses contrats, documents et courriers officiels : l'intégralité du dossier sœur Sourire. Elle se décharge sur R. en un mouvement généreux de pleine confiance. « ATTENTION, prévient-elle, je n'en possède pas de photocopie : j'ai pensé que je pouvais en toute confiance vous céder tout ça, et puis question d'aller vite en besogne. »

Pendant les deux ans qui suivent, Jeannine abandonne son journal, se débattant entre procès, cours de guitare et de religion, espoirs et abattement. (« La guitare, ça m'emballe ; la religion ça me pèle, oh, ça me pèle ! ») Une correspondance fournie lui sert d'exutoire. Si elle manque quelques cours d'aïkido, elle écrit aussitôt à l'un ou l'autre des élèves. Chaque nouveau médecin reçoit bien vite de ses nouvelles, mais le ton qu'elle emploie alors est tout de douceur et de sympathie, de vitalité et d'humour. Elle ne se désespère par écrit que pour son tiroir. Dans ses lettres officielles alternent la rage froide, l'ironie mordante, voire la mauvaise foi, et l'humilité sincère. Lorsqu'elle reprend son journal en mars 80, elle adopte les premiers jours un ton très formel, parlant de « Sœur Annie » comme à un étranger, comme si elle pensait de nouveau – et c'est le cas, au regard des autres. Le rêve de la publication de son carnet personnel la quitte et la reprend. Aucun changement majeur n'est intervenu, mais bien un événement inattendu. En septembre 1980, une brève flamme la jette dans les bras d'un Baudoin. Malgré leur tendresse, le désir de Baudoin ne s'éveille pas. Jeannine évoque leur « ratage » avec amertume, tristesse. Elle regrette le tort qu'elle a pu lui causer. Mais elle garde une grande discrétion sur leur rencontre et la personne de son ami, discrétion qu'elle observe pour de nombreuses situations d'importance, alors que ses courses en ville sont décrites avec minutie.

Elle abandonne l'idée de trouver du travail sur le marché du secrétariat. A quarante-six ans, ce n'est pas un apprentissage aisé, quand il est possible. Elle soigne maintenant un ulcère à l'estomac, dû pour une grande part à l'abus de médicaments. Sa voix, qui s'essoufle quand elle chante, perd toute la pureté, toute la clarté légère que les autres chanteurs lui ont tant enviée. Elle commence à graillonner quand elle parle, dit un conteur qui voulait prendre des cours de chant avec la voix cristalline de la Sœur Sourire qui s'envolait « Entre les Etoiles », mais y a renoncé, attristé par la pathétique déconvenue des récitals. Puisque cela constitue sa source principale de revenus, elle se démène toujours pour convaincre nombre de doyens et de curés de la région de l'accueillir dans leur église pour un soir : elle leur envoie même copie du certificat signé par le père Hansoul, attestant des vœux de dominicaine consacrée prononcés avec Annie en 1969. « C'est peut-être comique, commente-t-elle, mais ce papelard sécurise certaines âmes. » La sienne ? Le père Hansoul meurt à l'automne 80. Elle éprouve durement sa perte. « Il me semble avoir perdu plus que mon propre père. Il nous a beaucoup entourées et aidées lors de nos recherches et cheminements. C'était notre lien avec l'Ordre dominicain. » Elle cherche aussitôt un autre lien fraternel – et paternel, dans l'Ordre.

A cause de sa désorganisation, qu'elle impute à son tempérament d'artiste, la chanteuse attend beaucoup de son avocate. Mais les choses n'avancent pas selon son goût, et elle envoie le trois septembre 1980 un courrier plein de vitriol à la malheureuse.

Cher Maître,
Confirmant ce que je vous ai dit lors de notre entrevue chez vous suite à la réunion au Bureau de la Recette des

Contributions de Wavre, et après recherche de documents éventuels dans mes archives :

1) Pas de traces des placements faits en Floride, même pas le moindre remboursement.

2) Faillite d'un autre placement aux USA... il n'en reste rien.

3) Le terrain d'Espagne dont je vous parlais : sa vente (année ?) a servi à payer quelques-unes de nos très nombreuses dettes, pas de traces de versements.

4) J'écris ce jour à la Sabam pour obtenir les renseignements que vous souhaitez.

5) Mademoiselle Pécher me rappelle qu'il avait été question – lors d'une entrevue un soir à votre domicile – de la faillite de ces divers placements... votre mémoire ?

Réfléchissant au fait un peu heurtant que vous m'avez réclamé le 26 août un paiement de votre action, soulignant que : « (vos) timbres, (vos) déplacements ne sont pas remboursés », je me permets de vous signaler que vous avez été nommée à ma défense en tant que « pro Deo ». Logiquement, les différents frais que vous pourriez avoir devraient être payés par l'organisme qui vous a nommée à ce service. Toutefois, pour vous dépanner, je joins 6 timbres à ma lettre.

J'ai l'impression que vous n'avez pas perçu mon désarroi au 26 août dernier, encore aggravé par le fait que vous m'avez reçue dans votre bureau lorsqu'une tierce personne (avocat ou pas, rien n'y change) était présente à notre échange ; je n'étais pas très disposée à éclaircir la situation, et sous cette espèce de pression psychologique, j'aurais sans doute signé, comme au sortir de Fichermont, mon arrêt de mort ou toute autre sottise...

Subjectivement parlant, j'ai ressenti votre présence non comme une aide mais comme une sorte d'agression : défendez-vous le Fisc ou Sœur Sourire ? Les premières rencontres qui avaient eu lieu à Mont-Saint-Guibert étaient plus chaleureuses et marquées d'accueil, de douceur, de compréhension. Quelque chose a changé dans nos relations... je ne comprends pas quoi... ce que je peux comprendre, c'est que mon dosssier pèse lourd devant votre jeune expérience... nonobstant le prestige « d'être l'avocat de Sœur Sourire », vous pourriez, si vous le souhaitez, renoncer à cette affaire, et la transmettre à un confrère éventuel.

J'envoie copie de ma lettre à Monsieur R. J'aimerais VIVEMENT que nous nous retrouvions ensemble autour d'un apéritif ou autour d'une table – et ceci sans tarder. Monsieur R. de par sa compétence de comptable nous serait d'un grand secours, et il est très regrettable qu'il n'ait pu appuyer notre affaire lors de la réunion du 26 août.

Quoi qu'il en soit, sachez que je suis bien décidée à me défendre par les moyens que je trouverai, que je suis bien décidée à lutter, pour ma peau, notre appartement, et le reste. La presse est puissante et influente, vous n'êtes pas sans le savoir.

Je vous quitte ici. J'espère n'avoir pas été trop sèche. Tachez de COMPRENDRE qu'Annie et moi sommes à fleur de peau, à fleur de nerfs, et que cet état perdure depuis des années, l'épée de Damoclès se fait menaçante par-dessus nos têtes. Sans doute ne pouvez-vous « comprendre » que, même si l'argent ne fait pas le bonheur, il en faut un minimum pour SURVIVRE....vous avez de la chance, Maître, profitez-en.

Veuillez recevoir mes salutations distinguées.

Jeannine Deckers/Sœur Sourire.

Les terrains en Espagne ont été vendus en 1974. La petite Magali doit être trop grande maintenant pour le lit que les deux femmes lui avait acheté avec une partie de l'argent. L'avocate, bien entendu, laisse tomber le dossier. Maître René Vannerom, l'ami de R., prend sa suite. La cour d'appel de Bruxelles rend de nouveau le même arrêt : que le couvent ait ou non touché l'argent gagné par Sœur Sourire, c'est cette dernière qui a signé le contrat avec Philips, et le fisc ne connaît que Jeannine Deckers, pas son couvent. Elle doit donc s'arranger avec lui pour récupérer les sommes incriminées, qu'elle devra verser aussitôt à l'administration fiscale, ou porter le procès en cour de cassation. R. et Vannerom concoctent alors longuement une procédure d'enrichissement indu à l'encontre du couvent qui permettrait de régler une fois pour toutes le problème. Ils se heurtent à la réticence de Jeannine elle-même, qui supporte difficilement de traîner son couvent devant les tribunaux.

Les relations de R. à RTL permettent à Sœur Sourire d'apparaître à la télévision dans l'émission Ram-Dames du lundi de Pâques 1980, puis à « La Bonne Franquette » du 20 mai. Déshabituée, elle ne se sent à l'aise que dans les coulisses avec les machinistes. Devant les caméras elle est terrorisée, malhabile et cassante. R. en profite pour la gâter un peu.

Il l'emmène dans de bons restaurants sur la Place d'Armes à Luxembourg, avant ou après les émissions. Puis il lui trouve un récital fin juin dans une maison israélite. A la réception qu'il donne pour son mariage en mars 1980 Jeannine fait la connaissance de Marc. Musicien, animateur à la RTBF, Marc s'est associé à la nouvelle vague musicale autour du synthétiseur. Avec R., ils font le projet d'un 45 tours, un nouvel enregistrement de « Dominique », cette fois avec une orchestration électronique. « Vous redevenez une star », lui dit R. La malheureuse y croit fermement. « J'ai la trouille, une terrible trouille d'être manipulée par des personnages peu reluisants », écrit-elle, consciente de sa naïveté. Mais elle ne peut résister. R. lui conseille un coiffeur de ses clients : Dimitri Dachkine. Il la transforme. Il coupe ses cheveux très courts, les teint en blond pâle, lui fait acheter un costume de scène : une tunique blanche en tissu épais, aux manches longues, brodée autour de l'encolure d'une double rangée de motifs dorés en guirlande, sur un pantalon blanc impitoyable pour ses rondeurs. L'effet n'est pas des plus heureux. Elle ressemble à un bébé hibou tombé du nid. Ch. van Horrick réalise la photo de couverture du 45 tours, une contre-plongée qui fait ressortir son nez, mais donne à son visage une expression volontaire, le regard bien haut vers ciel. Photo reprise à des fins promotionnelles en carte postale, dont il restera des paquets entiers. Un assistant du salon de coiffure de Dachkine l'aide à choisir de nouvelles montures de lunettes. Plus fines, légèrement rosées, quelque peu triangulaires mais les angles arrondis, elles ne barrent plus son visage. Dachkine aura paraît-il une fin épouvantable : pour des raisons que l'on ignore, il aurait tué ses deux enfants et aurait retourné l'arme contre lui-même.

Le 4 juillet 1980, Sœur Sourire enregistre une première fois la nouvelle version du tube au studio bruxellois de Marc, chaussée de Wavre. Marc compose l'accompagnement au synthétiseur. Jeannine est très impressionée par l'effet d'orchestre qu'il produit. « C'est BEAU, très beau » écrit-elle. Pourtant, son filet de voix, même soutenu par la technique, s'accorde mal avec le synthétiseur, reste en surface, comme séparé par un gouffre de l'accompagnement un peu kitsch. En rentrant à l'appartement après l'enregistrement, elle se réfugie dans sa vieille bible de Jérusalem, couverte des notes prises pendant ses études, pour y retrouver nourriture et force. Elle attendra deux ans des nouvelles de Marc, qui aura des difficultés à produire le disque.

Jeannine accorde de plus en plus d'importance à son corps et à sa forme, au fur et à mesure que les vagues de la cyclothymie se creusent. Elle joue au tennis, nage à la piscine de Wavre, par périodes. Elle fréquente manucures, pédicures, esthéticiennes et coiffeurs, elle se couvre le corps de crème parfumée. Une kinésithérapeute, Marie-Anne, ancienne élève de guitare qui travaille à Claire-Joie, vient chez elle de temps en temps pour soulager les tensions dues à son arthrose cervicale. Elle la reçoit en sous-vêtements, fière de sa ligne sportive que les régimes épuisants et son activité incessante réussissent à conserver à ses yeux. Elle achète souvent des disques à la mode, des rythmes entraînants qu'elle écoute à plein volume en l'absence d'Annie, et elle danse seule au milieu du salon, face à la grande baie vitrée pleine de nuit. Mozart et Beethoven font également leur apparition sur le pick-up.

Ses élèves de guitare constituent un groupe important. Elle les aime tous. Pour leur faire honneur, elle organise tous les ans à la fin du printemps un grand concert auquel assistent parents et amis. Elle lance trois à quatre cents invitations, trouve de l'aide auprès des autorités locales pour financer l'éclairage et la sonorisation, dont elle ne maîtrise pas le résultat, et clôt la fête par une tombola dont les lots sont offerts à Sœur Sourire par des entreprises de la région encore sensibles à son nom. L'ambiance est au patronnage beaucoup plus qu'au spectacle. Les jeunes jouent et chantent ensemble, certains font des solos, ils choisissent leurs chants et les travaillent avec ardeur. Sœur Sourire se produit elle-même à la fin de la deuxième partie. Sans illusion, comme un bonus envers le public, elle lance son *Dominique-nique-nique* pour rappeler aux parents qu'ils ont eu raison de choisir une star pour les débuts de leur petit.

Le week-end se passe parfois chez les sœurs bénédictines de Rixensart, dans leur monastère de béton dessiné par l'architecte Bastin. Lors d'une cérémonie de vénération de la Croix à Pâques 1980, Jeannine regrette ce rite ancien qui consiste à embrasser les pieds du crucifié : puisqu'il est « Le premier Ami », la moindre des choses serait de l'embrasser sur le visage, remarque-t-elle. Elle se ressource de plus en plus souvent au monastère Saint-André de Clerlande, non

loin de Wavre, chez les pères bénédictins, où elle passe parfois tout le week-end. A pied depuis la gare d'Ottignies, elle
grimpe le chemin escarpé au milieu de ce bois de pins où
galopent des écureuils. Parmi la douce présence des moines,
dans leur chapelle si sobre aux poutres très hautes, Jeannine
se recueille dans une densité de prière unique. Les moines
ont créé un petit jardin zen au centre du monastère, un oratoire particulier au sable ratissé, quelques pierres, des arbres
nains. Dans un atelier séparé du bâtiment principal, certains
peignent des icônes de qualité. Le monastère, contruction
récente, très ouvert sur l'extérieur, accueille volontiers des
retraitants, qui participent aux prières autant qu'à la vaisselle
des repas communs dans le réfectoire. Jeannine continue
parallèlement ses études exégétiques chez les bénédictines du
monastère d'Hurtebise, près de Saint-Hubert. Elle s'est
réconciliée avec les psaumes, qui gardent pour elle le prestige
irremplaçable d'avoir été partiellement priés par Jésus. Elle
s'est remise à la peinture, réalise activement des compositions
abstraites, et achète du matériel pour graver le zinc et le lino.
Mais aux vacances, elle déchire ses croquis de bateaux, et travaille plutôt au pinceau, à la plume et à l'encre de Chine.

Chaque fois qu'elle doit faire face à leur situation financière, c'est la crise de désespoir. Déjà, elle ne voit plus
d'issue. Quelques jours plus tard, ou même le lendemain,
quand ce n'est pas l'après-midi même, elle crie de joie qu'elle
est amoureuse du monde entier. Elle en retapisse l'appartement. Sur les larges fleurs entrelacées de guirlandes, qui
tenaient un peu de l'artichaut, les deux femmes posent avec
l'aide de quelques amis un papier beige soutenu, aux fines
rayures disséminées, version économique de la paille japo-
naise. Au-dessus de la cheminée blanche, elles accrochent
une grande reproduction carrée des animaux à cornes de la
grotte de Lascaux. Sur le manteau, deux photos : Annie, et
une de leurs amies, près de quelques vases qui manquent
rarement de fleurs, quand ce ne serait que quelques branches
de monnaie du pape, curieusement. A gauche de la cheminée,
Jeannine a décoré le mur d'une de ses toiles abstraites dans
un encadrement de métal, dont elle a fait cadeau à R., qui l'a
accrochée dans son bureau.

Annie court l'Europe : Madrid pour le quatrième congrès
de psychomotricité, où elle donne une conférence illustrée
des films qu'elle a réalisés, et Gand, où elle participe à un

congrès européen sur l'autisme. Elle fête ses trente-six ans en juillet dans une abbaye avec les tout-petits de la classe d'éveil de Claire-Joie. Ensemble, elles trouvent le temps d'assister à quelques concerts, comme le fameux Gala de Clôture du Concours reine Élisabeth, manifestation de très haut niveau musical et très appréciée en Belgique, par la famille royale toujours présente, par les médias et le public. Puis elles partent en vacances en Vendée, vont applaudir John Williams et ses negro spirituals dans une église. Dans le calme du Sud-Ouest, Jeannine éprouve de nouveau l'impression de créer son avenir, de maîtriser son destin. Le stage d'aïkido de quatre jours, où elle emmène Annie, achève de la remettre en forme.

A la rentrée, elle accepte deux remplacements simultanés de professeur de religion à Bruxelles. Le premier, qui ne dure que jusqu'à la Toussaint, dans une école communale mixte à Etterbeek, l'autre dans un collège d'enseignement spécialisé en centre ville, rue de la Porte Rouge. Les jeunes perturbés lui sont très sympathiques, même si elle se fait chahuter par des filles de quatorze ans, à l'indifférence contondante. Deux petites musulmanes lui plaisent particulièrement. Elles sont les plus actives dans son cours. Jeannine leur prête un livre qui met en regard des textes similaires de la Bible et du Coran. Ce sont les autres professeurs qui l'agacent. Des femmes avec des préoccupations de ménage, de famille, de vêtements, qui fument « comme des Turcs », blindées envers les élèves, qu'elles ont renoncé depuis toujours à « apprivoiser », ce que Jeannine espère encore. Avec sa guitare, elle y parvient de temps en temps. Elle se sent tellement étrangère à ses collègues qu'elle éprouve de la haine pour chacune d'elles. « Je veux rationnellement faire partie du groupe masculin, reconnue comme valeur, valeur sportive, valeur artistique, valeur comme « Sœur Sourire ». Toutes ces femmes ! Quelle engeance, quel milieu de vipères ! » Son amertume repose surtout sur les remarques de la responsable des cours de religion, une grosse femme qui lui laisse entendre qu'elle devrait se recycler sur le plan pastoral, comme elle, au Centre Lumen Vitae à Bruxelles. La supérieure de l'école par contre, sœur Jacqueline, lui fait part de sa tristesse pour ses difficultés. « Comme elle s'en fait pour moi cette sœur sensible et aimante ! » A la fin du premier remplacement, elle postule pour entrer au jury de l'école des Beaux-Arts de Wavre, sans grand espoir.

Le 17 octobre 1980, elle fête son quarante-septième anniversaire en pleine forme, avec quelques amis des cours d'aïkido, et des élèves de guitare. Gâteaux, bougies, photos, chansons à la guitare. Les jeunes se sentent bien autour d'elle, si bien, que des scouts l'approchent pour qu'elle participe à des sorties avec eux. La Route. Son souvenir s'enflamme : ce sont ses meilleurs moments d'adolescente. Elle achète un uniforme, Annie aussi, et elles partent crotter leurs chaussures, allumer des feux crachotants avec du bois humide, et se baigner dans la gentillesse des jeunes. Mais en décembre, pas de promenades scoutes, chaque dimanche est occupé par un récital : Thuin, Carlsbourg, Fosses, Athus, Boirs, petites villes de province.

C'est au cours d'une semaine de retraite, réfugiée au monastère de Clerlande pour soigner son cafard, que Jeannine fait la connaissance d'un moine, poète, qu'elle souhaitait rencontrer depuis quelque temps. « Très doux, très respectueux », Y. est aussi très beau : grand, un front immense ouvert sur des yeux bleus pétillants derrière des lunettes rectangulaires, une bouche ourlée d'humour dans un visage allongé, les cheveux grisonnants et la voix posée, retenue à la fois et donnée, attentive et juste. Ses longues mains délicates jouent sans hâte avec une pipe dont il ne se passe jamais. Il est breton. Leur première conversation apporte du baume au cœur de Jeannine. « Il faut se manier avec douceur, dit Y., la rudesse ne vient pas de Dieu. » Jeannine, qui traverse des moments de désespoir farouches à mesure qu'approche la cinquantaine, commence dès son retour une correspondance avec Y. qui durera le temps qu'il lui reste à vivre : quatre années. Il va la soutenir, l'écouter, l'apaiser, et tenter de la secouer, de la tirer vers plus de lucidité, vers plus de profondeur, au-delà de ses besoins immédiats de bien-être. C'est l'ami qu'elle appelait de tous ses vœux, clairvoyant et généreux, sans ménager son franc-parler ni tomber dans les pièges que la détresse irrémédiable de Jeannine tend sans cesse à ceux dont elle réclame l'assistance. Le père doyen de Wavre lui fait savoir qu'il ne sait plus quel conseil lui donner, mais qu'il lui conserve sa disponibilité. Elle a pris rendez-vous avec le père Soullard, Provincial des Dominicains de Belgique, pour lui demander son aide spirituelle. Par moments, un sentiment nouveau la traverse, « un mélange de pardon, d'amour, de bonté, de bienveillance de Dieu ». Un mot retient son attention : miséricorde. Autrefois il sonnait mal à ses oreilles, « délavé, démodé, comme une bienfaisance condescendante ». Maintenant il prend les échos d'un désir de réconciliation avec soi-même, avec l'humanité de chacun, « cette espèce de compassion non mièvre et non sensiblerie envers les autres ».

D., sa psychologue, abandonne les rêves éveillés pour le « rebirth », autre thérapie. Jeannine éprouve au cours d'une même séance d'abord le désir de fuir, puis de se laisser envahir par ses problèmes d'argent. Puis « la sensation longue et vive de désirer être aimée, d'oser me laisser aimer, d'accepter d'être aimée (avant j'aurais dit « être reconnue » ou « reçue »). (...) Il y a eu aussi et surtout la sensation confuse d'être aimée de Dieu... Dieu m'aime et je me laisse enfin aimer. Ça me paraît un fameux succès. » C'en est un. Son euphorie de tendresse malheureusement n'est pas durable. Deux jours plus tard, c'est de nouveau l'effondrement, les larmes, le besoin de consolation et la douleur pour chaque tension avec ses proches. Elle se lève en grande forme à cinq heures et demie du matin, fait de la gymnastique, se jette dans l'hyperactivité et se délite en début d'après-midi. Les maux de tête surviennent : à quatre reprises, presque coup sur coup, elle avale trois *Véganines*, deux *Yamamen*, un *Perdolan*. Vingt-quatre comprimés. La panique la saisit quand elle constate à quel point elle est droguée. Cela ne lui sert pas de leçon, elle recommence quelques jours plus tard, au grand désespoir d'Annie. L'accoutumance aidant, les fortes doses deviennent inefficaces. Se sentir bien, explique-t-elle, c'est se sentir vivre, dans une euphorie proche de l'ivresse. Tout autre état n'est qu'approximatif. « Être heureuse de soi, se chercher du plaisir, créer, communiquer aux autres l'intériorité des choses, se sentir bien dans sa peau... sentir, dans le même mouvement, que Dieu existe, il ne peut être qu'un Dieu de Vie, qui souhaite pour chacun de nous la Vie en abondance. » Elle s'enroule à l'envers dans une spirale d'isolement que connaissent les adolescentes, qu'elles dénouent en s'ouvrant sur le monde.

Ses liens avec les religieux gardent pour Jeannine une importance vitale. Elle rencontre nombre de dignitaires, à qui elle demande des conseils, qu'elle s'empresse généralement de ne pas suivre, à l'exception de T. Vous vous intéressez aux vierges consacrées ? lui dit-on, et on lui donne une adresse à

Paris. T. vit dans un minuscule studio, où la table du repas disparaît après usage sous le lit pour gagner de la place. Elle est vierge consacrée, c'est-à-dire qu'elle se consacre aux autres, et à sa relation étroite avec Dieu. Peu de gens connaissent son identité de consacrée et de Tertiaire, mais elle porte la petite croix de Saint Dominique comme un bijou. En France, quelques centaines de femmes possèdent ce statut particulier, officialisé en mai 1970, et entré dans le droit canon en 1985 sous l'article 604. C'est un ordre comme il existe l'ordre des prêtres. Elles ont fait vœu de pauvreté et de chasteté, mais pas d'obéissance. Bien sûr, elles voient leur évêque quelques fois l'an, selon sa disponibilité, mais leur indépendance est totale. Elles gagnent leur vie dans toutes sortes de métiers, parfaitement insérées dans la société. Leur porte est ouverte sans réserve pour l'écoute, le réconfort, le conseil, l'amitié. Elles ne sont pas laïques, à la différence des Tertiaires, mais consacrées, donc d'Église. Leur engagement à suivre le Christ est public et perpétuel. Il n'existe pas d'équivalent masculin des vierges consacrées. Chaleureusement, T. donne à Jeannine toutes sortes de documents sur son statut, des articles, des revues, et son témoignage. Sa douceur n'a d'égal que son rayonnement, qui jaillit dans un sourire direct et vivant. Elle parle avec une grande ouverture d'esprit et une grande fermeté. La France, pense Jeannine, est un pays beaucoup plus tolérant que la Belgique, « on y sent beaucoup plus de liberté, de souffle, en tous domaines ». Soit, mais T. est en contact avec un évêque, et Jeannine ressent ce lien, pourtant très lâche et s'apparentant à l'amitié des membres d'une même famille spirituelle, comme une tutelle, une censure. Leur entrevue lui apporte un élan de lucidité. « Nous tenons à notre qualité de dominicaines, écrit-elle. Cet attachement est-il seulement sentimental ? ou un prolongement inconscient de ma vie religieuse antérieure ? Je ne sais. » Ses remises en question parviennent souvent à point nommé pour la dispenser de s'engager plus avant dans sa quête, quelque désir brûlant qu'elle en ait.

Sponsa Christi (épouse du Christ) figure parmi les livres que Renée a prêtés à Jeannine. Il retrace en quelques paragraphes l'historique des vierges consacrées. Mais il confirme le principe intangible à la vie de consacrée. « Les formules anciennes de consécration des vierges qui se trouvent dans le pontifical romain sont réservées aux Moniales », dit-il aussi.

A l'heure où Sœur Sourire lit l'opuscule, Pie XII est mort, et Jean XXIII a bien assoupli la règle. Le petit livre la rebute, ainsi qu'un article datant de 1979 d'un chanoine que T. leur a recommandé. L'importance accordée à la vierge Marie lui semble « imbuvable ». On lui demande de se conformer en tous points aux vues de l'Église, ce qu'elle refuse absolument. Un paragraphe la choque surtout : celui qui évoque la nécessité pour la consacrée de préférer l'amour de son Seigneur à n'importe quelle affection. « Je ne peux pas ne pas songer à Annie et moi ; là, ça ne colle plus. Je suis bien décidée à continuer à vivre avec Annie, une vie consacrée (mode, modalité ?) *à deux*, quelque chose aussi comme une « amitié consacrée », et merde pour ce que cette précision aurait, aux yeux des moralistes soupçonneux, de relent « homosexuel » ! ! ! » Aux premiers temps de leur vie commune, elle vivait l'amitié avec Annie comme un cadeau, un avatar de son amour pour Dieu. Maintenant, sa réaction très vive est sans doute l'écho d'un approfondissement de leur sentiment vers un équilibre symbiotique qui les a rendues indéfaisables l'une de l'autre.

Elle juge la consécration du Tiers Ordre, pourtant issue des traditions d'Église du IVe siècle, plus valable que toutes les professions des religieuses du monde entier, dans sa seule forme abstraite cependant. A propos des vierges consacrées elle écrit : « Tout ce que je leur envie c'est le symbolisme nuptial de leur engagement, ce que je recherche depuis longtemps, une sorte de vie contemplative et mystique sérieuse... envers quoi je ne me sens pas du tout digne ni prête, à cause de cette terrible agressivité et amertume qui m'habitent le cœur et dont je prends conscience plus profondément aujourd'hui. (...) Très découragée et en même temps sentiment d'un appel pour vivre cette forme de consécration des vierges dans le monde... quoi ? (...) J'en étais arrivée à me haïr moi-même : ce personnage incapable de digérer ses frustrations passées, incapable de vivre un idéal altruiste et théocentriste, projetant sur tout autre ses souffrances d'autrefois... qu'est-ce qu'ils s'en foutent, les autres ? C'est vrai, je me déteste, et à la limite, je souhaiterais ne plus vivre que vivre « comme ça », je préférerais d'un coup supprimer ma souffrance et celle que j'impose aux autres. (...) je me dis que je ne vaux pas la peine que l'on s'occupe de moi... Pourquoi me prendrais-je trop au sérieux ? A quelques pas d'ici des Marocains sont insultés et méprisés, un peu plus loin, des Italiens

dans la mine triment pour les Belges qui refusent ce travail...
un peu plus loin, mes élèves, malaimées, ne pouvant maîtriser
leur personne (... et moi bien ?), ailleurs et au-delà des mers :
des tas de gens qui crèvent pour leur engagements politiques
et chrétiens, des évêques torturés et des religieuses violées,
tout ça, c'est important, n'est-ce pas... Et moi je suis perdue
dans ce flot de misère humaine générale. Et voilà tout. »

Voilà tout, pauvre Jeannine. Voilà tout.

La « drache » glaciale, ce crachin belge si redoutable pour
le moral, règne en maître au-dehors. Le lendemain de sa
triste prise de conscience, Sœur Sourire apaise son angoisse
de six heures du matin avec une kyrielle de médicaments.
Elle est « comme ivre » toute la matinée. Elle se demande
pourquoi des circonstances de ce genre ne la rendent pas plus
vigilante, et si, au fond, elle a tellement le goût de vivre.
« Très forte sensation d'être appelée par Dieu et de ne pas
être digne de cet appel, souffrance très vive, jusqu'aux
larmes. Il semble que Dieu me demande l'impossible. Dieu,
moi ou je ne sais quel substitut. »

« Le tragique et le dérisoire mis ensemble forment une
espèce bien particulière de malheur, dit son ami moine. Chez
elle, il n'y a pas trace ou très peu de ce recul qui est l'expression d'une sagesse humaine. Si on lui parle des grandes attitudes morales, ce qu'on appelle les *vertus cardinales*, cela ne
lui dit à peu près rien. Parmi ces vertus : la prudence ; pour
Jeannine, cette instance est quasi nulle. Par contre, quand on
évoque les mille facettes de la sensiblité spirituelle, elle vibre.
Elle avait tendance à penser que ce niveau représente la
couche la plus profonde de l'être humain. Quand je tentais de
lui démontrer le contraire, ça bardait. Par « sensibilité spirituelle », j'entends l'agressivité, la dépressivité, la mémoire,
l'imagination, le sens esthétique, la capacité d'émerveillement, etc. C'est le monde de la spiritualité qui n'est pas
nécessairment relié à une tradition donnée. Je lui disais : tout
cela est important, mais il y a dans la personne humaine un
niveau plus fondamental, qu'on désigne par le mot *cœur*.
C'est ce qui fait qu'on est une personne, et qu'on le reste,
même quand on est très diminué, comme ce monsieur qui
passe en chaise roulante. Je crois que Jeannine a été tellement blessée au cœur, qu'elle n'avait plus le désir de se situer
sur ce plan. Mon langage, pourtant chaleureux, lui apparaissait comme une menace. En effet, ce langage conduit égale-

ment à relativiser la réussite, les talents, les richesses de la personnalité. Cette prise de distance l'a mise en fureur plusieurs fois. On peut le comprendre : elle ne voulait pas sortir du personnage *Sœur Sourire*.

« Finalement, elle était très empêtrée dans son *moi*. Elle a cru peut-être qu'en déversant sur le papier toute sa vie, elle allait pouvoir vivre avec elle-même. Ça ne lui a guère réussi. A certains moments, ça l'enfonçait davantage. Une des règles d'or de la spiritualité, tant en Occident qu'en Orient, c'est la pudeur, un certain silence sur soi-même. Jeannine comprenait certainement la pertinence de ce comportement, mais elle avait tant de mal à l'adopter. D'une certaine façon, elle ne pouvait pas s'y résoudre. »

« Je ne sais trop si c'est bon que je m'ausculte tout le temps », écrit Jeannine, qui rencontre le moine de plus en plus souvent, et lui écrit entre chaque rencontre, au cours desquelles comme saint Dominique, « il ne parle que du Seigneur. Peut-être est-il bon que je ne fasse l'analyse que chez D. Peur de perdre un bout de la semaine sans notes ? Envie très grande et très grande tentation de ne pas m'écouter vivre ou souffrir, de me distraire, me distraire, m'occuper de telle ou telle façon ». Une tentation, dans son langage, c'est une force qu'il faut combattre, qui finira par triompher dans un retournement de dialectique, la laissant percluse de mauvaise conscience. Jeannine craint de perdre le fil de sa vie si elle ne l'écrit pas. Mais le questionnement sans fin qu'elle mène dans son journal ne s'apparente que de loin à une description de ses jours, à une mise au point sur la réalité, à une réflexion en progrès. C'est bien plutôt, ces dernières années, une obligation de retour infructueux sur soi-même, la fascination du vide, le miroir des montagnes russes de ses humeurs. Sa thérapeute lui suggère de comprendre pourquoi elle écrit tant. Elle se braque, remet en question l'utilité de ses visites hebdomadaires coûteuses qui ne lui apportent pas l'amélioration qu'elle demande. Puis elle concède qu'elle écrit un peu pour sa thérapeute, et surtout pour ne pas mourir, puisqu'elle charge cette activité d'une teneur artistique vitale. « Impossible de me taire. Mécanisme incontrôlable et bizarre. »

« Seigneur, je ne suis rien, prends pitié de moi », prie-t-elle. La chasteté que la consécration de vierges requiert lui apparaît tout à fait hors d'atteinte, elle a besoin du plaisir que lui donne son corps. « C'est une sorte d'hygiène, se justifie-t-elle, comme un bol d'air frais qu'on s'autorise enfin à respirer un grand coup. » Non, cela n'est pas pour elle la seule raison. « Envie, besoin, peur de « jouir » de Toi, Seigneur », peut-on lire au printemps 1981. La souffrance et l'ataraxie, l'angoisse et la jouissance sont les murs auquels elle se cogne alternativement. Elle n'en connaît pas le prix, ou plutôt, elle le devine : « Annie m'a quittée vers 18 heures. Eperdument, j'ai bu trois verres de Martini avec un calmant, deux tranches de Hollande, deux filets d'Anvers, un yoghourt, une mousse au chocolat, deux bananes, une poire, des biscuits salés, du lait écrémé. Fatiguée, je me suis endormie une grosse heure et demie. Bien-être et détente, je me sentais bien, bien, bien... je crois que je choisirai les calmants mêlés aux apéritifs pour trouver une mort douce et bonne à vivre. Trois fois le téléphone et je n'ai pas décroché... » La mort de tous les jours n'est pas bonne à vivre. On l'imagine, debout devant le réfrigérateur, avalant dans le désordre le sucré et le salé en attendant que le calmant et l'alcool étouffent sa nausée de faiblesse. Elle n'a plus de récital pour le premier trimestre. La tendresse d'un homme, qu'elle a goûtée brièvement avec Baudoin, lui manque, elle appelle au secours ses amis, ses frères, ses pères, copains de tous âges et de tous genres : « Aidez-moi à vivre ! » Pleine de honte, elle craint de vouloir inconsciemment utiliser la confiance qu'ils lui offrent pour connaître enfin plus que la tendresse. Au bout du compte, elle ne retrouve la joie qu'entourée de femmes, lors d'une retraite chez les moniales dominicaines de Ferrière-la-Grande, dans le Nord de la France, près de Maubeuge. La prière et la douceur des moniales agissent en profondeur, ainsi que la gentillesse de la Prieure, qui l'écoute et lui conseille de s'ouvrir au Provincial Dominicain de Belgique, le Père Soullard, de leurs problèmes financiers. Elles le rencontreront plusieurs fois, très fraternel et accueillant, prêt à trouver avec elles des solutions diverses et immédiates à leurs recherches spirituelles.

Au retour, elle rassemble ses différents élèves de guitare pour répéter un concert qu'ils donneront ensemble ; le rire des jeunes gens, dont la plupart ne se connaissaient pas, la ragaillardit pour tout un week-end. Dès le lundi matin, les maux de ventre, la fatigue recommencent. Elle n'a pourtant que quatorze heures de cours de religion par semaine, la plupart prenant l'aspect de discussions informelles. Si l'apport financier régulier la sécurise, le retour immuable des cours de semaine en semaine la brime. Rien de tel qu'un récital dans une église de village un samedi soir, devant cent cinquante personnes, pour faire disparaître migraines et épuisement. Après vingt-cinq chants, les seuls bâillements des enfants lui ont fait poser sa guitare. Le public l'ovationne, et l'organisateur, surpris de l'affluence, la couvre d'éloges. Le cachet de la soirée ne sera pas de trop : le receveur des contributions de Wavre lui demande 148 000 francs belges (environ vingt cinq mille francs français) dans les quinze jours sous peine de saisie de l'appartement et des meubles. Heureusement, la Sabam possède presque la même somme en droits d'auteur, qui pourraient être versés directement au fisc. Les petits extras des week-ends ne couvrent pas les frais de l'appartement. Elles doivent six mois de loyer, et des sommes importantes au pharmacien et au débit de boisson. Seuls les cours de guitare à l'appartement ne sont pas déclarés et permettent d'avoir quelques billets en poche. Cependant, Jeannine offre de bon cœur à Annie une belle paire de chaussures pour se rendre chez le couple royal, au Palais de Laeken le 5 mai, à l'occasion d'une réception donnée aux handicapés.

Sans cachet, mais pour la gloire, Thérèse Leduc de Télé Luxembourg lui propose de réaliser une émission de dix minutes consacrées pour moitiés aux enfants de Claire-Joie et pour moitié aux élèves de guitare de Sœur Sourire. Laquelle tire de leur lit à sept heures du matin ses meilleurs éléments pour qu'ils réservent leur journée : Anne, Michel, Fabrice, Hubert, Claire, qu'elle couve d'une affection débordante et un peu rugueuse tout au long de l'année. Pleine de fierté maternelle, elle les pousse devant les caméras pour un refrain de Bob Dylan ou une chanson en vogue d'Antoine. Leur présence pendant l'interview l'intimide, elle en perd la voix. « J'aime mes jeunes, j'en suis toquée » avoue-t-elle à son journal. Le concert qu'ils donnent en avril sous le nom de « Guitaralia 81 » lui apparaît comme une belle réussite.

« Actuellement, je sens que je vis « pour le plaisir », avec le souci de ne me priver de rien, de m'accorder tous les plaisirs possibles, en nourriture, boissons, amitiés, rencontres, musique, etc. » Plaisir aussi, les retraites à Clerlande, « jours de bonheur, d'équilibre, de fraternité, de ressourcement, de vie religieuse saine et paisible ». Plaisir également les lectures que lui prête l'ami moine, comme *Jésus a tant de visages* –

l'imagination dans l'expérience de la foi, de Philippe Régeard,
dont elle cite longuement les passages qui résonnent dans sa
vie du moment, comme celui-ci : « Le Dieu psychanalytique
est un miroir où nous nous découvrons, nous renvoyant à
nous pour assumer ce que nous sommes ; le Dieu de la Foi
nous sauve en nous introduisant dans une relation d'amour
qui nous constitue fils. (...) Le Salut est d'abord un état où
l'on a de l'espace pour respirer et vivre, par opposition à une
situation d'oppression, d'étroitesse et de mort. » Quand elle
remplit sa vie comme un œuf, elle se sent sauvée. Dès que le
vide intérieur se fait entendre, elle s'effondre et tend la main
vers les calmants et l'alcool, pauvres étais [1]. Les retours dégri-
sés du monastère bénédictin provoquent des lundis nauséeux.
« A bout de larmes et de nerfs, j'ai essayé de « prier » quelque peu ; c'est beaucoup dire ; en fait, c'était essayer de tenir
« en présence de Dieu », tout bêtement. J'avais devant les
yeux, en tête, l'image d'un très jeune enfant apprenant à marcher dans un immense désert en couleurs. Il y avait un ciel
bleu d'une dureté insoutenable et un sable doré et rose.
J'étais sans doute ce jeune enfant. »

Annie rencontre elle aussi au monastère un moine auquel
elle ouvre son cœur. Les moines appellent par leur prénom
les écureuils, les chevreuils, les lapins qui crapahutent sans
crainte entre les bâtiments et les bois. Jeannine s'émerveille
devant la « transparence à Dieu » de leurs nouveaux amis,
devant leur audace d'être résolument ouvert à la présence
même dont a besoin leur interlocuteur, devant leur pureté et
la droiture de leur cœur, leur profonde lucidité.

Les cours à la Porte Rouge ont pris fin. Sœur Sourire a
quitté « ses » filles la gorge serrée, et se trouve sans travail.
Pour la première fois de sa vie, elle doit pointer au bureau du
chômage. Les enfants pleurent dans les files d'attentes enfu-
mées où piétine la foule des mal-lotis, mal rasés, mal habillés.
Pour toucher moins de soixante-dix francs français par jour,
chacun d'entre eux doit jongler avec son emploi du temps : ils
doivent se déplacer tous les jours à une heure donnée.
L'heure de pointage n'est transmise que la veille. Jeannine
supporte difficilement d'être assimilée à cette misère, à cette

---

1. « Comme une eau, le monde vous traverse et pour un temps vous prête ses couleurs. Puis se retire, et vous replace devant ce vide qu'on porte en soi, devant cette
espèce d'insuffisance centrale de l'âme qu'il faut bien apprendre à côtoyer, et qui,
paradoxalement, est peut-être notre moteur le plus sûr. » Nicolas Bouvier, *L'Usage
du monde*, Payot, 1992.

contrainte. En août, elle renoncera tout à fait à s'y rendre, préférant se consacrer à ses activités scoutes, sportives et musicales. Elle n'est même pas sûre de toucher le salaire qui lui revient de l'école de la Porte Rouge, puisque monsieur D., receveur des contributions à Wavre, tient beaucoup à la saisie sur tous ses salaires, saisie qui l'a déjà privée du bénéfice de ses heures d'enseignement précédentes. Sur les conseils de l'ami moine, elle prie une heure d'affilée tous les jours. Même en larmes, dans le sentiment d'absence de Dieu, elle trouve un peu de paix. « En fait, lui écrit-elle, en plus de la séance hebdomadaire de psychothérapie où je me retrouve face à moi-même, à mon centre, il y a ce « face à Dieu » qui est mon vrai centre, et où, même en ne ressentant rien de très spécial (pas d'extases, pas d'euphories, seulement un besoin d'être là), je me recentre de nouveau, au plus profond de ce Dieu dont je veux croire qu'Il est vivant au fond de moi, dynamisant en quelque sorte le vécu de tous les jours, psychothérapie comprise. Paix – c'est toujours ça, et une certaine patience. Aussi, comme autre résultat, une certaine douceur envers Annie, quelque chose comme un regain d'amitié et d'attention. »

Mais mi-juin, l'angoisse reprend son dû : « Ce qu'il y a de certain, peut-on lire, c'est que si je veux me suicider un jour, ce sera aux barbituriques alliés à l'alcool. Triste à crever. J'ai doublé ma dose de médicaments pour dormir, et là-dessus, trois verres d'Izarra, liqueur forte à 45°. J'attends l'effet sédatif en forte dose. Trop, c'est trop. Les finances, et l'obligation de demander un prêt de trois mille francs au doyen et un de cinq mille à un ami parent de Bénédicte, lequel me rappelle sèchement que je ne lui ai pas encore remboursé les cinq mille francs de décembre. Et Annie au camp à W. Pas eu le courage de prier seule. Besoin de pleurer, pleurer, pleurer... et crever. Dieu me pardonnera. (...) Je vais dormir. Essayer. Sinon, reprise de calmants et de liqueur. (...) Et Dieu discrètement présent, douloureusement absent. J'en ai marre, marre, marre... »

13

DERNIERS COMBATS

Insensiblement, Jeannine intensifie sa correspondance avec Y., son ami moine. « Je ressens cela comme un *transfert*, écrit-elle, j'espère que ça n'est pas négatif de partager tout ce qui se passe dans ma vie, avec et à côté de la prière ? » Soixante-dix lettres prendront le chemin du monastère en 1981 : de longues missives tapées à la machine, ponctuées d'un J. énorme et souligné traversant un tiers de la page, drôles parfois, ou bien se voulant provocatrices et retorses, mais transparentes et au fond, touchantes. Elle déverse sentiments et impressions en vrac, même les plus intimes, quêtant l'approbation ou la réaction ; des commentaires de ses lectures, sa découverte émerveillée de Saint-John Perse. Des petits mots griffonnés dans les larmes, modestement signés. Une carte de visite non datée, au dos de laquelle cinq lignes à peine lisibles appellent au secours : « Dimanche matin. Larmes de grand matin dans mon bain froid. Triste à crever. *Envie de crever.* Semble que seule la tendresse d'Annie peut me *sauver* du (illisible) et surtout ta prière. Merci. Bisous. Nine. » Il est possible qu'elle ait délaissé quelque peu son journal, mais une si vieille habitude ne se lâche pas facilement. Le dernier classeur dort sans doute quelque part, taché de larmes. Le doyen de Wavre et le moine redoublent d'efforts pour la guider vers un mieux, avouant toutefois leur impuissance devant la force d'inertie qui l'entraîne, l'importance de sa souffrance. La prière du moine agit parfois si fort, qu'elle se relève de son lit où la déprime la jette en pleine journée, apaisée et ragaillardie. Y. lui conseille de « goûter la douceur de Dieu ». Elle y parvient par bribes après de très longs moments de prière, qui lui laissent la honte de n'avoir pas grand-chose à offrir en échange. Sa thérapeute finit par lui faire dire que ses moments d'adoration se réduisent à des échappatoires envers ses problèmes psychologiques. L'incroyance de la praticienne lui pèse de plus en plus, spécialement le doute qu'elle jette sans fin sur sa vie de prière. La prière seule apporte à Sœur Sourire l'apaisement, le signe de vie du Dieu qu'elle aime tant bien que mal. Elle a la force de protéger sa foi contre les attaques de D.. Elle la quitte définitivement.

Sans retard, elle trouve un autre professionnel : Claude N., qui lui propose une *gestalt-therapie*. Encore un faux pas ? Claude N. lui a sans doute offert de remplacer sa collection de médicaments par d'autres, moins nocifs à long terme, comme on le fait pour les drogués. Il sera convoqué devant les tribunaux – bien plus tard, sans lien direct avec sa célèbre cliente – pour exercice illégal de la médecine. Condamné, et il se soustraira à sa peine en fuyant au Canada. « Il lui apprenait à respirer par les pieds ! » se moque l'homme d'affaires, qui suspecte la réalité thérapeuthique de la bioénergie.

Entre-temps, le doyen de Wavre remarque combien la façon de prier de sa drôle de paroissienne a gagné en authenticité. Elle n'a plus besoin d'un rempart de livres d'exégèse, de justifications intellectuelles de penseurs chrétiens patentés. « Maintenant, dit-elle, ma prière ça n'est plus moi qui la choisis, qui en décide l'horaire et le déroulement, c'est Dieu... abandon à Dieu. Voilà. » Les deux religieux gagnent quelques batailles. Le directeur de la Sabam aussi l'aide à sa façon, en lui faisant parvenir des sommes importantes pour les lui verser directement, afin qu'elle épure deux ou trois dettes urgentes. Soixante-dix mille francs belges, plus de dix mille francs français arrivent sous forme de mandat un matin dans sa boîte aux lettres : elle court chez le fleuriste et offre à Annie un bouquet de sept œillets rouges, un par dizaine de mille, et un petit bijou en prévision de sa fête, avec une citation d'Isaïe : « Tu as du prix à mes yeux, et moi je t'aime. » La souffrance quotidienne d'Annie est pesante, mais leur tendresse reprend toujours la parole. « Annie, à qui, parfois, quand je dis *je t'aime*, l'envers de mon assertion dit dans le même temps *tu m'emmerdes*. Annie et moi, une énorme affection *incorporéïsée* – quel langage ! – mais aussi un énorme respect de l'autre en sa sexualité personnelle, pas de *rapports sexuels* comme tels : la tendresse gestualisée serait-elle exclusivement réservée aux gens maritalement reconnus ? »

Un dimanche, elle parcourt seule les terrasses de café du centre de Bruxelles avec ses plumes et ses crayons pour croquer les églises et les maisons anciennes devant force thés nature. La joie qu'elle en éprouve fait dire à son amie C. : « Si tu commençais un atelier de peinture chez toi ? Quelques bonnes femmes une heure-une heure et demie en groupes de 4-5 ? » L'idée enchante Jeannine car, malgré l'amélioration financière qui en résulterait, la perspective de retrouver des cours de religion lui pèse. Elle s'exécute. Les petits groupes emportent leurs chevalets dans la nature sous l'œil attendri de la Sœur Sourire, douce enseignante pour les adultes avec son chandail noir au col roulé. L'amie C. se fait plus que jamais présente ces derniers temps. Elle accompagne Sœur Sourire en récital, parfois au banjo, parfois seulement pour apporter compagnie et aide technique. Elle transcrit les mélodies des nouveaux chants dans le salon de l'appartement qui résonne de leurs rires. Son amitié compte beaucoup pour Jeannine, elle la soutient fidèlement. Le week-end se passe parfois avec les groupes de la Route, en retraites dans les couvents ou sous la tente. Malgré les réunions et les galopades, elle rentre le dimanche soir ravie de ses vêtements trempés et des bises de ses jeunes, de leurs demandes, comme celle d'un temps individuel de silence après les moments de réflexion commune. Yvan est entré dans le mouvement. Un soir, dans le train qui les ramènent chez eux, il chante, faux, mais de tout cœur, accompagné par la guitare de Sœur Sourire, pour le plus grand bonheur d'une vieille dame assise plus loin dans le compartiment.

La version électronique de *Dominique* est enfin prête pour Noël 1981. Sur la pochette, ce titre dérisoire : *Electronique-nique-nique*. La firme qui édite le disque donne une soirée de lancement dans une boîte de nuit à la mode. A la suprise générale, c'est le triomphe. La jeunesse gâtée de Bruxelles, certains arborant des coiffures vertes ou bleues, tape dans ses mains, crie de joie, ovationne Sœur Sourire. Un hymne de leur enfance, sorte de *Frère Jacques* made in Belgium, s'offre un lifting au synthétiseur. Sœur Sourire elle-même n'en revient pas. Sans aucun doute ils attendent quelque chose, pense-t-elle, ce message les touche au cœur. Le lendemain dans le journal *Le Soir*, un bel article fait l'éloge du coura-

geux come-back, vingt ans après la première version. Sœur
Sourire fait quelques radios, les ventes épuisent le tirage et le
titre en reste là. La chanteuse touche quinze mille francs
belges, (environ deux mille cinq cent francs français), avant
que le fisc ne saisisse le reste.

Claude Vignon l'invite à la RTBF Bruxelles pour son émission « Point de Mire » du 15 février 1982. Sur la défensive dès
le début, Sœur Sourire répond nerveusement. Elle ne
comprend pas toujours les questions, tant elle cherche à se
justifier et à se défendre quand il n'y en a pas lieu. Le journaliste ne se laisse pas désarçonner, mais perd sa sympathie
assez vite au profit de la patience. Ils parlent de l'exposition
qui aura lieu dans le cloître intérieur de l'Hôtel de Ville de
Wavre, du 19 au 23 mars, où seront exposées des aquarelles,
des encres de Chine, et des toiles abstraites aux couleurs ruti-
lantes, dans des cadres en aluminium comme le voulait
l'époque. « J'expose parce que j'aime être reconnue aussi
sous cet aspect-là, je n'ai pas qu'un seul côté, une personne a
plusieurs facettes, dit-elle. C'est bon aussi de savoir qu'une
artiste peut à la fois chanter, peindre et écrire. Pourquoi pas ?
Pourquoi ne pourrait-on faire que chanter ou que peindre ou
qu'écrire ? » Pour décrire son cheminement en vingt ans,
Sœur Sourire répond sans presque reprendre son souffle par
le résumé de sa vie et de son histoire à l'usage de la presse.
« Je suis sœur *de* tout le monde et une Sœur Sourire *pour* tout
le monde – de vous, de mes sœurs, de mes élèves », lance-
t-elle. A la question du doute, elle répond sans hésiter :
« Cela fait partie de la foi de douter. » Puis le journaliste
l'interroge sur les rapports entre la dépression et la foi, le rôle
du psychologue et celui du prêtre. « Une dépression n'est pas
une maladie de la foi. Sans ça je crois qu'il y en aurait beaucoup. Ça comporte des doutes et des remises en question au
niveau de la foi *aussi,* mais au niveau de l'engagement vital
encore. Les différents niveaux sont impliqués dans une
dépression. Pas seulement la santé humaine, ni physique, ni
corporelle, ni psychologique, mais culturelle. C'est une
recherche de valeurs nouvelles peut-être aussi. C'est une
chance d'évoluer aussi je pense. C'est pas seulement être tri-
butaire de médicaments et puis d'une psychologue. (...) Le
psychanalyste, bon, on peut pleurer devant lui pendant une
demi-heure, monsieur c'est six cent balles, au revoir, merci, à
la prochaine. L'ami confesseur c'est un entretien ou un

dialogue, c'est autre chose. C'est une personne qui parle de quelqu'un et qui essaye d'y voir clair. Mais certains psychologues rejoignent les qualités de certains confesseurs. » Quand on lui fait observer qu'une dépression peut être le résultat d'une erreur de choix, elle s'en défend aussitôt, et met en avant le surmenage dont elle était l'objet. Quant à la nouvelle version de *Dominique,* elle la trouve plus vivante, plus adaptée à la jeunesse du moment, que la première chanson qu'elle juge affable, sage et bien gentille.

A Pâques 1982, Jeannine entre à Clerlande pour se désintoxiquer. Après deux ou trois semaines de souffrance intense, il semble qu'elle ait atteint un équilibre pendant quelques mois. Une retraite en août chez les sœurs du monastère de l'Épiphanie à Eygalières près de Prouilles, dans un endroit aride et desséché du sud de la France, apporte à sa contemplation une dimension jusque-là inconnue : la tendresse de la Mère du Christ. Les conseils du père Pierre, responsable de la communauté, ont porté leurs fruits. Il lui a suggéré de se tourner vers la douceur, en lui donnant ce nom de Mère, pour qu'elle rejaillisse sur les autres. Pendant une semaine, elle écrit plusieurs fois par jour des paragraphes de louanges et d'actions de grâce, avec sa capacité unique d'exulter. Comme à chaque élan de sa foi, elle rend grâce encore pour l'approfondissement de ses liens avec Annie. Elle prie une heure tous les jours pour toutes les personnes rencontrées dans sa vie, y compris celles qui lui ont fait du mal et à qui elle pardonne. Les notes de cette retraite sont les dernières pages que Jeannine a écrites pour elle-même, en dehors du classeur disparu. Elles se terminent par une citation du père Besnard [1] : « Puiser chaque jour la ration nécessaire de foi en faisant face instant après instant à ce qui est demandé par Dieu notre Maître dans le fil de la vie. Cette tâche quotidienne peut devenir la prison de nos élans, l'éteignoir de nos espérances... mais à celui qui a su démêler ce que Dieu voulait qu'il fasse dans sa vie, à celui qui a accepté que ses tâches humaines soient jugées et réorientées par l'Évangile pour devenir collaboration au dessein divin... à celui-là la foi est donnée chaque jour, une foi qui va s'enhardissant...Tout sert à Dieu pour instiller la foi dans les occasions, les détours et les replis de notre vie. »

---

1. Père Besnard, *Il faut que j'aille demeurer chez toi*, Cerf, 1978.

En août, la banque IPPA, qui possède l'hypothèque sur l'appartement, réclame 724 642 francs belges, plus de cent vingt mille francs français, et renouvelle sa menace de saisie. A peine rentrée de vacances, Sœur Sourire tente de transcrire au quotidien la force reçue pendant l'été, de comprendre les détails de leur situation financière dangereuse et embrouillée, de la reprendre en main. Sans succès. La tâche est lourde, elle plie, surtout quand elle prend un peu de recul. « J'en ai plein le dos de moi-même, de mes façades, de mes masques, de mes faux-semblants, de mes tentatives de paraître « en forme » pour qu'Annie ne s'inquiète pas de moi. Je suis née merdeuse, je finirai vraisemblablement comme ça, en emmerdant mon entourage, en vivant une vie double, moi qui rêvais voici peu à une certaine transparence et vérité retrouvées, ou enfin trouvées, me semble-t-il. » Dans un premier temps, elle obtient de son voisin qui gère le syndic de co-propriétaires un délai de paiement pour les charges de l'appartement. R. essaye de temporiser avec la société hypothécaire. En vain.

Le 7 septembre, on leur annonce l'imminence de la vente publique. Sur le moment, bien que cela ne soit pas la première fois qu'une telle menace se fasse si pressante, c'est la panique. Elles écrivent au roi sur-le-champ, un petit mot qui reflète l'affection d'une grande partie des Belges pour la personne de leur souverain :

A Sa Majesté le Roi Baudoin
Palais de Laeken
1020 Bruxelles
Monsieur le Roi,
Nous vous prions de nous excuser de vous importuner à nouveau, mais suite à notre lettre du 24 juin dernier signalant que notre lettre du 19 juin avait été communiquée au Ministre des Finances, nous sommes toujours sans nouvelles, et nous vous adressons la lettre reçue ce matin annonçant la vente publique de notre appartement.

Le temps presse, et nous ne savons que faire sinon recourir encore une fois à votre bienveillance envers nous.

Si le Ministre des Finances pouvait partiellement lever la saisie fiscale opérée sur les droits d'auteur de Sœur Sourire à la Sabam, et ce sans tarder, si possible, nous pourrions probablement payer un montant suffisant pour apaiser les poursuites d'Ippa.

Vous remerciant d'avance de votre aide efficace, nous vous prions de recevoir, Monsieur le Roi, l'expression de nos salutations très respectueuses.
Jeannine Deckers (Sœur Sourire)
Annie Pécher.

Puis elle se réfugie chez un ancien professeur de Louvain qui lui témoigne de l'amitié, et qui avait déjà grandement œuvré pour l'aider. Voici son témoignage :
« Elle était malheureuse comme tout. Elle enseignait déjà à Wavre, et elle est venue me voir pour m'expliquer ses misères, et qu'il lui fallait des protections. Je lui ai dit : bien, je vais organiser un déjeuner. On a déjeuné chez moi à R. A ce déjeuner, j'ai invité un ancien ministre de la Justice, Marcel Grégoire, un homme important qui a du poids. J'ai invité un banquier qui s'appelle Marcel Legros, qui est président d'une des gandes banques de Bruxelles, et j'ai invité Pierre Harmel, ancien ministre des Affaires Etrangères, homme politique de première catégorie etc. Elle est venue, toute heureuse apparemment de l'occasion que je lui donnais, pour s'assurer des contacts et des relations. Bon. Elle n'a pas ouvert le bec. Je l'avais mise à ma droite. Tout le monde a essayé de lui parler, et quand on a apporté le dessert, elle m'a demandé si elle pouvait se retirer. Elle n'a parlé à personne. Après ça on se disait : qu'est-ce qu'elle a ? Est-ce qu'elle est malade, est-ce qu'elle est asociale, c'est possible. Je lui ai téléphoné après, elle s'est fortement excusée, mais comme on s'excuse à l'égard d'un instituteur avec lequel on n'a pas été très poli. Pas en expliquant pourquoi, son escapade, si ces messieurs ne lui plaisaient pas... Je lui ai demandé s'il y avait des formes qui la heurtaient. Ah non, non, rien du tout. Je crois que cette misère tient en partie au fait que la tentation était grande de ne pas tenir compte de son avis à elle. Essayer de tenir compte de son avis à elle était difficile.
« Un beau jour où elle n'avait plus un sou, avec son amie, je l'ai hébergée. Un huissier était attendu le lendemain, elles devaient disparaître. Je leur ai dit, bien, venez. Il y a ici quatre chambres à coucher, prenez-en deux, servez-vous, je n'y vois pas d'inconvénient. Elles n'étaient pas équipées pour loger, elles n'étaient pas venu avec des valises, elles foutaient le camp comme des enfants qui ont renversé la soupe. Pas du tout comme des malfaiteurs qui ont calculé leur coup ou

comme des gens qui ne veulent pas voir l'huissier. Enfin. Alors elle est restée là. Moi j'ai été soi-disant faire un tour chez un de mes voisins uniquement pour ne pas leur imposer de passer la soirée en tête à tête avec moi. Elles pouvaient écouter la radio. Le lendemain au petit déjeuner, elles avaient l'air ravigotées prêtes à s'en aller. »

De retour à l'appartement, Jeannine téléphone à R. : « Il y a eu un miracle ! s'écrie-t-elle. Un miracle ? Vous avez trouvé un très bon acheteur ? » Non, explique Jeannine, la vente n'aura pas lieu. Ippa a *retrouvé* le carnet de dépôt datant de l'achat de l'appartement, où sont consignés six cent mille francs belges en garantie de l'hypothèque, gracieusement rémunérés à quatre pour cent depuis plus de dix ans. Résultat de la pression du palais royal ? Quoi qu'il en soit, la saisie est annulée. Mais pas les frais qu'elle aurait occasionnés ! Cinquante mille francs belges de notaire et de justice, plus de huit mille francs français, qu'elles paieront aveuglément, alors que l'hypothèque court encore avec ses intérêts cumulables de quatorze pour cent. R. est furieux quand il apprend qu'elles ont payé cette lourde somme indue, sans le consulter. L'avocat Vannerom somme la banque de s'expliquer. IPPA campe sur ses positions.

C'est le moment que choisit Sœur Sourire pour prendre contact avec la nouvelle prieure générale du couvent de Fichermont afin de renouer le dialogue. « Je trouve tellement con ce procès qui perdure et qui, en fin de compte, n'est qu'une question de prestige ; outre le côté fiscal, plus embêtant, et là, c'est le cirage. » Les liens de cœur et d'argent avec son ancien couvent sont inextricables. Quant au prestige, elle n'était plus que la dernière à y croire. La prieure accepte de lui rendre visite à l'appartement. On ne sait ce qui fut dit lors de cette entrevue, mais en novembre 1982, Jeannine décide d'assigner pour de bon le couvent devant les tribunaux, car elle est à bout de ressources pour éponger l'hémorragie exponentielle des dettes fiscales et hypothécaires. « Je ne suis pas prête à abandonner cette Sœur Sourire, ou alors, moi, je peux songer froidement à me suicider et sans sourire. » Dieu commence à lui faire peur, car elle perçoit une volonté émanant de Lui de se défaire de ce fantôme.

Un avocat envoyé par le couvent, religieux lui-même, demande une entrevue à Jeannine. Il lui propose de tout arranger à l'amiable. D'éviter une confrontation douloureuse avec ses anciennes supérieures. De ne pas mettre en danger ce qu'il lui reste de carrière, car elle use illégalement de son pseudonyme, l'attestation qu'elle a signée à la sortie du couvent lui en ôtant le droit. Contre cinq cent mille francs belges payables en février 1983 (un peu plus de quatre vingt mille francs français). C'est très loin du compte. Il faudrait le double pour la tirer d'affaire. Mais le risque d'être dépossédée une seconde fois de son identité imaginaire est une menace vitale. Son homme d'affaires la met en garde : accepter le chèque équivaudrait à une défaite totale envers le couvent, toutes les possibilités ultérieures de recours seraient anéanties. Elle est incapable de marchander, ou de supporter une nouvelle bataille légale. Claire-Joie a un besoin urgent de liquidités, sous peine de fermeture, et Annie exerce une certaine pression, effrayée elle aussi par un très long procès en perspective.

Jeannine flanche : elle accepte le compromis. Fichermont et Sœur Sourire sont définitivement quittes. « Nous nous réconcilions un tant soit peu avec l'Ordre de Saint Dominique, écrit Jeannine à son ami moine, ce qui peut nous ouvrir des portes dans l'avenir. »

Le centre Claire-Joie a déménagé dans un village accessible uniquement en voiture, rue de l'École à Dion-le-Val. Leur premier local devenait petit, et il semble que son propriétaire voulait récupérer le bâtiment à la fin du bail, le rénover et le louer plus cher. A Bruxelles, une explosion immobilière précipite le prix des locations en quelques mois au niveau de Londres ou de Paris. Claire-Joie ne peut rester en ville. Le déménagement ne lui a pas apporté le développement espéré. Un article dans la presse appelle au secours, sans succès. Cependant, les tractations s'étendent sur de longs mois, et Claire-Joie ne peut plus être sauvé. En avril 1982, l'asbl ne peut plus faire face aux dépenses de fonctionnement. Sœur Sourire envoie une circulaire intitulée : « Dernière lettre aux Amis de Claire-Joie », dans laquelle elle informe tous les professionnels et volontaires de la fermeture définitive du centre, et les remercie pour leur aide, et pour leur amitié. Les tracasseries administratives ont finalement raison de cette belle initiative en faveur des enfants autistes, dont il n'existe qu'un autre exemple en Belgique : Marcinelle. Les subsides de l'État ont été votés, on attend leur arrivée imminente. On est dans un État fédéré, ils arrivent avec deux, trois, cinq ans de retard. En l'occurence, après la mort d'Annie. L'argent était encore en 1990 sur les comptes des curateurs à Nivelles, chargés de la succession d'Annie.

Guitaralia 82 a lieu en novembre à l'Hôtel de Ville de Wavre, renouvelant la formule qui plaît aux élèves et à leurs parents. L'organisatrice, réconfortée par ce succès qui oblitère pour un soir les horreurs quotidiennes, se réchauffe le cœur sous les spots de la salle de spectacles.

Dès le début de l'année 1983, les deux femmes prennent contact avec des Instituts Séculiers du Nord et de l'Ouest de la France, pour s'informer sur le statut de Tertiaire dominicaine. On les y reçoit chaleureusement.

Les Instituts Dominicains Séculiers – le Tiers Ordre dominicain, sont des groupes mixtes de personnes qui ont le désir ancré de vivre pour Dieu, et d'être actifs pour Lui dans le monde. Elles Lui consacrent leur vie, prononcent des vœux de célibat, chasteté, pauvreté et obéissance, mais vivent leurs vœux de façon privée, tout en restant chez elles. Elles n'ont pas de bâtiment, ni de siège social, ni même de salle en propre. Elles se retrouvent de temps en temps dans des salles paroissiales, ou chez d'autres communautés religieuses. C'est une double consécration de sa vie entière à Dieu et au monde, très exigeante. Une volonté de s'insérer dans la société pour donner à son entourage immédiat l'image de l'épanouissement qu'apporte la relation étroite à Dieu et au Christ, « la révélation de l'intense vie intérieure qui animait la sécularité de Jésus [1]. » Peu d'hommes sont tentés par ce tour de force, la plupart des Tertiaires sont des femmes. Certaines sont mariées. Elles doivent ne rien attendre des autres, ni mainmise, ni direction, sans statut défini aux yeux des autres. L'autonomie réelle demande une grande force, que peu sont capables de fournir, surtout si une vie conventuelle précédente les a habituées à l'obéissance totale, à une vie régulière et à un certain confort matériel. Les problèmes qui ont amené l'échec dans un couvent ou un monastère resurgissent avec autant de force au sein de l'Institut. Les premiers contacts avec des membres de l'Institut durent six mois pour apprendre à se connaître, et se prolongent encore six mois. Ensuite, on peut faire une demande pour un an de cheminement avec la personne responsable de l'Institut local. Alors

---

1. François Morlot, *Des chrétiens comme les autres, Les Instituts séculiers*, Desclée de Brouwer, Paris, 1984.

seulement vient une formation de deux ans avant les vœux. Les Instituts acceptent parfois des veuves, mais après cinquante ans, on ne consacre à Dieu que la fin de sa vie – le reste, en quelque sorte – et surtout, on n'a plus toujours le dynamisme nécessaire pour se remettre totalement en question. En Belgique, il n'existe que l'Institut d'Orléans, qui demande aux postulants de vivre d'abord en communauté pour les former, les coupant ainsi du monde. Il y a cinq IDS en France aujourd'hui, constitués majoritairement de femmes, et qui vont se regrouper. Ils existaient déjà en 1967. On a vu déjà à l'époque les réticences de Jeannine devant l'exigence d'un engagement.

Jeannine se méfie beaucoup du groupe qu'elle demande à approcher. Elle a peur de perdre son indépendance, qu'on lui impose de changer quelque chose à sa vie. Mais elle cherche sa cohérence, avec des motivations anciennes.

« S'appeler Sœur Sourire n'est pas une sinécure. Non dans le sens d'un vedettariat à promouvoir et perpétuer, mais dans la grande responsabilité devant Dieu qu'implique un pseudonyme pareil vécu intérieurement. Souvent les gens disent : *Tiens elle sourit – ne sourit pas.* Derrière leur quête de ce *certain sourire*, je sens bien plus qu'une curiosité idiote et mesquine, ils attendent un certain signe de la tendresse et de la bienveillance de Dieu à leur égard, à travers mon sourire, ma manière d'être, de rendre service. En un certain sens, devant Dieu je suis responsable de mon sourire, du sourire de Dieu-en-et-pour-moi, devant mes frères. Les jeunes, les chanteurs, le tout-le-monde et spécialement les auditeurs de mes récitals. Ils se sont déplacés pour rencontrer *un certain sourire de Dieu* à travers moi, et si ça rate, dans quelle mesure n'en porterai-je pas le poids et la peine ??? »

Les femmes qu'elle rencontre sentent tout de suite que la détresse de Jeannine est profonde. Elle pleure beaucoup, mais ne se confie pas. La responsable vient les voir plusieurs fois à Wavre. Elles se rendent en Normandie dans un couvent de dominicaines, la maison mère de l'Institut, avec des Tertiaires de tous les horizons. Ensemble, elles tâchent d'y voir clair dans leur imbroglio fiscal pour rechercher des solutions, mais Jeannine et Annie sont loin de discerner elles-mêmes les grandes lignes de leurs problèmes. On les aide financièrement. L'année suivante, elles sont officiellement autorisées à postuler pour devenir Tertiaires. Le groupe se rencontre en avril à Bruxelles, tant Jeannine tient à leur faire découvrir les beautés de Clerlande, la force de sa liturgie. Mais le processus d'intégration est très long, il n'aura pas le temps d'aboutir, pour autant qu'il ait abouti. « Je veux crever jeune, écrit Jeannine à son ami le moine. Non, je ne veux pas encore vieillir, décrépir. Ou je me tuerai avant, et après moi les mouches. Je te l'ai dit dimanche que je ne me tolère pas *non performante*. Quelques jours après, les premiers symptômes de la ménopause la jettent dans une rage folle.

Malgré l'apurement partiel de leurs dettes grâce à l'argent de Fichermont, les deux femmes doivent travailler dur pour gagner de quoi vivre. Elles espèrent pouvoir vendre l'appartement et déménager dans un logement social. Annie touche une allocation de chômage très mince, s'occupe de quatre enfants individuellement, dont une petite cancéreuse, et accepte de faire des ménages malgré son dos fragile. Parfois, des remplacements de kinésithérapie pour quelques semaines prennent la place des ménages. Le soir, elle garde des bébés. Bien qu'elle anime des sessions de formation, elle ne possède pas même le diplôme européen de psychomotricité auquel elle prépare les étudiants. Elle ne peut donc espérer de poste dans l'enseignement ou dans une institution d'État. Sans se décourager, elle achève un deuxième livre sur sa pratique avec les tout-petits autistes. Jeannine écrit la lettre d'accompagnement pour les éditions Masson à Paris avec la ferveur qu'on peut lui imaginer. « Bien tassée ! » dit-elle de sa missive.

Sœur Sourire anime des messes par-ci par-là qui lui rapportent trois sous. Le 11 mai 1983, elle enregistre pour Marc au Studio-Madeleine à Bruxelles. Quatre chants d'enfants sur le thème de l'Europe avec une petite chorale de Wavre pour un 45 tours. Puis elle s'inscrit comme secrétaire médicale intérimaire à Interlabor. Après la lecture de son livre *Une vie en chantant*, Sœur Sourire écrit à Pierre Delanoë, le célèbre parolier, pour lui proposer sa collaboration. Elle rêve de chanter un succès dont Marc écrirait la musique et Pierre Delanoë les paroles. Elle s'abîme dans le rêve. « Il y a des jours où j'ai envie à mort d'une vraie tournée d'artiste, d'exposition en récital, de reportage en TV, de livre à écrire à la chanson à créer... oui, une vie d'artiste. » La cinquantaine approche. Elle aimerait bien lui tordre le cou par une énergie redoublée, des succès fulgurants éradiquant des années d'échec.

Sans cesse elle relance l'homme d'affaires pour qu'il obtienne la levée de la saisie fiscale sur leurs revenus. Elle lui envoie les papiers concernant les terrains de Madrid, en espérant qu'il puisse « en faire quelque chose de fructifiant. Nous ne possédons pas d'autre titres de propriété, écrit-elle, cette entourloupette ayant été combinée par un courtier, en fraude. » Le receveur des contributions de Wavre est remplacé temporairement par un Monsieur P. qu'elle estime et dont elle attend beaucoup. Le Centre Public d'Aide Social de Wavre octroie aux deux femmes une aide de près d'un millier de francs français mensuels pour soulager partiellement les seuls frais médicaux de Jeannine. Le docteur Frenkel, généraliste auquel elle présente sa liste quotidienne de médicaments, est effaré. Il lui propose de la réduire de moitié, elle accepte. Le manque la fait rapidement souffrir. « On verra l'état de mon agressivité à la rentrée, écrit-elle à son homme d'affaires. Pour l'instant, je râle et j'ai besoin de gueuler sur tout le monde ; toi y compris, et la première « bonne victime » puisque tu me tolères avec ce foutu caractère d'artiste farfelue...(MERCI). Et ce temps quotidiennement pisseux et terne ne porte pas à sourire, crois-moi !... Je joindrais bien à cette missive une boîte de *Vibtil* pour t'aider à digérer la bile que je t'envoie... ! mais j'ai besoin d'écrire, j'en ai marre. »

Comme elles n'en ont pas les moyens, des amis leur offrent quinze jours de vacances sur la côte belge en juin 83. En août, Jeannine casse sa tirelire et participe à un stage de tennis pour garder la forme. A la rentrée, les parents d'Annie lui trouvent un emploi temporaire de kiné à la caisse d'aide sociale. Elles vivotent ainsi tout le reste de l'année.

Pâques 1984. Pour la dernière fois, les célébrations de la Résurrection ensoleillent la foi de Jeannine. Le 26 avril, elle fête avec Annie quinze ans d'engagement dominicain laïc. Les deux femmes se préparent à célébrer en beauté deux anniversaires conjoints d'importance : vingt-cinq ans d'amitié amoureuse, un quart de siècle après leur rencontre au camp de vacances en 1959, et les quarante ans d'Annie, tous deux en juillet. Au moine et à l'homme d'affaires, Jeannine écrit presque la même lettre. Pour Y., elle exulte : « Quel cadeau merveilleux que l'amitié fidèle d'Annie au long de cette route épineuse, quelle grâce, porteuse d'autres grâces du Seigneur ! Oui, « le Seigneur est notre berger, rien ne saurait nous manquer »... alleluia ! « L'univers bondit d'alllégresse » – et mon cœur aussi, heureux de tout et du Seigneur avant tout ! » A l'autre, elle dit seulement : « C'est drôlement chouette cette fidélité d'amitié au long de ces vingt-cinq ans, Dieu est bon pour nous ! » Elle évoque leurs espoirs : le manuscrit d'Annie, en lecture aux éditions Privat à Toulouse ; la proposition de Marc de réaliser un disque de chants de Noël traditionnels ; le désir que cent mille francs de droits d'auteurs en transit à la Sabam ne trouvent pas le chemin du fisc.

L'exposition de dessins et peintures à l'Hôtel de Ville de Wavre se prépare. Jeannine, à bout de fatigue et de nerfs, a demandé à son médecin des anti-dépresseurs et des remontants « castards » pour faire bonne figure au vernissage. « J'ai une fois de plus envie d'en finir avec ma vie telle qu'elle est ; de boire, boire, des litres de whisky associés à des sédatifs, mais plus une goutte d'alcool dans la maison, on a tout bousillé, et même la cave est vide. Ma prière dans cette triste circonstance se résume bêtement à un cri : « Jésus délivre-moi », sans trop d'espoir d'être entendue de quelque manière significative. Envie folle de crever, crever, oublier... » Au vernissage ne viennent que quelques curieux et un ou deux amis. La sangria, les jus de fruits et le vin, presque intouchés, prennent le chemin de l'appartement des Verts Horizons...

En août, elle est ivre au mitan de l'après-midi. Elle frappe de longues lettres erratiques sur sa machine, dans lesquelles alternent l'excitation et la déprime. Dans l'appartement écrasé de chaleur, elle se donne du plaisir pendant des heures, met les disques des Beatles à fond, danse comme une folle devant la baie vitrée, « relâche comme une sauterelle ou un éléphanteau ». Annie rentre du travail, s'étonne, mais danse avec elle. Après un court dîner, soirée « câlins-pyjamas » dans la tendresse et le bonheur. « Zut-merde-flûte aux tabous amidonnés des dix autres mois de l'année scolaire », peut-on lire entre force détails de leur complicité physique grandissante. Des cris d'amour émaillent son style : ANNIE ! ANNIE ! Annie accepte toujours, le cœur ouvert, les moments inattendus de joie et de tendresse entre deux crises de désespoir, sans reproches, sans se plaindre à chaque fois des moteurs de ces revirements, euphorisants, calmants, coupe-faim, alcool. L'angoisse qui pousse Jeannine vers les médicaments ne faiblit pas, et les raisons de ses élans d'affection restent les mêmes. Quand son ami Y. la met en garde contre l'envahissante importance que prend son corps, Jeannine menace de cesser de le voir. Elle lui reproche de ne pas pouvoir la comprendre entièrement. Bien sûr, elle transige avec son vœu de chasteté. Mais son corps l'enchante pour la première fois de sa vie, à l'âge où les femmes sont sensées apprendre avec plus ou moins d'amertume à en faire abstraction. On ne parle pas de ces choses-là à son âge! dit-on à Bruxelles. Elle en parle, avec la provocation qui lui est chère. De la jouissance sexuelle, du bonheur de danser. L'état religieux auquel elle voudrait tendre garde la joie du corps dans des limites précises, connues pour ne pas empiéter sur la personne. Ses limites à elle ont volé en éclat sous les contradictions irrésolues d'une vie entière. Sept mois avant de mourir elle laisse jaillir dans son corps et dans ses phrases ce qu'elle a réprimé sans le savoir pendant l'adolescence, au début de l'âge adulte, quand le corps prend son élan. Quelques poèmes secrets chantent la douceur d'Annie. Il lui a fallu plus de trente ans pour raconter le corps d'Annie avec les mots de l'âme, encore empreints de l'émerveillement d'un jeune amour.

Les deux femmes se détendent au soleil une semaine dans une fermette prêtée par des amis dans la région de Francorchamps. Elles écument les coins de campagne charmants, châteaux, vieilles fermes, que Jeannine dessine, avec l'espoir de vendre des croquis aux visiteurs d'une prochaine exposition à Grez-Doiceau. Annie la conduit infatigablement dans la nouvelle voiture d'occasion, une Honda civic bleue choisie pour sa bonne suspension, afin d'épargner ses vertèbres fragiles, puis elles lézardent, prient ensemble, se réjouissent de leur bonheur. « Nous en venons à nous demander si des couples même très profondément unis peuvent atteindre cette intensité de communion et de partage merveilleuse », écrit Jeannine à son homme d'affaires (et, presque dans les mêmes termes, à son gynécologue...).

Finalement, elle se rabiboche avec Y., dont la patience et l'affection dans le Christ n'ont tout simplement pas de bornes. Elle lui avoue qu'elle essaye les méthodes que lui donne Annie afin de devenir simplement « vivable et souriante ». Relaxation, temps libéré pour lire ou pour écrire des chansons, une demi-heure pour elle toute seule et la voilà moins tendue. Les journées filent entre les cours de religion à sept classes d'enfants, de guitare et de dessin aux adolescents et aux adultes, les conférences en ville qu'elles affectionnent, la préparation des célébrations religieuses et les quelques amis. En

plus, elle veut encore devenir, s'amender, s'améliorer. Elle cite
Mireille Nègre : « La Résurrection, c'est le vouloir-vivre de
chaque être [1]. » Le vouloir vivre, Jeannine n'en manque pas,
mais comme le répit que les médicaments lui laissent s'apparente chaque jour davantage au marasme, elle demande
chaque jour plus à la vie. Un sentiment de vivre palpable. Dans
sa spirale, le vide tranquille du temps qu'il faut remplir de
patience est réduit à néant, et le néant lui fait horreur.

Dans sa fougue d'aller vers le mieux, elle change de relaxo-
thérapeute, car la première kiné l'agace rapidement par son
côté bourgeois. Et surtout parce que c'est une femme. Un
homme prend le relais. Sous sa poigne, elle trouve un peu de
bien-être. Il lui est recommandé par le docteur Boon, fonda-
teur de la sophrologie, psychiatre très chaleureux. Elle ne
tolère les femmes médecins que dans la psychothérapie, où
un homme justement lui permettrait d'y voir plus clair dans
ses relations marginales avec les hommes.

« Elle ne venait pas tellement chez moi pour faire une psychothérapie, puisqu'elle en avait déjà fait, dit le docteur
Boon, et qu'elle en avait ras-le-bol des médecins et de tout
ces trucs-là. Je n'ai pas tellement voulu entrer dans le rôle du
médecin, du psychothérapeute. Je voulais plutôt être une
porte ouverte où on peut venir quand ça ne va pas pour parler. Elle avait besoin d'entrer en relation, d'avoir une écoute,
et en même temps elle reculait, parce qu'elle avait peur de
son agressivité. Elle avait toujours l'impression qu'elle me
dérangeait. Elle ne voulait pas entrer dans une relation psy-
chothérapeutique, qui était à mon sens tout à fait indiquée,
malgré le besoin qu'elle en ressentait. Mais comme elle était
bien élevée, elle ne pouvait supporter d'agresser. Or, il aurait
fallu qu'elle vienne agresser et qu'elle vide son sac sur le
monde, c'est à ça que sert un psychothérapeute aussi. Ça
n'est pas un rôle facile ni agréable, dans un premier temps les
gens nous vomissent souvent. Et je crois que c'est ce qu'elle
n'a pas pu faire. Elle a senti à mon avis que si elle venait ici, il
allait se déballer beaucoup de choses. Et que cela ne serait
pas simple. Je ne l'ai pas vue beaucoup, mais il y avait un
excellent contact – mais parfois suivi par une certaine agressivité qu'elle n'osait pas exprimer. Je me souviens de lui avoir
dit : « Libérez votre agressivité, vous n'aurez plus besoin de
tous ces médicaments. »

1. Mireille Nègre, *Je danserai pour toi*, op. cit.

Sœur Sourire envoie sa photo au docteur Boon, lui écrit plusieurs lettres, jusqu'aux dernières semaines avant sa mort. « J'ai besoin de votre aide, cher ami docteur, mais je ne sais sur quel pied danser avec vous. J'ai l'impression de parler dans le vide sans interlocuteur-écoutant, pardonnez-moi si je suis trop subjective. De toutes manières la relation entre nous est encore mal établie, et il est plus facile de me déballer par écrit, je crois que ça me défoule. Avec le risque selon mon humeur ou mon état intérieur que le correspondant ne recoive une lettre vitrioleuse, que je regrette aussitôt écrite, mais que je me sens devoir écrire = besoin d'utiliser mon énergie-agressivité en divers domaines. » De longues pages. Les dernières perches qu'elle lance vers les gens. Mais les gens n'en savent pas plus qu'elle, malheureusement. Elle croit être devinée entre les lignes par un regard tout-connaissant. La première parole qui ne correspond pas exactement à son état intérieur, et elle jette le doute sur son interlocuteur. Puis sur elle-même.

En septembre 1984, Sœur Sourire prépare une grande exposition de dessins pour le Chalet du Gymnase, à Bruxelles, un restaurant qui expose aussi des peintures. Elle s'en fait une joie, car elle n'a pas encore exposé au centre de la capitale. Le fisc menace de saisir les bénéfices des ventes, ou même les tableaux. Il est question qu'il saisisse également le tout nouveau salaire de professeur de Jeannine : grâce à la maman d'Yvan, elle vient de trouver un poste de professeur de religion dans une école catholique de Wavre, la Providence. L'appartement est régulièrement en danger. Le receveur des contributions de Wavre est remplacé par l'ancien, un fonctionnaire qui aurait été muté plusieurs fois en raison de sa dureté, et qui retrouve son poste à Wavre, bien décidé à ne pas changer d'attitude envers Sœur Sourire. Il se montre « endurant et zélé », selon les mots de Jeannine. Annie ne retrouve pas d'emploi, pointe tous les jours et touche une allocation de misère. Leurs dettes courent toujours. Les deux femmes pressent sans arrêt leur agent d'affaires et leur avocat d'accélérer les démarches, de trouver des solutions, d'introduire un recours en grâce, de les aider un peu à garder de quoi vivre.

14

JEANNINE DECKERS TUE TOUT LE MONDE

Octobre 1984.

Les lettres d'appel à l'aide se succèdent à un rythme accéléré. Annie écrit aux amis, Jeannine à l'administration. L'étau se resserre de l'intérieur et de l'extérieur, ne laissant que le couple comme minuscule espace vital où retrouver le courage de se battre. Ce minuscule espace est menacé, lui aussi : la sincérité d'Annie en témoigne. Si elle prend la plume, c'est que Jeannine n'ose plus ou ne peut plus le faire. Cela n'est pas dans ses habitudes. Annie est moins bonne épistolière, mais moins dramatique ; sa petite écriture ronde constellée de fautes va droit au cœur.

Elles se plaignent devant leurs amis du peu de résultats obtenus par l'homme d'affaires. Annie écrit à R. pour lui enjoindre de s'occuper de leur situation. Jeannine n'aurait sans doute pas pu s'empêcher de lui dévoiler son amertume, comme elle l'exprime à ses amis. Chez elle, l'angoisse et la tristesse prennent souvent des tournures mordantes. Il n'est jamais question dans leur correspondance de la façon dont R. est rémunéré. Jeannine n'y fait pas allusion dans son journal, et il ne reste pas de traces de versements, moins encore de contrat. Cela explique peut-être les formes que Jeannine et Annie mettent dans leur langage, l'importance donnée à l'amitié, et l'impuissance dans laquelle elles se trouvent à lui intimer de passer à l'acte, de leur communiquer ses démarches et ses résultats. On dirait qu'elles espèrent toujours qu'il n'agisse envers elles que de façon désintéressée. R. les considère avec un mélange de sympathie et de complaisance comme « des boy-scouts attardés,

qui donneraient leur chemise ». Dans son langage, donner
sans espoir de contrepartie confine à la bêtise. Il ne prend
pas leur angoisse grandissante très au sérieux. L'habitude
de leurs appels au secours, des coups de grisou à répétition,
de leur mouise permanente n'aiguise pas sa vigilance.

« Le moral de Jeannine est très mauvais », écrit Annie,
« et j'ai peur que si les saisies continuent elle ne se suicide.
Elle est vraiment très déprimée et aucune thérapie ne peut
l'aider tant qu'on a cette angoisse du fisc. (...) R., je t'en
supplie, fais quelque chose avec Vannerom. Nous ne pouvons plus vivre dans cette angoisse et vivre au jour le jour
comme nous faisons. Je n'ai pas encore mon travail officiellement, et je n'ai plus de travail au noir, ça fait que
nous sommes complètement démunies. Nous devons
constamment renoncer à tout ce qui fait les joies de notre
vie. (...). Tu sais, c'est dur à vivre, et notre résistance a des
limites. Moi, ça va encore, mais Jeannine est à bout et j'ai
peur pour elle. Merci R. de faire quelque chose, dans
l'immédiat essaye de protéger son exposition de Bruxelles
de toute saisie. Merci. Je t'embrasse et t'envoie toute mon
amitié. Annie. »

Puis Annie s'ouvre à Y. en toute confiance, fait état de
leur détresse profonde et de la réelle dégradation de Jeannine.

« Je t'écris pour te demander de prier pour Jeannine et
pour moi. Nous avons toutes les deux le moral en dessous
de zéro, nous sommes à bout. Moi, je n'ai toujours pas mon
travail, le ministère tarde à donner sa signature pour accorder le troisième circuit. Cette absence de travail me démolit
le moral et celui de Jeannine, car je suis toujours dans ses
pieds et je la déçois. Et puis ça nous met dans une situation
financière épouvantable. Quand j'avais du travail au noir,
ça allait, mais maintenant je n'ai plus que mon chômage.
Jeannine ne supporte pas de me voir malheureuse et sans
travail, mais ne veut pas non plus que je fasse des ménages
pour gagner un peu d'argent, elle veut un travail intéressant
pour moi. Les tensions sont grandes entre nous pour le
moment, car je suis souvent à la maison sans activités particulières, et j'encombre Jeannine bien que je lui rende des
tas de services que je ne pourrais pas faire autrement. Mais
Jeannine ne supporte pas de dépendre de quelqu'un. Et

puis elle est aussi à fleur de peau pour différentes raisons. Son caractère devient de plus en plus difficile. Il y a sa santé qui ne va pas, des problèmes gynécologiques qui la font souffrir énormément et dont on ne trouve pas les raisons. Elle prend énormément de médicaments et je m'inquiète très fort pour elle à ce sujet, car ces médicaments risquent de lui abîmer le cerveau, et je ne tiens pas à ce qu'elle finisse dans un institut psychiatrique. Seule je crois la prière peut l'aider à guérir. C'est pénible à supporter car nous n'osons plus aller nulle part de peur qu'elle ne soit pas bien et qu'il faille rentrer. Le soir elle est complètement droguée par ses médicaments et nous ne savons plus rien faire, à huit heures nous sommes au lit, elle pour récupérer, moi pour oublier.

« Et puis il y a le Fisc. Je sais que tu n'y comprends pas grand-chose, mais sache que Jeaninne veut chanter le 20 octobre à Grez Doiceau, et que le Fisc veut saisir son cachet. (...) Elle est vraiment à bout, et je sais que cela peut aller jusqu'au suicide, ce n'est pas de la blague car elle est très suicidaire, et il ne lui faut plus grand-chose pour qu'elle passe à l'acte. Voilà où nous en sommes toutes les deux, car moi je ne suis pas plus brillante. Je te demande de beaucoup prier pour nous mais surtout pour Jeannine. Seul Notre-Seigneur peut la sauver. Nous faisons tout humainement ce qui est possible. Nous n'avons plus la force de faire plus. Nous comptons sur toi et tes frères. Si tu as le temps, écris un petit mot d'encouragement à Jeannine, elle sait que je t'ai écrit. Et n'oublie pas son anniversaire le 17 octobre, car elle est très sensible aux marques d'affection. Merci Y. pour ce que tu feras pour nous. Excuse-moi de te charger de tous ces soucis ; mais je sais que je peux compter sur toi.

« Reçois toute mon Amitié Y. et encore merci. Annie.

« PS : Excuse les fautes d'orthographe, je sais faire des poèmes mais je ne sais pas écrire sans faute. »

Le 22 octobre, Annie écrit de nouveau à R., car sa première lettre est restée sans réponse. Cette fois, elle se fait plus pressante. « Dis, je te demande de faire l'impossible pour *accélérer* les choses car ça devient invivable. Nous n'arrivons plus à tenir le coup. Moi je n'en peux plus non plus, pas de travail, pas d'argent, toujours des menaces de

saisie, quelle vie! Je ne sais si tu te rends bien compte! (...)
Si nous avons une maladie ou un accident, nous n'aurons
même pas de quoi aller en clinique. Nous vivons dans une
peur constante. Jeannine se démolit complètement avec des
tonnes de médicaments pour tenir le coup. Que faire, R.?
Aide-nous s'il te plaît. (...) Nous ne pouvons plus attendre.
Ça n'est pas du chantage, mais si ça n'aboutit pas, nous
n'avons qu'une solution, le suicide à deux. Je t'assure, ça
n'est pas pour faire pression, mais j'y pense sérieusement,
car la CPAS ne nous donne que 4 000 francs; avant elle
nous donnait 8 000 francs, mais il réduisent leurs aides, et
comment vivre? Je ne vois plus de solution, pourtant ça
n'est pas la foi qui manque. Nous n'osons plus demander
de prêt à nos amis, car nous ne savons plus comment les
rembourser. Nous devons déjà 35 000 francs à mes parents
qui m'ont prêté cet argent pour m'acheter une voiture
indispensable pour mon travail futur. Ce travail que
j'attends depuis des mois. Voilà deux ans et demi que je
suis au chômage. Mes parents me disent de m'expatrier au
Canada, mais comment partir sans argent? Et Jeannine a
sûrement dépassé l'âge de l'expatriation. R., fais quelque
chose, s'il te plaît. Que pouvons-nous faire de notre côté?
Écrire au Roi ou à la Reine ou au Ministre? Que faire?
J'attends un petit mot de ta part pour nous dire où ça en
est. Merci pour ce que tu feras pour nous. J'ose croire que
tu feras quelque chose. Je t'envoie tout notre amitié.
Annie. »

Novembre 1984.

Jeannine écrit au Ministre des Finances pour demander
elle-même un recours en grâce sur les impôts et saisies
diverses, ainsi qu'au receveur des contributions de Wavre à
qui elle demande humblement d'appuyer le dossier de sa
« bienveillante influence ». Le bonhomme n'est rien moins
que bienveillant envers elle. « Un crochu, une caricature »,
sont des mots dont il s'est fait affubler. Elle fait la même
demande à l'assistante sociale de la Reine, Mme de Wilde,
avec copie de la lettre au ministère. La lenteur de toutes
les démarches administratives est proverbiale en Belgique.
Ces bouteilles à la mer ne peuvent donner de résultats effi-
caces et rapides que par miracle. Bien sûr, elles croient aux
miracles. En l'occurrence, un appui très haut placé consti-

tuerait leur seule chance, l'unique miracle administratif, impuissant à son tour devant l'opiniâtreté de certains fonctionnaires. Annie le sait. Elle a vu la fermeture de son centre occasionnée par le pourrissement d'une situation administrative absurde. Jeannine est complètement abattue. Le médecin lui prescrit deux semaines de congé pour surmenage. Elle pleure du matin au soir.

Décembre 1984.
Annie retrouve du travail pour un temps dans un centre d'aide précoce pour handicapés, mais elle ne peut être payée tout de suite. Les moines de Clerlande leur prêtent de quoi survivre.

« Je crève de tristesse d'être sans cesse à courir derrière des finances illusoires, qui nous sautent hors des mains », écrit Jeannine, « à se battre et à lutter d'arrache-pied pour qu'on continue à citer de-ci de-là le nom de Sœur Sourire, surtout, ne pas perdre ma place au soleil, il s'agit bien de cela, en somme. Même si *ça* peut sembler vain ou idiot et puis... merde. Moi je veux vivre et non toujours combattre pour une *survie*... Vivre : c'est déjà assez compliqué comme cela me semble-t-il. C'est très lourd à certains jours, et ne serait-ce la tendresse d'Annie *toujours-là*, cette amitié-cadeau de Dieu omniprésente et parfois difficile aussi à digérer (je suis difficile, hein ?), ce serait sans doute le suicide à brève échéance ; et sans sourire. J'ai mal encaissé la nouvelle du décès de Sr Marie Pierre de Fichermont, une femme splendidement intelligente et courageuse, je l'aimais et l'admirais énormément, et elle m'a toujours beaucoup estimée. Toute une soirée à chialer pour ça, et peut-être le trop-plein de la semaine, je ne sais. (...) Un rien et c'est la larme à l'œil. Tout de même, ça devient invivable. J'en ai marre des tons gris de la Belgique, je voudrais du soleil et des couleurs fortes comme celles des peintres fauves (Matisse), il fait moche à crever dans ce pays. Et depuis trois semaines j'ai repris cinq kilos, c'est énorme, par angoisse ou solitude, j'avale tout ce qui me tombe sous la main, solide ou liquide, avec préférence pour l'alcool qui, joint aux calmants, augmente leur effet apaisant et tranquillisant. (...) Oui, j'invente aussi une prière à N.-D. de la Tendresse, pour qu'elle m'aide à rester sereine et *vulnérable*, humaine, à travers tout. »

Du fond de son désarroi, Jeannine écorchée demande
encore à rester vulnérable. Nul danger qu'elle ne se blinde,
pourtant! Elle a si peu de défenses, qu'elle se drogue pour
ne pas mourir d'angoisse lors de crises de panique qui la
terrifient. Elle les combat avec six calmants et un grand
verre de liqueur. Quand le calme revient, elle écrit à son
cousin pour lui demander s'il a connaissance de salles de
spectacles, de programmes de récitals et de galeries d'exposition dans lesquels elle pourrait trouver sa place.

Le temps de l'Avent, quelques semaines avant Noël, est
un temps de prière plus intense pour les chrétiens. Dans
l'ascenseur de leur immeuble, et dans toutes les boîtes aux
lettres, les deux femmes déposent une invitation à venir les
rejoindre pour une veillée de prières d'une heure les ven-
dredis soir. Une voisine se souvient:

« Mon mari et moi étions les seuls dans l'immeuble à s'y
être rendus. Et nous avons beaucoup aimé et beaucoup
apprécié. Ce fut le dernier contact personnel que nous
avons eu avec elle. Ensuite il y a eu un terrible hiver 84-85,
on ne la voyait que dans l'ascenseur, à la messe. Je l'ai
prise en voiture dans la rue une fois, je ne sais plus à quel
moment c'était. C'est la dernière fois que je l'ai vue, je l'ai
remontée ici. Et j'ai remarqué qu'on n'entendait plus bien
ce qu'elle disait. Elle était d'une nervosité terrible, intérieure je crois. Elle ne savait plus bien parler. Ça m'avait
fort frappée, je n'ai rien compris de ce qu'elle disait. J'ai dit
à mon mari, tiens, qu'est-ce qu'elle a, elle doit être très
nerveuse ou bien elle avait froid. Ça ne servait à rien,
qu'elle chauffe ou qu'elle ne chauffe pas, elle payait les
mêmes charges. Il faisait moins vingt la nuit. On a dit: le
HLM de Sœur Sourire, mais elle n'habitait pas un HLM. Je
la côtoyais ici, et je n'ai jamais remarqué quoi que ce soit
de négatif chez elle. Détresse et difficulté, c'est autre chose.
C'est une personne qui était très digne et qui n'aurait pas
été raconter ses affaires comme ça; on s'est rendu compte à
un moment donné que ça n'avait pas l'air d'aller tout rond
au point de vue finances, mais elle ne nous en a jamais dit
un mot.

« Elles étaient foncièrement croyantes, toutes les deux,
elles avaient une confiance dans la Providence merveilleuse.
Elles ont dû arriver à un fond de détresse incroyable. On
n'a jamais su qu'elles étaient dans une détresse pareille
mais on les aurait aidées.

« Je crois que tous les tempéraments ne sont pas bons à vivre ça. On tombe dans les excès. Il y avaient des gens préparés à ça, qui avaient les deux pieds sur terre, pour vivre ça il faut être extrêmement équilibrée, très bien guidée. Elles avaient certainement une fragilité. Il faut avoir un jugement sain. Je pense qu'elles étaient très fragiles l'une et l'autre.

« Très souvent on entendait les répétitions par les tuyaux de la salle de bains, tous les jours, tous les jours, le nombre d'enfants qui venaient ici, c'est incroyable. On a jamais rien eu à leur reprocher. C'était une artiste fort distraite, pas de chaleur. Elle avait l'air de planer un petit peu, l'inspiration sans doute. On les aimait beaucoup. C'était certainement une détresse incroyable. Se croire abandonné de tout le monde... Est-ce qu'il y avait une part d'orgueil, ne pas avoir voulu en parler, la dignité ne doit pas aller jusqu'à l'orgueil. Il faut garder énormément d'humilité et de simplicité. Elles seraient venues nous en parler ici, eh bien, je vous avoue sincèrement, on aurait aidé. »

(Si j'avais été Sœur Sourire, je ne serais pas non plus allée trouver cette dame en cas de grave difficulté, malgré sa gentillesse et son accueil spontané. Quand j'ai prononcé le mot d'amour entre Jeannine et Annie, elle m'a jetée dehors. « Si j'avais su qu'il était question de ça, je ne vous aurais pas ouvert ! », m'a dit cette catholique. Dans la vie de Jeannine, Dieu était l'amour, et l'amour était central. Comme le chauffage de l'immeuble des Verts Horizons, qui n'est pas assez puissant pour réchauffer les locataires pendant les hivers trop rigoureux.)

Comme tous les ans, les deux femmes écrivent nombre de cartes de vœux qu'elles sèment à tous les horizons, à des connaissances perdues de vue depuis longtemps, à ceux qui les ont écoutées une fois, aux sœurs des couvents et monastères qui les accueillent dans la douceur. En retour, elles recoivent de nombreuses cartes chaleureuses leur souhaitant une bonne année...

Janvier 1985.
Le pharmacien vient à domicile porter des sacs de médicaments à Sœur Sourire, et se charge de poster son courrier. Quand il ne fait pas trop froid, le dimanche est quand même consacré à Clerlande, au dessin, à la prière commu-

nautaire, à des rencontres avec Y. qui semblent toujours
trop brèves à Jeannine. Sinon, elles s'emmitouflent dans
toutes les couvertures de la maison, et Annie aide Jeannine
à préparer ses cours dans le salon où il fait treize degrés.
Les vitres gèlent à l'intérieur. Le vent souffle en rafales et
une petite neige piquante vole de partout. L'école reprend
le lundi matin. Jeannine se donne beaucoup de mal pour
plaire à son directeur : séances de diapos sur la Palestine,
etc. « *Je dois garder cet emploi* », écrit-elle. Dans les crises
d'angoisse, elle appelle son kiné. Il lui donne de très bons
conseils, sortir, jouer au tennis, venir lui parler. Ça serait le
rôle du docteur Boon, mais justement, comme c'est son
rôle, elle n'en veut plus. Toute honteuse de se montrer
« tremblante-hoquetante-pleurante », elle se terre chez elle.
Annie rentre le soir, entend toute l'histoire, redoute de la
trouver morte le lendemain. Une de ses amies vient justement de se suicider en mélangeant l'alcool et les médicaments, son mari est arrivé trop tard à la maison. En lieu de
distraction, Jeannine répète sur sa guitare la messe d'enterrement d'une toute petite fille, une des patientes d'Annie
que les prières des classes de religion n'ont pu sauver.

La préparation des cours lui permet de se baigner dans
les Écritures, de retrouver pendant quelques heures joie et
sérénité. « Il s'avère utile que je poursuive mes activités
d'animatrice religieuse dans cette mesure même où elles me
replongent dans une qualité de textes d'études pouvant être
priés ensuite. C'est bien là la « manière dominicaine »
d'étudier : le but en soi n'étant pas l'étude mais Dieu mieux
connu et mieux reconnu dans la prière qui suit l'étude. »

Février.
Le soleil revient sur Bruxelles, il rend le froid plus tolé-
rable et relance le courage. Sœur Sourire recommence à
faire des projets : expo de dessins à l'Hôtel de Ville de
Wavre, Guitaralia 85 en novembre avec ses élèves des
cours de guitare, qu'elle prépare un week-end entier ; fête
pascale à la Providence, son école, pour faire plaisir au
directeur. « Mes jeunes restent une source de joie et de
chaleur humaine douce à éprouver : ça tient chaud au
cœur. » Et des projets de vacances d'été au Sud de la
France, au pays de saint Dominique. Annie s'occupe de
quelques enfants le soir après le travail. Elles prennent

l'habitude de communier tous les matins à l'aube. Jeannine a grossi au point qu'elle doit porter des robes, ce dont elle n'est pas coutumière. Tous ses médecins lui déconseillent fortement de commencer un régime dans l'état dépressif où elle se trouve encore.

Mars.
Au début du mois, le directeur de l'école de la Providence fait savoir à Jeannine qu'il pense sérieusement à embaucher à sa place un professeur certifié qui assumerait en plus les cours de religion. Elle est effondrée. La neige couvre le sol, le soleil a disparu. Sœur Sourire ne compose plus, ne dessine plus, mais pleure dès le matin, pour la moindre contrariété.

Le vernissage de l'exposition annuelle a lieu sans heurt dans les couloirs de l'Hôtel de Ville de Wavre. Deux croquis sont vendus. Jeannine essaye de se désintoxiquer progressivement, tout en soignant un ulcère gastrique, des crises de foie et des migraines. Elle arrête certains médicaments, mais ses yeux la font souffrir, elle en reprend d'autres. Les deux tiroirs de la cuisine ne désemplissent jamais longtemps de leur cargaison de cachets. Une diététicienne vient la conseiller. Elle décide de faire faire des examens complets à l'hôpital saint Luc à Bruxelles.

Le 17 mars, elle écrit sa dernière lettre-journal à son ami de cœur et d'esprit.

« Ceci est sérieux et grave. Si l'on détecte une lésion au cerveau, laquelle lésion provoquerait de grandes souffrances et une dégénérescence de tout l'organisme, nous mettrions au point, à tout prix, nos projets toujours évasifs de suicide. Le suicide à deux se justifiant par la difficulté d'Annie comme la mienne de *voir souffrir l'autre sans recours*. On a assez de trucs et de ficelles pour ne pas se rater. Il y a aussi, décision prise, la possibilité de s'inscrire à la *Société des ayants-droits à une mort humaine et volontaire*, qui, je crois, a un siège à Paris et un autre en Angleterre. Se rater serait affreux. Bon, me voici de nouveau en larmes.

« Tu pourrais prier un peu pour que s'éclaircissent nos problèmes... merci. Je ne te demande pas de prier afin que je retrouve goût à une vie sans saveur. Annie ne le souhaite pas non plus. Je te demande de comprendre, dans toute la mesure des possibles, ces désirs de mort qui nous

montent à la gorge devant tel nouveau pépin, telle nouvelle
déchirure sur le plan affectif, religieux. Je n'en veux pas
trop au Seigneur : ce n'est sans doute pas à cause de lui
que la merde est notre paysage quotidien. Mais les remèdes
existent, et nous sommes prêtes à tout pour accélérer notre
fin. Sache que je n'attends pas une lettre d'engueulade ou
de remontrances, elle filerait tout de suite à la poubelle,
excuse. Même mon papier a une fin. Grosses bises à toi.
Merci de ton amitié fidèle. Jeannine. »

Vendredi 21 mars 1985.
Sœur Sourire à Monsieur le Receveur, Recette de Wavre.

Monsieur le Receveur
Je me permets de vous écrire car je suis dans une situation
financière dramatique. Mes droits d'auteur sont saisis depuis
1976 et une demande de recours en grâce a été introduite
mais je n'ai pas encore de réponse. Je n'en sors plus financièrement. Mon amie Annie Pécher qui cohabite avec moi a
été au chômage pendant deux ans et demi, et actuellement
travaille comme CST, mais est mal payée ; moi, je n'ai qu'un
mi-temps d'animation religieuse à l'école de la Providence et
je viens de recevoir mon préavis, donc dans cinq mois je suis
sans travail ; j'aurai 52 ans, et il sera difficile de retrouver un
emploi.
Nous avons de nombreuses dettes dont 22 000 francs à la
pharmacie, 70 000 francs à la banque (50 000 francs de prêt
pour moi et 20 000 francs de découvert pour Annie Pécher),
10 000 francs d'avance de traitement aux sœurs de la Providence et différentes dettes à des amis qui nous ont prêté
pour des fins de mois difficiles. Nous sommes le 21 du mois et
nous n'avons plus rien pour vivre. Pouvez-vous comprendre
la situation et permettre que le prochain versement Sabam
me soit versé intégralement. (Donc une levée de saisie pour
le prochain versement Sabam.). Cela me permettrait de rembourser nos dettes et de pouvoir faire face à une situation de
non-emploi dans les prochains mois.
J'ose croire à votre compréhension et votre humanité et en
attendant de vos bonnes nouvelles, je vous envoie, Monsieur
le Receveur, l'expression de mes meilleurs sentiments ainsi
que toute ma gratitude. Sœur Sourire.

Le samedi 22 mars, Yvan monte à l'appartement en fin d'après-midi pour coiffer les deux femmes. Comme d'habitude, il entre avec sa propre clé. Il ne remarque rien de particulier, même pas de tristesse. Il y avait une joie incroyable chez elles, dit Yvan, on était reçu magnifiquement à chaque visite. La Société Générale de Banque a émis ces jours-là un papier qui s'appelle Echelle d'intérêt et qui dit ceci : de 1978 à 1985, solde débiteur de Jeannine Deckers : capital : 783 136 francs (plus de 210 000 francs français). Intérêts, commission, tenue de compte : 748 119. Total dû : 1 531 255 francs belges (255 000 francs français). Intérêt par jour de retard : six cent quatre vingt francs (cent treize francs français).

Par jour de retard. Des intérêts à presque cinquante pour cent. Jeannine était signataire de l'emprunt que Claire-Joie avait effectué, que les subsides promis par l'État devraient couvrir. Elle n'a d'autre part aucune idée de ce qu'elle doit réellement à l'État belge. Cela n'a déjà plus d'importance.

Le rendez-vous à l'hôpital Saint-Luc a été demandé. Il est douteux qu'elles aient eu le temps d'avoir le résultat d'une série d'analyses assez poussées. Annie redoute des lésions au cerveau de Jeannine, mais les radios ne détectent pas les lésions de l'âme. On ne peut donc pas supposer qu'elles aient été averties d'une maladie grave qui menacerait la vie de Jeannine ou son intégrité physique, maladie qu'elles auraient voulu taire pour ne pas ternir leur souvenir. Les deux amies achètent comme d'habitude des hosties en nombre suffisant pour communier quotidiennement pendant une quinzaine de jours. Elles attendent sans doute une réponse du receveur des contributions, qui a décacheté la lettre de Jeannine le lundi matin. Ce fonctionnaire a le pouvoir ce lundi-là d'effacer d'un coup de téléphone une part de leurs dettes, et d'un autre d'appuyer le recours en grâce qui permettrait à Sœur Sourire de vivre petitement mais tranquillement de ses droits d'auteur jusqu'à la vieillesse. Il a ce pouvoir depuis longtemps. La Belgique doit bien cela à la petite nonne en déroute. En veut-il à Jeannine de ne plus ressembler à la Sœur Sourire d'autrefois, de percevoir encore des droits d'auteur, d'être quelqu'un de décevant sous son voile rejeté, de vivre avec une femme et d'être d'Église, de devoir plusieurs millions au fisc ? Ce pays détient le triste record des suicides fiscaux. Il ne donne pas suite à la lettre qui l'accuse.

Jeannine a fait part dans sa lettre à Y. de leurs récentes discussions communes à propos d'un suicide conjoint. Annie entre dans le cercle suicidaire de son amie, d'où elle se tenait encore éloignée, offrant à Jeannine un appui extérieur, un peu d'air. Elle ne voulait pas vraiment mourir. Mais lutter toute seule contre le poids d'abandon de Jeannine devient trop lourd. Dans le désir de mort, auquel Annie consent enfin et par tendresse, elle se rejoignent au plus près. Maintenant, le désespoir les tient ensemble dans sa poigne. Toute la deuxième quinzaine de mars, le suicide enfle entre elles, d'abord comme une perspective éventuelle, un accord commun de mourir ensemble ainsi qu'elles ont vécu ensemble, puis comme une possibilité réelle. Un désir radical. Une fatalité. Une échéance.

Au cours du dimanche 24 et du lundi 25 mars, Annie et Jeannine décident d'être mortes au plus tard le samedi 30. Pendant quelque temps, elles vont donner le change. Elles organisent leur départ. Font des petits paquets à remettre aux uns et aux autres, sans comprendre que leurs dettes empêchent toute succession. Établissent des listes de légataires, l'inventaire de tout l'appartement, écrivent des étiquettes, des modes d'emploi. Brûlent certaines lettres, en laissent d'autres, débranchent le téléphone et vivent dans une sorte de transe. Le 26 mars, Jeannine rédige son testament, un peu contradictoire, un peu naïf. La réalisatrice Carole Laganière, dans un petit film de fin d'études pour son école de réalisation audio-visuelle, l'Insas, cite ces lignes du 27 mars au ton mélodramatique inhabituel : « Devoir aller jusqu'au bout, jusqu'au bout de cette décision de départ, tout en souriant encore pour ceux qui m'entourent et qui n'en savent rien. Aller jusqu'au bout de cette course, brinquebalant désespoir, incompréhension, déception. Les multiples aléas d'une vie d'artiste que je rêvais grandiose. Sans soutien des autres, pas aidée pour un sou. »

Annie s'occupe encore d'une enfant, elle s'en acquitte comme du reste avec son sens si profond du devoir. Avant de partir pour une course, Annie laisse sur la table une carte postale pour son amie. Deux petits phoques enlacés échangent des regards en forme de cœur.

Mon petit oiseau bleu que j'aime à la folie
J'ai une demi-heure avant d'aller chercher M., alors je viens t'écrire ce petit mot pour qu'il t'accueille en rentrant. Je t'aime ma Folie, ma rose de Noël, ma matin de Pâques, ma

perle de lumière. J'ai acheté du cognac, du très bon pour ne pas être malade. Ça me met le cœur à l'envers, mais je l'offre pour que ta matinée soit bonne. Bon courage mon Ninou, il m'en faut aussi. Je voudrais être auprès de toi, te serrer dans mes bras, te redire tout mon Amour, te remercier pour tout ce que tu es pour moi. Tu as été ma vie. Je t'aime, je ne sais comment te dire MERCI, te demander Pardon pour toutes les souffrances que je t'ai causées sans le vouloir, pour toutes mes incompréhensions. Je te donne ma vie, je te donne mon cœur et que ces quelques jours qui nous séparent de notre vie éternelle soient des jours de bonheur et surtout de tendresse, de câlins. Ma petite maman, tu as vraiment été ma petite maman Fidèle. Je suis fou de toi Fou de toi. Je vais vite à la clinique avec M., je reviens le plus tôt possible, mais ne t'inquiète pas car dans cette foutue clinique il faut le temps. Je t'embrasse tendrement mon tendrinou. Annie.

Pendant qu'Annie achète le cognac, Jeannine va chez le pharmacien et demande une dose mortelle de *Témesta* et de *Dépronal*, qu'on lui donne sans ordonnance... et à crédit ! La maman d'Yvan l'aperçoit qui remonte comme une flèche aux Verts Horizons, sans la saluer. Yvan téléphone, le 22 57 29 ne répond pas. Il s'étonne. Il suppose qu'elles sont sans doute à Clerlande pour une retraite. Il appelle tous les jours.

Elles écrivent des mots d'adieu, à quelques amis, aux parents d'Annie. Le temps leur échappe, Annie emmêle les dates. Mais curieusement, aucune d'elles n'écrit à Yvan, ajoutant à sa souffrance dans le but de l'épargner. Jamais à quiconque un seul mot de reproche ou de plainte. Au contraire, elles pardonnent, s'excusent, remercient. Elles partent sur la pointe des pieds sans vouloir faire de mal, prenant sur elles la douleur. Au Centre d'Aide Précoce aux Handicapés :

« C'est le dernier message que nous vous adressons. En effet, vu notre misère morale et financière (Jeannine vient de recevoir son préavis) nous rejoignons le Seigneur ce samedi. Nous ne pouvions plus vivre comme ça. J'offre mes droits d'auteur à l'aide Précoce et je vous ferai envoyer le manuscrit qui se trouve chez Privat à Toulouse ; s'ils ne l'éditent pas vous en faites ce que vous voulez. Je vous fait parvenir dans le plus bref délai tout mon matériel de rééducation, mes tests et tout ce qui pourrait vous intéresser. Là où nous serons nous prierons beaucoup pour tous ces enfants que j'ai beaucoup aimés. Je vous donne tous mes dossiers que j'ai depuis des années, ils peuvent peut-être servir comme illustration de cours ou de conférence. Sinon vous les brûlez. Je vous laisse, car c'est au moins la dizième lettre que j'écris et je n'en peux plus moralement, excusez les fautes je suis fatiguée. Bonne chance dans votre travail et soyez assurés que nous restons avec vous par la prière. Si vous pouvez aider et soutenir les parents de D., ils vont beaucoup souffrir. Je vous remets toute mon amitié et celle de Sœur Sourire. Annie. »

Le vendredi 29 mars, des policiers de Wavre affirment avoir vu Sœur Sourire poster des lettres vers six heures du soir. Il n'y a pas de distribution de courrier le samedi 30 mars 1985. Elles savent que deux jours entiers les séparent d'une aide quelconque, dont elles ne veulent plus. Tout est en ordre à l'appartement. Elles ferment le verrou de l'intérieur pour qu'Yvan ne puisse entrer tout seul. Sur la table du salon, elles laissent en évidence quelques papiers :

« Je désire que soient respectées mes volontés suivantes : être enterrée sobrement, avec si possible messe à Clerlande. Je désire être enterrée avec ma croix de Route et reposer auprès de mon amie et sœur Annie. Si malgré tout on nous trouve encore dans le coma, je désire avec *force* une *mort rapide* sans *aucune réanimation*. Ceci sont mes dernières volontés. Sœur Sourire-J. Deckers. » Et sur une carte de visite à son nom à côté, un ultime cabotinage :

« Souhaite en dernière volonté que dans la presse ou ailleurs figure le surnom Sœur Sourire et non J. Deckers. Merci. »

Et Annie en écho :

« Je désire que soient respectées mes volontés suivantes : enterrement sobre si possible avec messe à Clerlande. Je désire être enterrée avec ma croix de Route. Je désire reposer auprès de mon amie et consœur Sœur Sourire. Si on nous trouve dans le coma je ne désire aucune réanimation mais une mort rapide. Ceci sont mes dernières volontés. Annie P. »

Elles boivent un café, laissent les tasses sur la table de la cuisine, s'échangent des cartes de tendresse. De Jeannine à Annie :

Notre vie fut
un départ à deux
des joies à deux

des peines vécues à deux
des soleils admirés à deux,
le Seigneur lieu et lien,
de notre amitié
Redépart dans le silence à deux
en Dieu
Clerlande baume amitié,
soleils multipliés
nos deux corps
courent dans le vent du large
la grande bleue.
Nos deux cœurs unis
l'un à l'autre
plus tendresse de Dieu
que je t'offre
pour notre départ à deux. Nine.

D'Annie à Jeannine :

Tu as été tout ce que je pouvais attendre d'une amie
et même plus
les vacances à deux où nous vivions
le travail à deux où tu tapais mes livres, mes rapports
les joies à deux
la prière à deux
Oui pour cela merci Sœurette
Merci pour tout ce que tu m'as donné
Merci pour tout ce que tu as été
pour moi dans les heures de souffrances
physique et morale
Dans la joie parfois de réussir
mon premier et deuxième livre
Merci pour tout Merci pour toi
Je te rejoins en plénitude dans l'au-delà
Que le Seigneur nous pardonne
Je t'embrasse de tout mon cœur. Annie.

Sur le tourne-disque, elles posent le concerto pour piano
nº 1 de Tchaïkovski. Dans la chambre bien rangée, elles
s'étendent habillées sur leurs lits jumeaux et se partagent les
médicaments. Cinquante *Témesta* et cent *Dépronal*, cent cinquante comprimés chacune. Deux grands gobelets, elles

vident à moitié la bouteille de cognac. Une semaine avant la fête de Pâques, qui tous les ans ressuscitait son cœur, Sœur Sourire s'éteint.

C'est le 29 mars 1985. La Sabam, ce jour-là, sort un état trimestriel de ses droits d'auteur. Israël, Autriche, Australie, Hongrie, États-Unis, Pays-Bas, Canada, Allemagne de l'Ouest, Japon, Danemark, Tchécoslovaquie, Grande-Bretagne, France, Argentine, Afrique du Sud, Yougoslavie, Portugal, Espagne, Italie, Suède, Suisse, Finlande, Norvège, Brésil. Net à payer : 571 658 francs belges. Presque cent mille francs français d'aujourd'hui.

15

FINS DERNIÈRES

Le lundi 1ᵉʳ avril 1985, R. trouve sur son bureau une lettre à l'écriture familière, portant les mentions « Personnel » et « Urgent ». Il rentre d'un voyage d'affaires. Malgré le travail qui l'attend, il ouvre la lettre parmi les premières.

Mercredi 26 mars 1985.

Très cher R.
C'est le dernier message que nous t'adressons car d'un commun accord nous nous donnons la mort ce samedi, quand tu recevras cette lettre ça sera fait. Nous avons chargé Y. pour nous découvrir avec un médecin qui constatera le décès. Notre testament se trouve sur la table du living. Peux-tu assister Y. et mes parents dans les démarches pour nos funérailles ? Du côté de Jeannine il reste Madeleine sa sœur dont nous ne connaissons pas l'adresse exacte. Pour les frais de funérailles nous n'avons aucun argent, il ne nous reste rien. Peux-tu voir avec la famille de Jeannine, mes parents et les Bénédictins de Clerlande. Que tout ne retombe pas sur mes parents s'il te plaît, ils sont pensionnés tous les deux.
Nous te laissons tous les manuscrits de Jeannine si tu peux en faire quelque chose comme œuvre posthume. Nous te laissons tous ses disques si tu peux la promotionner, cela ferait plaisir à Jeannine de ne pas mourir pour le monde. Elle a beaucoup souffert ici-bas, elle mérite qu'elle survive dans la pensée des gens. Veux-tu avertir la presse et les médias sans salir Fichermont s'il te plaît, nous voulons respecter le contrat envers elles. Pour notre succession peux-tu voir avec Vanne-

rom ; tous les papiers de l'appartement sont dans un coffre orange dans le bureau de Jeannine et d'ailleurs tu as beaucoup de documents. Nous aimerions que nos testaments soient respectés, que tout ne parte pas au fisc en vente publique. Nous avons des dettes que nous avons en partie détaillées à Y. sauf les 51 000 francs à Ippa. Mes parents pourront-ils avoir la moitié de l'appartement, nous leur devons 35 000 francs de prêt pour la voiture. Vois tout cela avec Vannerom et Y. Il y a encore les terrains d'Espagne dont nous te laissons les lettres, je ne sais pas ce qu'on peut en faire, ça revient à la SGB à qui Jeannine doit 700 000 francs.

Voilà tous les détails pratiques et sordides. Mais je te dois quelques explications quant à notre acte. Nous sommes à bout moralement et financièrement, nous n'en pouvons plus de lutter et nous n'avons plus un franc pour vivre. Moi j'ai du travail pour un an puis c'est le chômage, et en plus je ne serai payée que dans quelques mois avec une avance de 20 000 francs. Que faire avec cela ? Jeannine est en perpétuelle dépression et vit pour moi, moi je vis pour elle. Ça ne peut plus continuer, nous souffrons vraiment trop et aucun ami ne veut nous aider financièrement – oui, deux ou trois mille francs par-ci par-là que l'on doit rendre et que l'on ne sait pas. Nous nous enfonçons de plus en plus. Et puis nous avons raté notre vie toutes les deux, moi Claire-Joie, Jeannine la chanson, nous n'avons plus de place dans la vie, plus d'Idéal sauf Dieu. Mais ça ne nous nourrit pas. Nous partons en paix pour la vie Eternelle, nous espérons que Dieu nous pardonnera. Il nous a vues souffrir et Il ne nous abandonnera pas. Nous espérons être enterrées quand même à l'église bien que suicidées. Nous y tenons, qu'on demande l'autorisation à Daneels si nécessaire. Nous ne pouvons plus attendre plus longtemps, nous n'avons plus d'argent ni pour manger ni pour mettre de l'essence dans la voiture pour mon travail. Nous avons été toutes ces années fort seules.

Merci pour tout ce que tu as fait pour nous, toi et Vannerom. Mais ça n'a pas abouti et il est trop tard maintenant. Nous vous demandons encore votre aide amicale pour notre succession. Qu'aucun de ceux que nous aimons ne soient oubliés.

Voilà ; je n'ai plus la force de dire plus, Jeannine non plus. Quand tu recevras cette lettre nous ne serons plus. Nous t'avons beaucoup estimé, tu es notre ami. Nous t'embrassons bien amicalement. Annie

Et plus bas, à peine lisible :

Avant de rejoindre les terres lointaines promises par Dieu, je te fais une grosse bise et te confie la promotion et l'édition d'un livre sur Sr Sourire. Il y a quelques cassettes inachevées et des projets de chansons. Tout forme un tout. Bises dans l'amertume et la tristesse. Jeannine.

Tout d'abord, R. n'y croit pas. Il téléphone à l'appartement, personne ne décroche. Alors il appelle la police de Wavre, qui envoie sur place un de leurs agents habitant l'immeuble et qui connaît bien Sœur Sourire. Comme l'agent n'obtient pas de réponse, il appelle du renfort. R. prend sa voiture et se rend aux Verts Horizons. Devant l'immeuble, des gyrophares bleus tournent dans le matin froid, ambulance, police, l'entrée de l'immeuble est gardée. La porte de l'appartement a dû être forcée. Des policiers tourneboulés viennent à sa rencontre, le plus jeune s'est déjà évanoui. On explique à R. qu'il est entré depuis peu de jours dans la police, c'est son troisième suicide.

Dans l'appartement, l'atmosphère est étouffante. Le tourne-disque bourdonne dans le salon. Sur le mur du hall, un message ancien : « Sur toutes mes routes, j'ai croisé l'amitié », quelques notes sur du papier à musique avec un mot d'accueil : « Bienvenue à toi, à vous. » Derrière la porte d'entrée, les dernières cartes de vœux punaisées. Sur la porte de la chambre, un petit panneau : « Ici on dort ! ». Dans le bureau, la machine à écrire mécanique d'où se déversèrent cris d'amour et de peine, chansons et appels au secours. Jamais vraiment de haine. Le bloc calendrier est ouvert à la date du 29 mars, et le timbre-cachet de Sœur Sourire garde la même date. Le bureau d'Annie regorge de paquets étiquetés au nom de leur destinataire. Au salon, deux guitares dans un coin : Adèle, et une autre, qui aurait été offerte par Georges Brassens. Des icônes de saint Dominique au mur, un oratoire dans un angle orné de deux bougies, une icône et une statuette d'une vierge à l'enfant. R. rebranche le téléphone et appelle les parents d'Annie sans leur dire la nature de l'urgence. Il tente de trouver la trace de Madeleine Deckers.

Le procureur du roi est prévenu. Il juge inutile de faire venir des membres du parquet, il envoie simplement un médecin-légiste pour constater le décès. Y. arrive un peu plus tard, trop tard selon le vœu des deux femmes, mais il habite dans un endroit reculé. Une prière descend enfin sur les corps immobiles au-dessous des reproductions de Léonor Fini, alors que l'appartement bourdonne d'un monde préoccupé de tout autre chose. Maintenant elles peuvent quitter leur maison, recouvertes de blanc, dix-sept ans après leur emménagement. Y. recueille les hosties en souffrance. Les scellés sont apposés sur la porte, l'appartement s'endort pour un sommeil mouvementé de plusieurs années.

La police avertit la presse. La lettre que R. tient dans la main stipule qu'il doit « promotionner » Sœur Sourire. Sa mort lui donne l'occasion de répondre à son attente. Pendant quelques semaines, c'est l'avalanche des médias, certains alléchés par le côté scabreux de l'histoire, d'autres simplement horrifiés par la fin sordide de la petite sœur chantante. Le bureau de R. est transformé en agence de presse. Il garde la tête froide, répond à toutes les questions, prend jour et nuit le téléphone, accueille chacun, distribue des photocopies de la lettre d'adieu, cordial et digne. Pour la deuxième fois les télévisions du monde se précipitent au nom de Sœur Sourire. En 1962, en raison de l'interdiction épiscopale, au lieu de la petite nonne elles ont dû filmer son couvent et son entourage. En 1985, elles ne peuvent pas non plus filmer son visage. Caché ou mort. Le sourire qui reste est celui qu'elle a éveillé dans les jeunes cœurs par sa voix cristalline.

Dans son salon non loin de là, Yvan apprend par la télévision au journal du soir la mort de sa deuxième maman.

La NBC arrive de New York avec une équipe complète. R. demande des autorisations pour filmer dans l'appartement, et pendant des semaines il enlève les scellés, fait visiter, remet les scellés. Pour un film de fin d'études, il déplace des cartons, vide les étagères de leurs albums de photos qu'il place dans des boîtes, ainsi qu'un petit animal en peluche et des chaussures au bas du placard de la chambre au papier bleu à grands ramages. La reine Fabiola l'appelle pour lui communiquer son indignation devant la mort injuste de l'ancienne religieuse. Le couvent de Fichermont est assailli de coups de téléphone injurieux. Le percepteur aussi, sans aucun doute : les journalistes qui tentent de l'approcher se font jeter dehors. Chez Philips, personne non plus ne prend la parole.

Dans le monde entier, petits et grands journaux annoncent la disparition de Jeannine. Le *Herald Tribune* : « Jeannine Deckers, 52, The Singing Nun, dies. » *Le Monde* lui consacre un papier dans la rubrique Religion : « La tristesse de Sœur Sourire », et établit un parallèle bienvenu avec la vie difficile du père Duval. La presse dans son ensemble a le bon goût de ne pas insister sur la date du 1ᵉʳ avril, mais plutôt sur l'acharnement du fisc belge contre les gens que la corruption n'atteint pas. Personne ne mentionne le contrat avec Philips. *Libération* titre : « Le martyr fiscal de Sœur Sourire ». *Le Soir* : « Sœur Sourire menée au suicide par ses problèmes financiers. » « Car le fisc belge est de tous le plus implacable », écrit Ariane Mounier-Kuhn dans *Paris Match*. « Il s'incarne en la figure obtuse et fanatique du percepteur de Wavre. » Son article prend la défense de Sœur Sourire avec justesse, parle d'Annie comme son associée, mais le magazine à sensations fortes le cale sur les bords d'une immense photo des deux femmes prenant le soleil en maillot de bain. On ne sait d'où vient cette photo. Les scellés de l'appartement ont été brisés une nuit par des journalistes d'un autre magazine français qui avaient prévenu R. qu'ils voulaient entrer coûte que coûte. Recherchaient-il le journal ? R. reçoit de nombreuses propositions d'achat des droits du manuscrit, dont la presse a appris l'existence par la lettre d'adieu. Il délègue à Y. la responsabilité de la décision. Y. refuse. Il attend que vienne un homme de cœur avec un projet honnête pour lui transmettre les classeurs du journal. Le moine accorde finalement sa confiance à la chaleur dénuée de pudibonderie d'un journaliste athée. Henry Everaert travaille de long mois pour écrire *Sœur Sourire, une voix sans visage* [1]. Les deux exécuteurs testamentaires sont ainsi quittes de leur devoir promotionnel. Mais pour des raisons qui sont propres à chacun, ils continuent à renseigner, à recevoir, à transmettre. Henry Everaert est mort en mai 1995.

Y. s'occupe des formalités de l'enterrement de Sœur Sourire. Il organise la messe, absolument décidé à respecter les vœux de son amie. L'archevêque de Malines-Bruxelles s'incline. Le couvent de Fichermont et la communauté des moines de Clerlande partagent les frais, plus de trente-trois

---

1. Henry Everaert, *Sœur Sourire, une voix sans visage*, Didier Hatier, Bruxelles, 1988.

mille francs belges. Le jeudi saint à Clerlande, moines, famille
et proches se réunissent dans la belle chapelle où Jeaninne a
puisé tant de forces. Les deux cercueils de bois blond
reposent côte à côte, les journalistes se promènent avec leurs
appareils photo mais le recueillement, la tristesse, sont
grands. Y. distribue des feuilles de chants et sert la messe. On
lit le magnifique cantique d'Ezékias, sans doute choisi par
Jeannine :

De jour, de nuit, Seigneur, sans pitié tu m'étreins,
Ainsi qu'un lion vaincu, traqué la nuit entière :
Je suis comme un oiseau qui gémit sans relâche,
mes yeux sont fatigués de regarder vers toi.

Pourquoi parler ? Seigneur, implacable est ta loi.
Au Dieu qui m'a créé, pourrais-je tenir tête ?
Mes jours sont accomplis, j'en ai fait l'inventaire,
Mon cœur est écrasé, broyé par le chagrin...

Y. fait la lecture de la résurrection de Lazare par Jean. Puis
il prononce une homélie vibrante en faveur de la tolérance :
« Qui pourrait déceler sur Son visage la trace d'une implacable rigueur ? Qui pourrait lire dans Ses yeux un acte de
condamnation ? Nul être au monde, à moins d'avoir un cœur
de pierre ne saurait soutenir longuement le regard du Christ
en croix. Celui qui juge sans appel une personne humaine se
juge lui-même et, aussitôt, se condamne. Dieu seul est juge,
car lui seul connaît les secrets du cœur, et il veut recouvrir son
habit de justice du manteau de miséricorde. » Citant les Écritures, Y. met gravement en garde l'assistance : « Là où gisent
les corps, là se rassemblent les vautours. » « Si, par malheur,
un oiseau de cette espèce s'était posé dans notre assemblée,
qu'il en sorte au plus vite ! Il n'y a place ici que pour la
compassion, la fervente prière et le souvenir ému. Dieu le
veut, tout le reste est impie ! »
    Après les chants d'adieux, le cortège se rend au cimetière
de Wavre. Sur une même tombe, on place une petite croix de
bois avec leurs deux noms. Les journalistes se font envoyer
paître. Quelques années plus tard, un échevin de Wavre bien
intentionné offre aux deux femmes une belle pierre tombale
surmontée d'un cœur de marbre où figurent ces mots : « J'ai
vu voler son âme A travers les nuages. » Ils sont extraits de la

chanson vengeresse de Luc Dominique qui disait : « Elle est morte Sœur Sourire, elle est morte, il était temps... »

On pourrait penser que la mort de Sœur Sourire, et la publicité faite autour des exactions qui l'ont poussée au suicide amèneraient les autorités à passer l'éponge sur ses dettes, et même, en toute logique, à verser ses droits d'auteur aux associations d'aide aux enfants autistes. Chaque fois qu'on entend *Dominique-nique-nique* sur les radios du monde entier, des droits sont versés à la Sabam. Cent mille francs français arrivaient par trimestre avant sa mort : on peut imaginer ce qu'il en fut le trimestre suivant.

Le montant total des dettes s'élève au 29 mars 1958 à plus de trois millions de francs belges – environ six cent mille francs français. R. et Y. sont désignés exécuteurs testamentaires. Pour que la famille d'Annie et les amis communs puissent entrer en possession des quelques souvenirs que les deux femmes ont légués, ces dettes doivent être apurées. On demande donc aux bénéficiaires de payer pour obtenir, qui des recueils de chansons, qui des vieux disques. Le premier notaire chargé de la succession, un homme d'une grande intégrité qui s'était occupé de celle des parents de Jeannine, passe la main rapidement, en désaccord profond avec la tournure que prennent les choses. Les successions déficitaires sont désagréables car on ne peut pas contenter les gens, dit-il. En toute logique, c'est le notaire de Wavre, maître Hourdeau, qui se retrouve chargé du dossier et de l'exécution du testament. Maître Hulet de Grez-Doiceau procède à l'inventaire, objet par objet, de tout l'appartement. Une liste triste, presque poétique dans sa froideur, le détail des mille et un riens que l'on laisse derrière soi au fond des tiroirs, au creux des armoires à linge.

Le Secrétaire de la Reine Fabiola, B. Cardon de Lichtbuer, écrit à R. le 12 avril : « La Reine a bien reçu votre lettre par laquelle vous lui faites part de la disparition de *Sœur Sourire*. Sa Majesté vous adresse toute sa sympathie en ces moments qui doivent être si pénibles pour tous ceux et toutes celles qui lui étaient chers. Je n'ai pas manqué d'informer le Ministre des Finances du contenu de votre lettre et de lui demander un examen bienveillant de votre requête. Sa Majesté espère vivement qu'une solution pourra être envisagée afin de permettre de sauver l'œuvre artistique de *Sœur Sourire*.

La requête de R. porte évidemment sur la levée des impôts, suite aux demandes de recours en grâce. On se demande ce que veut dire « sauver l'œuvre artistique ».

En fait, le Ministre des Finances accorde seulement la levée des intérêts sur les sommes dues, c'est-à-dire environ la moitié. Sœur Sourire doit un million quatre cent mille francs belges en capital au fisc de Louvain pour les années 1967-68, soit avec les intérêts cumulés au jour de sa mort plus de deux millions huit cent mille francs (près de cinq cent mille francs français). Le receveur des contributions de Wavre est prié de transmettre le montant exact des dettes de Sœur Sourire au fisc de Wavre. Pour les années 1970 et 1983, elle doit huit cent cinquante mille francs en capital et plus de cent quarante mille francs en intérêts, soit presque un million de francs belges. On demande également au même d'évaluer si la saisie fiscale de l'appartement ne suffirait pas à satisfaire son administration, pour que les légataires des droits d'auteurs puissent en disposer. Il est aussi prié de lever la saisie fiscale sur le mobilier et de faire connaître le montant des sommes qu'il a saisies à la Sabam depuis le décès de Mme Deckers. D'après R., il n'a pas communiqué ces renseignements.

Une entrevue a lieu au couvent en mai, en présence de sœur Brigitte et de sœur Marie-Michel, supérieure locale et jadis maîtresse des novices, d'un journaliste flamand et de R. Sœur Marie-Michel est vieille, ses souvenirs ne sont plus très nets. Elle évalue à dix millions de francs belges les sommes reçues par le couvent en droits d'auteur de 1962 à 1966. Sur cette somme, les impôts relatifs à l'asbl Fichermont ont été payés. Comment les sœurs sauraient-elles que d'autres taxes, relatives à la personne de Jeannine Deckers, ne l'étaient pas ? L'entrevue n'apporte rien de nouveau. R. ne pose aucune question délicate, le journaliste non plus. Sœur Marie-Michel affirme que les droits d'auteur arrivaient au couvent avec des mois, voire des années de retard. L'avocat devait également savoir par où transitaient ces sommes. Maintenant à Fichermont, personne ne veut plus évoquer l'affaire. « Nous avons trop souffert », disent-elles au téléphone.

En juillet, R. assiste à une réunion avec les conseillers du Secrétaire d'État aux Finances. Il y apprend que « l'administration envisageait depuis très longtemps d'exonérer Jeannine du paiement des intérêts, mais n'avait pas souhaité lui en faire part immédiatement, compte tenu de ce que le Secrétaire d'État envisage une action oblique contre le couvent en récupération des impôts. De même, une action en reddition de comptes à l'égard des héritiers de feu Maître L. sur base d'informations détenues par l'administration quant à des sommes qui étaient en possession de cet avocat et dont notre chère Jeannine n'aurait pas eu l'explication », écrit R. le 5 juillet à Vannerom. Durant cette réunion, il a été décidé que la saisie fiscale serait levée si les pharmaciens qui héritent des tableaux de Sœur Sourire en paiement du *Témesta* et du *Dépronal* abandonnaient leur legs au profit d'une vente publique. Curieuse façon d'hypothéquer la décision des particuliers. Espéraient-ils que les pharmaciens crouleraient sous la honte et voudraient se racheter ? R. leur demande le 8 juillet de renoncer à leurs legs de façon à vendre les tableaux au plus vite pour payer le principal des impôts, et « sauver la poursuite de l'œuvre musicale de Sœur Sourire. » Les commerçants se fâchent.

Le dossier fiscal de Sœur Sourire n'est pas centralisé dans une administration unique capable de mener à bien le règlement des litiges. Le chaos s'engouffre dans les vides ainsi laissés. Tant que la société Ippa n'a pas été remboursée du solde du prêt hypothécaire, l'appartement ne peut être vendu. Mort ou pas mort, cette banque fait courir les intérêts sur le prêt. Cela ne laisse aux exécuteurs testamentaires que la possibilité de louer l'appartement en attendant de trouver l'argent pour apurer la dette d'Ippa. Mais personne ne veut louer cet appartement encore intact, baignant dans la tristesse, plein de cartons portant sur des étiquettes les noms des amis qui ne comprennent plus rien. On ne peut pas le vider, car le receveur de Wavre ne communique pas les renseignements relatifs à la saisie du mobilier. Les charges locatives continuent de courir. Quand Ippa menace de nouveau de saisir l'appartement, R. prend la mouche. « Nous supposons qu'en tout état de cause, compte tenu du drame épouvantable qui s'est produit et dont la mise en vente publique de l'appartement a constitué un des éléments qui ont menés à ce drame, et compte tenu du solde minimum du prêt par rapport à la garantie hypothécaire, vous aurez cette fois l'élégance de patienter. (...) Ne croyez-vous pas que devant ce suicide dramatique, une société de votre prestige pourrait faire un geste à la mémoire de femmes qui ont consacré toute leur vie aux autres, et renoncer éventuellement à tout ou partie des intérêts, ainsi que va le faire l'État belge ? »

Au fur et à mesure, les exécuteurs testamentaires se heurtent à une situation bloquée. Ils décident donc de faire désigner un curateur à succession vacante, « chargé de la liquidation de la succession, et possédant les pouvoirs prévus par l'article 813 du Code Civil ». Une curatrice, notaire auprès du tribunal de Nivelles, en est chargée. Elle décide de remettre aux amis des deux femmes leurs legs à titre conservatoire, c'est-à-dire qu'ils en seraient les gardiens, mais ne pourraient en être propriétaires tant que tout n'est pas réglé. R. est toujours exécuteur testamentaire, mais chapeauté pour quelques années par des administrateurs judiciaires.

A la fin du printemps 1990, l'appartement est vendu. Les exécuteurs n'ont pas été informés des conditions de la vente. Le tribunal de Nivelles dans l'intervalle était très préoccupé par des affaires de grand banditisme... Les parents d'Annie ne sont toujours pas en possession des albums de photos de leur fille. Quelque temps plus tard, une vente publique des dessins de Sœur Sourire a lieu dans une triste petite salle des ventes. Quelques curieux, un couple d'acheteurs venu d'Allemagne, un témoin bouleversé y assistent.

L'amie d'enfance de Jeannine ne veut plus parler d'elle. Au téléphone, elle incrimine le couvent, qui l'aurait transformée et déformée. Elle assure avoir mis Jeannine en garde contre la religion, pas contre la foi, et s'attriste du résultat qu'elle jugeait prévisible. Elle n'a plus reconnu son amie par la suite.

L'amie de couvent de sœur Luc ne veut plus parler d'elle. Elle défend âprement le couvent, qui n'a pas mérité l'opprobre dont il a été couvert. Debout dans un couloir, elle déplore que Jeannine ait été transformée et déformée par sa vie de pseudo-vedette à sa sortie. Elle n'a plus reconnu son amie par la suite.

« Quand je commence à parler de Sœur Sourire, on change de sujet, surtout ici », nous dit Yvan. « Plus personne, ils filent comme des lapins. Personne ne veut en parler. »

« Je crois que à peu près tout le monde sauf elle savait être inaccessible, dit Y. A part quelques salauds qui ont essayé de lui faire croire le contraire... *Vivre sa vérité* – où est cette vérité ? Elle nous est en grande partie inaccessible. »

Ici en France, dix ans après sa mort, trente ans après son unique succès, les gens sourient et se souviennent. Les femmes chantent spontanément les notes surgies de leur enfance. Comme cette employée de la Bibliothèque Nationale qui, en me tendant après deux heures de recherches le seul exemplaire disponible du journal publié, fredonne avec un air de connivence : « Dominique, nique-nique » dans le silence bruissant et recueilli de la salle de lecture.

« Il est plus facile qu'on ne croit de se haïr. »
Georges Bernanos,
Journal d'un curé de campagne.

ANNEXE

Dominique

Dominique, nique, nique
S'en allait tout simplement
Routier, pauvre et chantant
En tout chemin en tous lieux
Il ne parle que du bon Dieu
Il ne parle que du bon Dieu

Certain jour un hérétique
Par des ronces le conduit
Mais notre père Dominique
Par sa joie le convertit *(au refrain)*.

Ni chameau ni diligence
Il parcourt l'Europe à pied.
Scandinavie ou Provence
Dans la sainte pauvreté *(au refrain)*.

Enflamma de toute école
Filles et garçons pleins d'ardeur
Et pour semer la parole
Inventa les Frères prêcheurs *(au refrain)*.

Chez Dominique et ses frères
Le pain s'en vint à manquer
Et deux anges se présentèrent
Portant deux grands pains dorés *(au refrain)*.

Dominique vit en rêve
Les prêcheurs du monde entier
Sous le manteau de la Vierge
En grand nombre rassemblés *(au refrain)*.

Dominique mon bon père
Garde-nous simples et gais
Pour annoncer à nos frères
La Vie et la Vérité *(au refrain)*.

(Éditions Primavera, Bruxelles, 1962.)

Luc Dominique

(Chanson de transition entre deux pseudonymes – *note de l'auteur*.)

Refrain :
Elle est morte Sœur Sourire,
Elle est morte, il était temps,
J'ai vu voler son âme
A travers les nuages
Sur un tapis volant.

Messieurs les journalistes et messieurs les disquaires
Sans doute feront critique, comprendront de travers
Mais que saint Dominique veuille leur pardonner
Toutes les rumeurs publiques qu'ils auraient diffusées.

Il est certain « sourire » qu'il faut démystifier
Portrait un peu rapide, portrait inachevé
Si cet autre visage étonne certaines gens
Qu'ils vénèrent l'image du sourire d'antan.

La race des photographes qui ne connaissent que mon dos
S'essoufflent à la chasse de mon incognito
Car le temps fait peau neuve et s'ouvrent les couvents
Les moines se font mæœuvres, cuisiniers ou chantants.

Ma vocation, mes frères, n'est pas de tout repos :
Servir Dieu, quelle affaire ! c'est s'user jusqu'aux os,
Marcher dans l'inquiétude et l'incompréhension,
Au lieu des certitudes des bonnes réputations.

Je réclame de mes frères le droit d'évoluer,
De vivre solidaire, parmi eux, consacrée,
En short ou en tunique, blue-jeans ou pyjama,
Jeune âge ou temps critique, le Seigneur est mon choix.

Dernier refrain :
Elle est morte Sœur Sourire,
Elle est morte, il était temps
J'ai vu voler son âme
A travers les nuages
Dans le soleil couchant.

REMERCIEMENTS

Tous mes remerciements les plus chaleureux à ceux qui m'ont aidée, dont :

Jean-Yves Quellec, Jean Berlier, Luc Maddelin, Pierre Lhoir, Fabian Pauwels, André Ghuilain, Docteur Boon, Docteur Walda D., William U., Gérard Valet, Anne Verboom, Arlette Vincent, Gabriel Ringlet, Maître Jacobs, sœur Rose Marie, sœur Cyrille, Renée, François, Média Animation, la RTBF Bruxelles et les journalistes auteurs d'articles passionnants mais dont je n'ai pu retrouver les noms.

Alban pour sa patience, et : Thomas A. Buffa, Paul Chabrier, Thierry Groensteen, Janne Hartmann, Gary Pesciallo, François Van Eeckhaute, pour leur soutien attentif.

Ainsi qu'à toutes celles et tous ceux qui ont préféré garder l'anonymat, mais dont le témoignage a été si précieux.

A G. à cause de l'éternité.

BIBLIOGRAPHIE

Marie-Josèphe Aubert, *Les religieuses sont-elles des femmes?* Le Centurion, 1976.

Catherine Baker, *Les Contemplatives, des femmes entre elles,* Stock, Paris, 1979.

Père Besnard, *Il faut que j'aille demeurer chez toi,* éditions du Cerf, Paris, 1978.

Nicolas Bouvier, *L'Usage du monde,* Payot, Paris, 1992.

Roger Caillois, *L'Homme et le sacré,* PUF, 1939.

François Charles, *La Génération Défroquée,* éditions du Cerf, 1986.

Charles-Albert Cingria, *La fourmi rouge,* L'Age d'Homme, Lausanne, 1978.

William Cliff, *Conrad Detrez,* Le Dilettante, 1990.

Rosemary Curb, Nancy Manahan, *Ma sœur, mon amour,* éditions Geneviève Pastre, 1990.

M.-M. Davy, *Les Dominicaines,* Grasset, Paris, 1934.

Henry Everaert, *Sœur Sourire, une voix sans visage,* Didier Hatier, Bruxelles, 1988.

Jean Grootaers, *De Vatican II à Jean-Paul II, le grand tournant de l'Église catholique,* Le Centurion, 1981.

C. G. Jung, *La vie symbolique, psychologie et vie religieuse,* Albin Michel, 1989.

Lacordaire, *Vie de Saint-Dominique,* éditions du Cerf, Paris, 1989.

Lucien, *L'enfant qui jouait avec la lune,* éditions Salvatore, Mulhouse, 1983.

Raïssa Maritain, *Les Grandes Amitiés,* Desclée de Brouwer, 1988.

Rick Marschall, *History of Television,* Bison Books, London, 1986.

François Morlot, *Des chrétiens comme les autres, Les Instituts séculiers,* Desclée de Brouwer, Paris, 1984.

Mireille Nègre, *Je danserai pour toi,* Desclée de Brouwer, 1984.

Frère Roger Schutz, *Vivre l'aujourd'hui de Dieu,* Presses de Taizé.

Jean Sulivan, *Car je t'aime, ô, éternité,* Gallimard, 1966.

Teilhard de Chardin, *L'Hymne de l'Univers,* éditions du Seuil, Paris, 1961.

Léon Tolstoï, *Le Père Serge,* Le temps qu'il fait, 1991.

Denis Vasse, *Le Temps du désir,* éditions du Seuil, 1969.

TABLE

Cet ouvrage a été réalisé par la
SOCIÉTÉ NOUVELLE FIRMIN-DIDOT (Mesnil-sur-l'Estrée)
pour le compte de LA LIBRAIRIE PLON

Achevé d'imprimer en mars 1996